2025年度版

TAC税理士講座

税理士受験シリーズ

3

簿 記 論

総合計算問題集 応用編

TAC出版

TAC PUBLISHING Group

はじめに

　本書は、ＴＡＣの税理士簿記論受験コースにおいて使用している問題集であり、いずれの問題も税理士簿記論合格のためには必ずマスターしていただきたい良問となります。

　簿記の勉強は、「知っている」というだけでは十分でなく、「問題が解ける」ようにならなければなりません。そのためには、いろいろなパターンの問題を自分の手と頭で解いてみることが必要となります。実際に問題を解いてみると、それまで十分に理解していたと思っていたことが、実はあまりわかっていなかったということがはっきりしてきます。そうしたら、少しずつ問題が解けるように知識を吸収していきます。足もとを一歩一歩かためつつ先に進むのです。簿記の上達する秘訣はこれをおいて他にはありません。

　ひたすら簿記の本を読んでいるだけでは、簿記は自分のものになりません。本書を利用することによって「良質の問題を体系的に解く」習慣を身につけ、一人でも多くの方が合格の栄冠を勝ち取られますことを願ってやみません。

ＴＡＣ税理士講座

本書の特長

1　総合問題対策の精選問題集

　総合問題対策として、精選された総合問題を収録した問題集です。応用編は、過去の本試験の出題傾向を考慮し、難易度の高いものやボリュームの多い問題が含まれていますので、解答手順等の解答戦略を身につけるために活用してください。

2　制限時間を明示

　問題にはすべて標準的な解答時間を制限時間として付しています。制限時間内の解答を目標としてください。

3　最新の改正に対応

　最新の会計基準等の改正等に対応しています（令和6年10月までの施行法令に準拠）。

4　難易度を明示

　問題ごとに、難易度を付しています。到達レベルにあわせて問題を選択することができます。
　　　Aランク…基本問題
　　　Bランク…やや難しい問題
　　　Cランク…本試験レベルの難しい問題

5　本試験の出題の傾向と分析を掲載

　最新の第74回（2024年実施）を含めた、本試験の出題傾向と分析を掲載しています。学習を進めるにあたって、参考にしてください。

本書の利用方法

1 解答時間を計って解く

　解き始めの時間と終了時間を必ずチェックし、解答時間を記録しておきます。時間を意識しないトレーニングは意味がなく、上達も期待できません。ただし、解き慣れていない人は、最初は制限時間を気にしないで自分のペースで最後まで解いてみることをお勧めします。この場合でも解答時間はチェックし、徐々に制限時間内の解答を目指すようにしてください。目標としては、制限時間の70〜80%の時間で解けるようになれば理想的です。

2 チェック欄の利用方法

　目次には問題ごとにチェック欄を設けてあります。実際に問題を解いた後に、日付、得点、解答時間などを記入することにより、計画的な学習、弱点の発見ができます。

3 間違えた問題はもう一度解く

　間違えた問題をそのままにしておくと、後日同じような問題を解いたときに再度間違える可能性が高くなります。そのため、間違えた問題はなぜ間違えたのかを徹底的に分析して、二度と同じ間違いを繰り返さないように対策を考え、少し時期をずらしてもう一度解いて確認してください。

4 個別問題対策の次に総合問題対策をする

　税理士試験の問題は、そのほとんどが総合問題（30分または60分）として出題されます。総合問題ではボリュームの多さ、問題構造等が解答者にとって最大のネックであり、個別問題を解いただけではなかなか克服できません。そのため、個別問題対策として「個別計算問題集」を解き、次に総合問題における個別論点対策として「総合計算問題集（基礎編）」及び応用論点対策として「総合計算問題集（応用編）」を解くと、高い学習効果が期待できます。

　そして、総合問題演習において、自分の苦手論点が明確になったのであれば、「個別計算問題集」を用いて苦手論点の克服に努めると、さらに学習効果が高まります。

5 答案用紙の利用方法

　「答案用紙」は、ダウンロードでもご利用いただけます。Cyber Book Store（TAC出版書籍販売サイト）の「解答用紙ダウンロード」にアクセスしてください。

https://bookstore.tac-school.co.jp

本書の問題においては、資料以外のことは考慮せずに解答するようお願いいたします。

目 次

出題の傾向と分析（実務家試験委員）

(1) 解答箇所と解答要求事項

年　　度	回　数	解答箇所	解 答 要 求 事 項		
			後T/B	財務諸表	特定金額
平成27年	第65回	42箇所		一部の科目	
平成28年	第66回	36箇所	一部の科目		
平成29年	第67回	36箇所	一部の科目		
平成30年	第68回	39箇所	一部の科目		
令和元年	第69回	35箇所	一部の科目		
令和2年	第70回	39箇所	一部の科目		
令和3年	第71回	39箇所	一部の科目		
令和4年	第72回	38箇所	一部の科目		
令和5年	第73回	40箇所	一部の科目		
令和6年	第74回	40箇所	一部の科目		

(2) 問題構造

年　　度	回　数	出題形式	問 題 構 造
平成27年	第65回	総合問題	決算整理型の総合問題（商品売買業）
平成28年	第66回	総合問題	決算整理型の総合問題（商品売買業）
平成29年	第67回	総合問題	決算整理型の総合問題（商品売買業）
平成30年	第68回	総合問題	決算整理型の総合問題（商品売買業）
令和元年	第69回	総合問題	決算整理型の総合問題（商品売買業、不動産賃貸業）
令和2年	第70回	総合問題	決算整理型の総合問題（商品売買業）
令和3年	第71回	総合問題	決算整理型の総合問題（商品売買業・本支店会計）
令和4年	第72回	総合問題	決算整理型の総合問題（建設業・不動産賃貸業）
令和5年	第73回	総合問題	決算整理型の総合問題（商品売買業・製造業）
令和6年	第74回	総合問題	決算整理型の総合問題（商品売買業）

(3) 出題テーマ及び論点

テーマ	論点	平27 65回	平28 66回	平29 67回	平30 68回	令元 69回	令2 70回	令3 71回	令4 72回	令5 73回	令6 74回
簿記一巡	費用・収益の見越・繰延	○					○		○	○	○
一般商品売買	会計処理（三分法）	○	○	○	○	○	○			○	○
	会計処理（分記法）						○				
	売上・仕入に関する返品・値引・割戻	○	○	○		○					
	払出単価の決定方法（先入先出法）						○	○			
	払出単価の決定方法（移動平均法）					○					
	払出単価の決定方法（総平均法）	○	○	○	○						
	商品の減耗	○			○	○	○	○			○
	商品の評価損	○			○		○			○	○
	仕入諸掛						○				
	仕入・売上の計上基準	○	○	○		○					
	販売以外の商品の減少	○		○			○				○
特殊商品売買	割賦販売（販売基準）						○				
	割賦販売（貸倒れ）						○				
	未着品売買（その都度法）									○	
	未着品売買（荷為替手形）									○	
	委託販売（その都度法）					○					
	委託販売（受託者売上額基準）					○					
	委託販売（積送諸掛費）					○					
債権・債務	クレジット売掛金						○				
	電子記録債権債務						○			○	
	前渡金・前受金						○				
	売上割引・仕入割引		○		○						
	預り保証金							○			
現金預金	現金の範囲		○		○		○	○			○
	小口現金									○	
	現金過不足				○		○	○	○		○
	銀行勘定調整	○		○	○	○	○	○	○	○	○
	当座借越						○	○			○
	普通預金		○		○		○				
手形	約束手形	○					○				
	為替手形						○				
貸倒引当金	一般債権（貸倒実績率法）	○	○	○	○	○	○	○	○	○	○
	貸倒懸念債権（財務内容評価法）	○	○								○
	貸倒懸念債権（キャッシュ・フロー見積法）								○		
	破産更生債権等（財務内容評価法）	○	○			○					
	金銭債権の貸倒	○	○					○			

テーマ	論点	平27 65回	平28 66回	平29 67回	平30 68回	令元 69回	令2 70回	令3 71回	令4 72回	令5 73回	令6 74回
人件費	社会保険料	○		○	○			○	○		
	賞与引当金	○		○	○		○	○	○	○	○
	退職給付引当金（原則法）	○	○							○	
	原則法における数理計算上の差異	○	○							○	
	年金資産の積立超過	○									
	退職給付引当金（簡便法）			○			○		○		
有形固定資産	取得				○					○	○
	取得原価の推定		○								
	減価償却（定額法）	○	○	○	○	○	○	○	○	○	○
	減価償却（定率法）			○	○			○	○	○	
	耐用年数の変更	○									
	資本的支出									○	
	売却	○	○	○							
	除却				○						
	焼失					○		○		○	
	法人税法上の減価償却		○		○						○
	ファイナンス・リース		○					○	○		○
	リース取引（維持管理費用相当額）										○
	セール・アンド・リースバック							○			
	減損会計		○	○		○		○			
	資産除去債務	○			○						
	圧縮記帳（直接減額方式）							○			
	圧縮記帳（積立金方式）		○			○			○	○	
	土地の再評価	○									
	敷金					○					
投資その他の資産	出資金（匿名組合契約）									○	
株主資本	剰余金の処分										○
	剰余金の処分における準備金の積立										○
	自己株式の有償取得										○
	自己株式の取得・処分に関する手数料										○
	新株と自己株式の同時交付										○
税金	租税公課				○					○	
	法人税等	○	○	○		○	○	○		○	○
	税効果会計	○	○	○	○		○	○	○	○	○
	消費税等（税抜方式）	○	○	○	○	○	○	○	○	○	○
社債	普通社債							○			
	普通社債の買入消却							○			
	償却原価法（定額法）							○			
有価証券	取得	○									
	単価の付替（移動平均法）	○									
	売却	○			○						

テ ー マ	論　　　点	平27 65回	平28 66回	平29 67回	平30 68回	令元 69回	令2 70回	令3 71回	令4 72回	令5 73回	令6 74回
有価証券	売買目的有価証券			○		○	○				
	満期保有目的の債券	○			○	○					○
	子会社株式・関連会社株式					○					○
	その他有価証券 （全部純資産直入法）	○	○		○	○	○	○			○
	その他有価証券 （部分純資産直入法）								○		
	償却原価法（利息法）					○					
	償却原価法（定額法）	○					○				○
	保有目的区分の変更					○	○				
	受取配当金の財源		○								
	減損処理		○	○		○		○	○		○
	ゴルフ会員権							○			
外貨建取引	外貨建取引の換算			○	○		○			○	○
	期末換算替	○		○	○		○	○		○	○
	その他有価証券 （全部純資産直入法）			○		○					
	満期保有目的の債券 （償却原価法適用）		○	○							○
	為替予約（独立処理）							○			
	為替予約（振当処理）	○									○
ソフトウェア	自社利用目的ソフトウェア	○					○				
	自社利用目的ソフトウェアの 取得	○					○				
	自社利用目的ソフトウェアの 除却	○									
新株予約権	新株予約権付社債（区分法）										○
	外貨建新株予約権付社債		○								
取締役の報酬等	事後交付型（株式引受権）									○	
インセンティブ報酬	株式増価受益権 （株式報酬引当金）									○	
会計上の変更	会計上の見積の変更	○									
ヘッジ会計	繰延ヘッジ（為替予約）		○	○	○						
	繰延ヘッジ（金利スワップ）	○						○			○
	繰延ヘッジ（通貨オプション）				○						
製造業会計	勘定体系									○	
	期末仕掛品の評価									○	
	仕掛品の減損（異常減損費）									○	
	期末製品の評価									○	
本支店会計	在外支店							○			
収益認識基準	原価比例法								○		
	工事損失引当金								○		
財務諸表	1年基準	○									

（4）出題傾向の分析

1　実務家試験委員問題は必ず総合問題形式で出題される（ほとんどが決算整理型）
2　解答要求事項が変化に富む
3　実務に直結した論点がよく出題される
4　残高試算表の勘定科目内訳書が資料として与えられている
5　資料及び問題文が読み取りづらい

1　実務家試験委員問題は、すべて総合問題形式で出題されており、また、問題構造もほとんどが決算整理型で出題されている。なお、解答箇所の数は年によってマチマチであるが、解答箇所の数が少ない場合は、1箇所当たりの配点が大きくなることから**1つのミスが致命傷になりかねない**ため、注意して頂きたい。

2　解答要求は後T/Bまた財務諸表の金額算定が中心となるが、全ての科目を算定する場合と、一部の科目を算定する場合とがある。特に一部の科目の場合には、仕訳を考えて金額を算定しても解答要求でない場合があるため、解答要求の科目を確認して、「**解答要求に繋がる資料をピックアップする**」ことが必要となる。

　　また、修正仕訳・特定金額の算定等の解答要求が加わった場合には、効率よく解答するためには、後T/Bまたは財務諸表の金額を解答しながら、同時並行で修正仕訳・特定金額の算定等の解答も行うというように、「**二度手間を省く**」ことが必要である。

3　実務家試験委員問題では、次の実務的な項目が出題されている。

　　平成26年……外注加工費、消費税等、法人税法上の減価償却、社会保険料

　　平成27年……残高確認、消費税等、法人税法上の減価償却、社会保険料

　　平成28年……仮払金の精算、リベート契約、残高確認、消費税等、法人税法上の減価償却

　　平成29年……リベート契約、残高確認、賞与支給規定、消費税等、社会保険料

　　平成30年……ファクタリング取引、残高確認、改定償却率、消費税等

　　令和元年……敷金等、債務超過、残高確認、消費税等

　　令和2年……仮払金の精算、クレジット売掛金、電子記録債権、消費税等

　　令和5年……従業員の横領、電子記録債権、消費税の軽減税率、インセンティブ報酬

4　実務家試験委員問題では、残高試算表の勘定科目内訳書が資料として与えられることが多い。なお、当該資料が与えられた場合は、次の事項に留意して解答を行う必要がある。

　　（1）最初に勘定科目内訳書の内容を確認し、誤っているものがあれば修正処理を行う。

　　（2）修正事項及び決算整理事項等に着手する際は、勘定科目内訳書の内容もリンクさせながら解き進める。

5　実務家試験委員問題では、実務で使用する証票（当座勘定照合表、請求書等）が資料として与えられる場合があり、何をすべきか戸惑うことがある。

　　また、実務家試験委員の問題文は実務上の前提条件まで記載され、問題文が長く、説明が回

りくどい場合があるため、読み取りづらいこともある。

問題編

TAX ACCOUNTANT

問 題 1	一般総合(1)	制限時間 60分
		難 易 度 A

　当社の当期（自×20年4月1日　至×21年3月31日）に関する以下の【資料】に基づき、決算整理後残高試算表を作成しなさい。

（解答上の留意事項）

1　解答金額については、問題文の決算整理前残高試算表の金額欄の数値のように3桁ごとにカンマで区切りなさい。この方法によっていない場合には正解としないので注意すること。

2　金額の計算の結果、千円未満の端数が生じた場合は、千円未満を四捨五入する。

3　期間按分の計算が生じる場合には月割り（1か月未満の端数切上げ）により計算する。

4　消費税及び地方消費税（以下「消費税等」という。）の会計処理は税抜方式を採用している。資料中に消費税等に関する記載がある場合のみ税率10％で処理を行うこと。未払消費税等は仮受消費税等と仮払消費税等を相殺し、中間納付額を控除して算定する。

5　税効果会計は記述のある項目についてのみ適用することとし、その適用にあたっての法定実効税率は30％とする。なお、繰延税金資産の回収可能性に問題はないものとする。なお、繰延税金資産と繰延税金負債は相殺せずに解答すること。

6　法人税等及び法人税等調整額の合計額は税引前当期純利益に法定実効税率（30％）を乗じて算出した金額とし、法人税等は逆算で計算すること。未払法人税等は法人税等の金額から中間納付額を控除して算定する。

7　勘定科目は問題及び答案用紙で使用されているものを使用することとし、それ以外は使用しないこと。

【資料1】決算整理前残高試算表

決算整理前残高試算表　　　　　　　　（単位：千円）

借	方	貸	方
勘 定 科 目	金 額	勘 定 科 目	金 額
現 金 預 金	53,602	支 払 手 形	46,800
受 取 手 形	96,800	買 掛 金	52,300
売 掛 金	180,400	短 期 借 入 金	8,000
有 価 証 券	4,200	仮 受 消 費 税 等	184,000
繰 越 商 品	22,400	賞 与 引 当 金	24,200
仮 払 金	49,860	貸 倒 引 当 金	3,182
仮 払 消 費 税 等	150,080	長 期 借 入 金	30,000
建 物	59,500	社 債	(　　　　　)
器 具 備 品	9,480	リ ー ス 債 務	(　　　　　)
リ ー ス 資 産	(　　　　　)	退 職 給 付 引 当 金	(　　　　　)
土 地	120,000	資 本 金	90,000
投 資 有 価 証 券	9,958	資 本 準 備 金	15,000
繰 延 税 金 資 産	59,640	利 益 準 備 金	5,000
仕 入	1,180,800	別 途 積 立 金	5,280
営 業 費	601,199	繰 越 利 益 剰 余 金	22,363
支 払 利 息	1,160	売 上 高	1,840,000
社 債 利 息	(　　　　　)	受 取 利 息 配 当 金	800
有 価 証 券 運 用 損 益	124	為 替 差 損 益	110
雑 損 失	166		
合 計	(　　　　　)	合 計	(　　　　　)

【資料２】決算整理事項等

1　現金預金に関する事項

(1) 決算整理前残高試算表の現金預金のうち1,630千円は現金である。決算日に金庫に保管されているものは下記(2)のとおりであり、判明した事項は下記(3)のとおりである。原因不明分については雑損失または雑収入に計上する。

(2) 決算日に金庫に保管されていたもの

通貨（円）120千円、通貨（外貨）10千ドル、当社振出小切手500千円、
収入印紙及び切手20千円、Ｆ社社債のクーポン利息（　　　）千円

(3) 判明した事項

①　営業費220千円（税込み）を支払っていたが、未処理であった。

②　上記(2)の通貨（外貨）は受取日の直物レート１ドル128円で換算されている。×21年３月31日の直物レートは１ドル132円である。

③　上記(2)の収入印紙及び切手は購入時に営業費に計上している。

④　上記(2)のＦ社社債のクーポン利息は利払日が×21年３月31日のものであるが、未処理であった。

(4) 決算整理前残高試算表の現金預金のうち、36,972千円は当座預金であり、その内訳は甲銀行34,572千円の借方残高、乙銀行が2,400千円の借方残高である。銀行の残高証明書の金額は甲銀行が41,550千円、乙銀行がマイナス1,200千円であった。判明した事項は下記(5)のとおりである。なお、当社は両銀行と限度額5,000千円の当座借越契約を締結しており、マイナスの残高は短期借入金に計上する。

(5) 判明した事項

①　得意先から売掛金5,500千円について甲銀行の当座預金口座に振込があったが、未処理であった。なお、振込額は振込手数料22千円（税込み）が差し引かれた残額であった。

②　上記(2)の当社振出小切手は買掛金の支払いのために甲銀行を支払銀行として振り出したものであるが、仕入先の担当者が取りに来なかったため、保管されていた。

③　乙銀行で割引きした得意先Ｘ社振出の約束手形2,000千円が不渡りとなり、買い戻していたが、未処理であった。

④　買掛金の支払いのために振り出した小切手1,000千円について、甲銀行からの支払いとして処理していたが、乙銀行からの支払いであった。

⑤　得意先から売掛金の回収として受け取った得意先振出小切手600千円を乙銀行の当座預金に入金するために決算日に銀行担当者に渡し入金処理したが、銀行では入金処理されていなかった。

2 当社の売掛金の残高確認をし、差額原因について調査した結果、判明した事項は下記(1)及び(2)のとおりである。

(1) A社に対する売掛金の帳簿残高は5,500千円（税込み）であったが、A社からの回答額は4,400千円（税込み）であった。差額は、商品に品質不良があったためA社が返品したものであり、この返品商品は期末日に到着していたが、未処理であった。

(2) B社に対する売掛金帳簿残高は6,600千円（税込み）であったが、B社は既に倒産していることが判明した。B社に対する債権は当該売掛金（すべて前期に発生したものである。）のみであり、回収の見込みがないと判断されるため、決算で全額を貸倒処理する（下記4参照）。

3 商品の期末帳簿棚卸高は25,600千円であり、商品実地棚卸高は25,680千円であった。帳簿棚卸高との差額について調査したところ、判明した事項は下記(1)及び(2)であった。その他の差異原因については不明のため棚卸減耗費とする。

(1) 見本品として原価400千円の商品を得意先に送付していたが、未処理となっていた。

(2) 上記2(1)の返品された商品の原価は640千円、正味売却価額は200千円であり、商品評価損は売上原価に含めて処理する。

4 当社は受取手形及び売掛金を「一般債権」、「貸倒懸念債権」及び「破産更生債権等」に区分し、その区分ごとに貸倒見積高の算定を行い、その合計額で貸倒引当金を設定し、繰入額は差額補充法により処理することとしている。なお、B社に対する債権は、前期末時点で一般債権に区分されており、決算整理前残高試算表の貸倒引当金はすべて一般債権に対して設定されたものである。

(1) 一般債権の貸倒見積高の算定は一般債権残高に対して過去の貸倒実績率を乗じて算定する。当期に適用する貸倒実績率は1％である。

(2) 得意先J社は経営破綻の状態には至っていないが、債務の弁済に重大な問題が生じていると考えられる。J社に対する債権（受取手形3,000千円及び売掛金2,000千円）を貸倒懸念債権に区分し、債権金額から担保処分見込額（1,000千円）を控除した残額の50％相当額を貸倒見積高とする。

(3) 得意先X社は経営破綻の状態に陥っていると判断されるため、X社に対する債権を破産更生債権等に区分し、破産更生債権等への振替処理を行うとともに債権金額の100％相当額を貸倒見積高とする。なお、決算整理前残高試算表の受取手形のうち1,000千円及び売掛金のうち1,000千円はX社に対する債権である。

(4) 当期末における貸倒引当金繰入限度額は4,620千円であり、貸倒引当金繰入限度超過額に対して税効果会計を適用する。なお、前期末において貸倒引当金繰入限度超過額はなかった。

5 当社の保有する有価証券の内訳は次のとおりである。

	帳簿価額	当期末時価	当期末保有株（口）数
C 社 株 式	2,000千円	2,200千円	2,500株
D 社 株 式	3,000千円	3,500千円	1,000株
E 社 株 式	2,328千円	（　　　）	200株
F 社 社 債	4,630千円	4,700千円	50,000口
G 社 株 式	2,200千円	7,800千円	800株

(1) C社株式は売買目的有価証券である。当社は売買目的有価証券に係る損益を有価証券運用損益として計上している。

(2) C社株式以外はその他有価証券である。その他有価証券の評価差額は全部純資産直入法により処理し、税効果会計を適用する。

(3) E社株式は外貨建てのものであり、取得時の直物レートは1ドル120円であった。当期末の時価は1株あたり95ドルである。

(4) F社社債は×20年12月1日に取得した社債であり、発行日は×18年4月1日、償還日は×23年3月31日である。クーポン利子率は年1.5%であり、利払日は毎年3月31日である。取得時に経過利息を含む支払額を投資有価証券に計上している。債券金額は5,000千円であり、取得価額との差額は金利調整が差額と認められるため、償却原価法（定額法）により処理する。

(5) G社株式は売買目的有価証券として保有していたが、当期中に業務提携が成立したため、G社株式を追加取得し、その他有価証券に保有目的区分を変更した。追加取得した600株の取得による支出額6,000千円（取得時の時価）は仮払金に計上しており、保有目的区分の変更に係る処理がされていない。

6 当社の保有する有形固定資産の内訳は次のとおりである。なお、残存価額については、建物は取得価額の10%とし、器具備品及びリース資産はゼロとする。

	取 得 価 額	期首減価償却累計額	耐用年数	償却方法
建　　　物	100,000千円	40,500千円	40年	定額法
器具備品1	6,080千円	1,900千円	8年	（　　　）
器具備品2	（　　　）千円	（　　　）千円	6年	（　　　）
リース資産	（　　　）千円	（　　　）千円	（　　　）	定額法

(1) 器具備品1及び器具備品2は当期より定額法から定率法に償却方法を変更することとした。器具備品1の償却率は0.250、器具備品2の償却率は0.333とする。

(2) リース資産は前期首に所有権移転外ファイナンス・リース取引により取得した車両運搬具

であり、契約内容等は次のとおりである。なお、当期中に支払ったリース料は営業費に計上している。

① リース期間：5年
② リース料：年額2,000千円を毎年3月31日に後払いする。
③ リース資産の経済的耐用年数：6年
④ リース資産の見積現金購入価額：8,244千円
⑤ 借手の追加借入利子率：年7％

7 当社は年2回（6月及び12月）に従業員に対して賞与を支給しているが、当期に支給した賞与の全額を営業費に計上している。翌期の6月に支給する賞与（支給対象期間は×20年12月〜×21年5月）の見込額は37,500千円であり、当期負担分を賞与引当金に計上する。なお、当該賞与引当金に対する法定福利費の会社負担額は10％として計算し、賞与引当金繰入額及び賞与引当金に含めて計上する。また、賞与引当金に対して税効果会計を適用する。

8 当社は退職金制度として、退職一時金制度及び企業年金制度を採用している。決算整理前残高試算表の退職給付引当金は前期末残高であり、当期の支出額を営業費に計上している。当期の退職給付等に係る内容は次のとおりである。なお、数理計算上の差異は発生年度の翌年度から3年で定額法により償却している。また、退職給付引当金に対して税効果会計を適用する。

(1) 期首退職給付債務：300,000千円
(2) 期首年金資産：120,000千円
(3) 期首未認識数理計算上の差異
　① 前々々期発生分：3,000千円（不利差異）
　② 前々期発生分：1,200千円（有利差異）
　③ 前期発生分：3,600千円（不利差異）
(4) 当期の勤務費用：33,000千円
(5) 割引率：2％
(6) 長期期待運用収益率：1％
(7) 年金掛金拠出額：12,000千円
(8) 企業年金支給額：6,000千円
(9) 退職一時金支給額：18,000千円

9 当社は×18年8月1日に普通社債を発行した。発行した普通社債の内容等は次のとおりであり、払込金額と社債金額との差額は定額法による償却原価法を適用する。当期の10月31日に社債金額20,000千円について社債金額100円につき99円で買入消却し、経過利息とともに支払った

が、支払額を仮払金に計上している。

(1) 社債金額：100,000千円

(2) 払込金額：社債金額100円につき97.6円

(3) 償還期間：5年

(4) クーポン利子率：年1.2%

(5) 利払日：毎年1月31日及び7月31日の年2回

10 仮払金のうち、18,000千円は消費税等の中間納付額であり、6,000千円は法人税等の中間納付額及び源泉所得税等（全額当期の法人税等から控除できるものである。）である。

⇨解答：133ページ

制限時間	60分
難 易 度	A

　当社の当期（当期は×22年4月1日から×23年3月31日）に関する下記の資料に基づき、【資料3】決算整理後残高試算表の空欄①～㊲に入る金額を答えなさい。

（解答上の留意事項）

1　資料から判明する事項以外は一切考慮する必要はない。

2　日数計算は便宜上月割りとし、1か月未満は1か月として計算すること。

3　計算の結果、千円未満の端数が生じた場合には四捨五入すること。

4　税効果会計は適用する旨の指示があるものについてのみ適用することとし、法定実効税率は30%として計算する。なお、繰延税金資産と繰延税金負債は相殺せずに解答すること。

【資料1】決算整理前残高試算表

決算整理前残高試算表　　　　（単位：千円）

借 方 科 目	金 額	貸 方 科 目	金 額
現　　　　　　金	1,310	支 払 手 形	16,438
当 座 預 金	60,060	買 　掛 　金	27,730
受 取 手 形	12,500	賞 与 引 当 金	8,000
売 　掛 　金	68,950	貸 倒 引 当 金	544
有 価 証 券	10,000	返 金 負 債	20,000
繰 越 商 品	26,100	保 証 債 務	13
返 品 資 産	12,000	社 　　　　債	14,998
仮 払 法 人 税 等	7,500	資 　本 　金	90,000
建 　　　　物	(　　　　)	資 本 準 備 金	12,000
備 　　　　品	(　　　　)	利 益 準 備 金	3,000
投 資 有 価 証 券	9,500	繰 越 利 益 剰 余 金	(　　　　)
繰 延 税 金 資 産	2,400	売 　　　　上	314,000
仕 　　　　入	178,380	有 価 証 券 運 用 損 益	380
販 売 管 理 費	72,315	受 取 配 当 金	150
貸 倒 損 失	150	保 証 債 務 取 崩 益	38
保 証 債 務 費 用	36		
社 債 利 息	(　　　　)		
合 　　　　計	(　　　　)	合 　　　　計	(　　　　)

【資料２】修正及び決算整理事項等

1　現金及び当座預金に関する事項

(1) 期末日に受け取ったＡ社株式の配当金領収証250千円が未処理であった。

(2) 期中に売掛金の回収として当社振出小切手800千円を受け取った際、現金として処理していた。

(3) 買掛金の支払いとして振出した小切手1,000千円及び約束手形2,000千円が処理済みであったが、未渡しであった。

2　保証債務に関する事項

当社では手形の裏書譲渡及び割引を行った際に手形額面金額の２％を保証債務として計上している。決算日に確認したところ、買掛金の支払のために裏書譲渡した手形650千円が期日に決済されていたが、保証債務の取崩について未処理であった。

3　受取手形に関する事項

期中に売掛金の回収として当社振出約束手形2,500千円を受け取った際、受取手形として処理していた。

4　売掛金に関する事項

期中に回収不能と判断し、貸倒処理したＸ社に対する売掛金350千円（前期発生分200千円及び当期発生分150千円）について、状況の変化に伴い、回収の可能性があると判断されたため、貸倒処理を取り消すこととする。

5　商品売買及び期末商品に関する事項

(1) 決算整理前残高試算表に計上されている返金負債及び返品資産は当期に商品を掛販売した際、返品が見込まれるものとして計上したものである。このうち70％相当額が返品され、30％相当額は返品されないことが確定したが、未処理であった。なお、当期末時点において返品が見込まれているものはない。なお、返品された商品は当社に到着しており、当期末時点において未販売である。

(2) 期末商品棚卸高に関する内容は以下のとおりである。なお、期末帳簿棚卸高には返品資産に計上されている金額は含まれていない。修正後の期末帳簿棚卸高と期末実地棚卸高との差額は棚卸減耗であり、40％相当額は原価性があるものとして売上原価に算入する。

① 期末帳簿棚卸高：16,080千円

② 期末実地棚卸高：23,820千円

6 貸倒引当金に関する事項

(1) X社に対する売掛金は貸倒懸念債権に区分し、債権金額の50%を貸倒引当金として計上する。

(2) X社に対する売掛金以外の受取手形及び売掛金は一般債権に区分し、債権金額の2%を貸倒引当金として計上する。

(3) 貸倒引当金は差額補充法により処理する。

7 有形固定資産に関する事項

当社が保有する有形固定資産は以下のとおりである。減価償却方法は建物及びリース資産が定額法、備品が級数法であり、残存価額は建物が取得原価の10%、リース資産及び備品がゼロである。

種　　類	取得原価	耐用年数	取　得　日
建　　　物	90,000千円	30年	×10年8月1日
備　　　品	14,400千円	8年	×20年10月1日
リース資産	（　　　）千円	（　）年	×22年4月1日

(注) リース資産は所有権移転外ファイナンス・リース取引により取得した車両である。リース契約の内容等は以下のとおりである。

(1) リース期間は×22年4月1日から×27年3月31日である。

(2) リース料は年額1,200千円を毎年4月1日に前払いする。

(3) 貸手の購入価額及び計算利子率は不明であり、借手の見積現金購入価額は5,300千円、追加借入利子率は年7%である。年7%の現価係数は以下のとおりである。

1年	2年	3年	4年	5年
0.9346	0.8734	0.8163	0.7629	0.7130

(4) リース物件の経済的耐用年数は6年である。

(5) 当社ではリース料支払額を販売管理費に計上していた。

8 有価証券に関する事項

当社の保有している有価証券は以下のとおりであり、すべて市場価格のある株式である。売買目的有価証券については洗替法、その他有価証券については全部純資産直入法（税効果会計を適用する。）により処理している。なお、当期首における振戻処理は適正に処理されている。

銘　柄	保有目的区分	取得原価	前期末時価	当期末時価
A社株式	売買目的	10,000千円	－	10,400千円
B社株式	その他	5,000千円	5,400千円	5,350千円
C社株式	その他	4,500千円	4,700千円	4,300千円

9 賞与引当金に関する事項

当社は年2回賞与を支給している。翌期の7月に支給する予定の賞与（支給対象期間は×22年12月から×23年5月である。）13,500千円のうち当期負担分を賞与引当金として計上する。なお、当期に支給した賞与は全額販売管理費に計上しており、決算整理前残高試算表の賞与引当金は前期末に計上されたものである。また、賞与引当金については税効果会計を適用することとし、決算整理前残高試算表の繰延税金資産は前期末の賞与引当金について計上されたものである。

10 社債に関する事項

(1) 当社は×21年4月1日に社債を発行している。社債金額は20,000千円であり、払込金額は18,615千円であった。償還期限は×28年3月31日、実効利子率は年4.15%、クーポン利子率は年3%、利払日は毎年9月30日と3月31日の年2回である。償却原価法は利息法を採用している。

(2) 当社は×22年11月30日に社債金額4,000千円について、買入消却を行ったが、支払額（経過利息を含む。）をもって社債を減額する処理をしていた。また、社債利息については利払日におけるクーポン利息の支払額を計上する処理のみ行っていた。

11 外貨建取引に関する事項

×23年3月20日において、×23年5月1日に予定されている商品のドル建輸出取引200千ドルについて、為替予約（売予約）を行った。この取引はヘッジ会計の要件を満たしているため、繰延ヘッジ（税効果会計を適用する。）により処理する。×23年3月20日の直物レートは1ドル111円、×23年5月1日を決済日とする予約レートは1ドル107円であり、×23年3月31日の直物レートは1ドル110円、×23年5月1日を決済日とする予約レートは1ドル106円である。

12 販売管理費の見越・繰延に関する事項

当期末における販売管理費の見越高は460千円、繰延高は126千円である。

13 法人税等に関する事項

法人税等の年税額は法人税等に法人税等調整額を加減した金額は税引前当期純利益の30%となるように逆算で算定する。未払法人税等は法人税等の年税額から中間納付額（仮払法人税等に計上している。）を控除した残額とする。

【資料３】決算整理後残高試算表

決算整理後残高試算表 （単位：千円）

借 方 科 目	金 額	貸 方 科 目	金 額
現　　　　　金	①	支 払 手 形	㉓
当 座 預 金	②	買 掛 金	㉔
受 取 手 形	③	未 払 費 用	㉕
売 掛 金	④	未 払 法 人 税 等	㉖
有 価 証 券	⑤	賞 与 引 当 金	
繰 越 商 品	⑥	貸 倒 引 当 金	
前 払 費 用	⑦	リ ー ス 債 務	㉗
為 替 予 約	⑧	社　　　　　債	㉘
建　　　　　物	⑨	繰 延 税 金 負 債	㉙
備　　　　　品	⑩	資 本 金	
リ ー ス 資 産	⑪	資 本 準 備 金	
投 資 有 価 証 券	⑫	利 益 準 備 金	
繰 延 税 金 資 産	⑬	繰 越 利 益 剰 余 金	㉚
仕　　　　　入	⑭	その他有価証券評価差額金	㉛
販 売 管 理 費	⑮	繰 延 ヘ ッ ジ 損 益	㉜
賞与引当金繰入額	⑯	売　　　　　上	㉝
貸倒引当金繰入額	⑰	有 価 証 券 運 用 損 益	㉞
減 価 償 却 費	⑱	受 取 配 当 金	
保 証 債 務 費 用		保 証 債 務 取 崩 益	㉟
棚 卸 減 耗 費	⑲	社 債 買 入 消 却 損 益	㊱
支 払 利 息	⑳	法 人 税 等 調 整 額	㊲
社 債 利 息	㉑		
法 人 税 等	㉒		
合　　　計		合　　　計	

⇨解答：143ページ

問 題 3	一般総合(3)	制限時間　60分
		難 易 度　　B

　甲株式会社（以下「甲社」という。）は商品売買業を営んでいる。甲社のX20年度（自X20年4月1日　至X21年3月31日）における次の【資料1】決算整理前残高試算表、【資料2】決算整理事項等に基づき、決算整理後残高試算表を作成しなさい。

（解答上の留意事項）

1　【資料1】及び【資料2】の（　　　　）に入る数値は、各自推定すること。

2　解答金額は、3桁ごとにカンマで区切ること。この方法によっていない場合には正解としない。

3　金額の計算において、1円未満の端数が生じる場合、その端数を切り捨てること。

4　解答金額が「0」となる場合には「0」と記載すること。

（問題の前提条件）

1　問題文に指示のない限り、会計基準等に示された原則的な会計処理によるものとする。

2　日数計算はすべて月割計算とし、1ヶ月未満は切り上げて1ヶ月として計算する。

3　消費税及び地方消費税（以下「消費税等」という。）の会計処理は税抜方式を採用している。資料中に（税込）と記載されている項目についてのみ税率10%で税額計算を行うものとする。なお、未払消費税等は仮受消費税等と仮払消費税等を相殺し、中間納付額を控除して算定する。

4　税効果会計は適用する旨の記載がある項目についてのみ適用することとする。なお、繰延税金資産の回収可能性及び繰延税金負債の支払可能性に問題はなく、法定実効税率は前期、当期とも30%とする。また、繰延税金資産と繰延税金負債は相殺せずに解答すること。

5　法人税等及び法人税等調整額の合計額は税引前当期純利益に法定実効税率（30%）を乗じて算出した金額とし、法人税等は逆算で計算すること。未払法人税等は法人税等の金額から中間納付額を控除して算定する。

6　勘定科目は問題及び答案用紙で使用されているものを使用することとし、それ以外は使用しないこと。

【資料1】決算整理前残高試算表

決算整理前残高試算表 　　　　（単位：円）

借　　　　　方		貸　　　　　方	
勘　定　科　目	金　　額	勘　定　科　目	金　　額
現　　　　　　　金	140,300	支　払　手　形	1,650,000
当　座　預　金	22,706,380	買　　掛　　金	3,520,000
受　取　手　形	3,100,500	短　期　借　入　金	4,170,000
売　　掛　　金	10,392,250	未　払　費　用	（　　　　　）
繰　越　商　品	92,000	仮　受　消　費　税　等	7,422,000
貯　　蔵　　品	2,200	賞　与　引　当　金	5,665,000
仮　　払　　金	1,092,000	貸　倒　引　当　金	1,296,600
仮　払　消　費　税　等	5,442,450	長　期　借　入　金	8,000,000
建　　　　　　　物	23,750,000	リ　ー　ス　債　務	（　　　　　）
車　　　　　　　両	4,440,000	退　職　給　付　引　当　金	（　　　　　）
リ　ー　ス　資　産	（　　　　　）	資　　本　　金	18,000,000
土　　　　　　　地	10,000,000	資　本　準　備　金	3,000,000
投　資　有　価　証　券	（　　　　　）	利　益　準　備　金	300,000
破　産　更　生　債　権　等	792,000	別　途　積　立　金	1,000,000
長　期　定　期　預　金	6,000,000	繰　越　利　益　剰　余　金	9,273,272
繰　延　税　金　資　産	11,209,830	売　　上　　高	74,250,000
仕　　　　　　　入	40,285,000	受　取　利　息　配　当　金	43,800
人　　件　　費	18,263,000	雑　　収　　入	11,000
退　職　給　付　費　用	5,640,000		
租　税　公　課	128,000		
そ　の　他　営　業　費	1,114,192		
支　払　利　息	176,000		
雑　　損　　失	13,500		
合　　　計	（　　　　　）	合　　　計	（　　　　　）

【資料２】決算整理事項等

1　現金等

(1) 期末日に金庫を実査したところ、以下のものが保管されていた。

項目	金額
通貨	22,000円
Ｚ社振出小切手	110,000円
Ｘ社振出小切手	550,000円
収入印紙	2,000円
期限到来後のクーポン利息	18,000円
仮払金精算書	－

(2) 上記(1)について調査した結果、以下の事項が判明した。なお、原因不明分については雑損失または雑収入に計上する。

①　その他営業費11,000円（税込）を支払った際、1,100円（税込）と記帳していた。

②　Ｚ社振出小切手は翌期に販売する予定の商品代金として受け取ったものであるが、売掛金の回収として処理していた。

③　Ｘ社振出小切手は売掛金の回収として受け取ったものであり、Ｂ銀行の当座預金口座に預け入れる予定であったため、入金処理をしていたが、金庫に保管されていた。

④　収入印紙は購入時に租税公課で処理しており、未使用残高を貯蔵品に振り替える。なお、決算整理前残高試算表の貯蔵品は前期末の未使用残高である。

⑤　期限到来後のクーポン利息はＫ社社債に係るものであるが、未処理であった。

⑥　仮払金精算書は従業員の出張に関するものであり、帰社後に残金とともに受け取ったものであるが、仮払額60,000円を仮払金に計上したのみである。当該仮払金精算書に記載されている出張費用使用額は57,200円（税込）であり、出張費用はその他営業費で処理する。

2　当座預金

甲社はＡ銀行とＢ銀行にそれぞれ当座預金口座を開設しており、各当座預金口座の残高は以下のとおりである。差額について調査した結果、以下の事項が判明した。なお、両銀行とは限度額3,000,000円の当座借越契約を締結しているため、マイナス（貸方残高）となった場合には短期借入金に振り替える。

	当座預金出納帳残高	当座預金残高証明書残高
Ａ銀行当座預金	22,526,380円	23,123,080円
Ｂ銀行当座預金	180,000円	（　　　　　　　）円

(1) A銀行

① 期末日に現金500,000円を入金したが、銀行では翌日の入金として処理されていた。

② 得意先Y社から売掛金1,980,000円の振り込みとして、振込手数料3,300円（税込）控除後の金額が振り込まれていたが、未処理であった。

③ 商品の仕入代金の支払いとして振り出した約束手形880,000円の支払期日が到来し、引き落とされていたが、未処理であった。

(2) B銀行

① その他営業費330,000円（税込）が引き落とされていたが、未処理であった。

② X社振出小切手550,000円について、入金処理を行っていたが、金庫に保管されていた。

③ 買掛金660,000円の支払いのために振り出した小切手が取り立てられていなかった。

④ 得意先W社から売掛金605,000円が振り込まれていたが、未処理であった。

3　長期定期預金

甲社はA銀行に定期預金口座を開設している。定期預金の預入期間はX21年1月1日～X23年12月31日であり、年利率1.8%、利払日は毎年12月31日の年1回である。

4　売掛金

得意先に対して残高確認を行ったところ、甲社の売掛金勘定残高と得意先からの回答額に差額があった得意先は以下のとおりである。差額について調査した結果、以下の事項が判明した。

得意先	売掛金勘定残高（税込）	回答額（税込）
W社	2,585,000円	1,925,000円
X社	1,386,000円	1,336,500円
Y社	3,811,500円	1,732,500円
Z社	1,399,750円	1,485,000円

(1) 得意先W社との差額（税込）は、W社からの振り込みが未処理であったものと、3月に販売した商品について値引きを行うことで合意していたが未処理であった。

(2) 得意先X社との差額（税込）は、3月30日販売分のうち100個をX社が返品していたが、甲社に到着していなかったため、未処理であった。

(3) 得意先Y社との差額（税込）は、Y社からの振り込みが未処理であったものと、3月25日販売分について、甲社では数量を3,700個として計算し、処理していたが、3,500個の誤りであった。

(4) 得意先Z社との差額（税込）は、翌期に販売する予定の商品代金として受け取った小切手を甲社では売掛金の回収として処理していたものと、3月15日に見本品として提供した商品50個について、甲社では売上として処理していた。

5 商品

(1) 甲社は商品の評価方法として月別総平均法を採用している。甲社での3月の受払記録は以下のとおりである。

日付	受入		払出	備考
	数量	単価	数量	
3/1	1,600個	240円		前月繰越
5	5,000個	250円		仕入
10			4,000個	売上（W社）
12	2,400個	260円		仕入
15			50個	売上（Z社）
18	2,000個	271円		仕入
20			3,000個	売上（Z社）
22	3,000個	280円		仕入
25			3,700個	売上（Y社）
30			2,800個	売上（X社）

(2) 期末日における商品の実地棚卸時に陳腐化した商品30個について廃棄したが未処理である。廃棄後の実地棚卸数量は710個であった。なお、X社が返品した商品は品質低下品であり、甲社販売価格の40%を正味売却価額として評価損を計上する。商品評価損は原価処理する。

6 貸倒引当金

甲社は売上債権を「一般債権」、「貸倒懸念債権」及び「破産更生債権等」に区分し、以下の資料に基づいて貸倒見積高を算定し、差額補充法により貸倒引当金を計上している。なお、破産更生債権等に区分された債権については振替処理を行うこととし、会計上の繰入額及び税務上の繰入限度額は前期、当期とも同一とする。また、貸倒引当金繰入限度超過額について税効果会計を適用する。

債権区分	会計上の繰入額	税務上の繰入限度額
一 般 債 権	債権残高の1%	債権残高の1%
貸 倒 懸 念 債 権	債権残高の50%	債権残高の1%
破 産 更 生 債 権 等	債権残高の100%	債権残高の50%

(1) 得意先V社に対する債権（売掛金990,000円）は前期末に貸倒懸念債権に区分していたが、当期中に破産手続を開始したため、債権区分を破産更生債権等とする。

(2) 得意先T社は資金繰りの悪化が見られ、弁済に影響があると思われるため、T社に対する債権（受取手形440,000円及び売掛金220,000円）の債権区分を貸倒懸念債権とする。

(3) 決算整理前残高試算表の破産更生債権等（税込）は前期末に区分した得意先U社に対する
ものであるが、U社は当期中に倒産したため、回収不能と判断し、貸倒処理を行う。

(4) 上記(1)～(3)以外の債権については債権区分を一般債権とする。

7　有形固定資産

甲社の保有する有形固定資産の減価償却方法はすべて定額法、残存価額は0円、直接控除法
である。

(1) 建物はX1年4月に取得したものであり、耐用年数は40年である。建物については改修工事
を行い、X20年10月に終了した。改修費として8,800,000円（税込）を支払ったが、建物に計
上（消費税等は仮払消費税等に計上）している。改修費のうち、6,600,000円（税込）は資本
的支出として処理することとし、残額（税込）は収益的支出として処理することとする。減
価償却費は当初耐用年数により計算する。

(2) 車両はX16年6月に取得したものであり、耐用年数は5年である。X20年11月に330,000円（税
込）で下取りに出し、新たに車両4,290,000円（税込）を取得した。甲社では差額代金を支払
ったが、車両に計上（消費税等は仮払消費税等に計上）している。新車両の耐用年数は5年
である。

(3) リース資産はX19年12月に所有権移転外ファイナンス・リースにより調達した備品である。
リース期間はX19年12月1日～X27年11月30日であり、リース料は年額375,000円を毎年12月1
日に支払うこととなっているが、甲社では当期に支払ったリース料をその他営業費に計上し
ているのみであり、決算整理前残高試算表の未払費用は当該リース取引について前期末に計
上したものである。借手の追加借入利子率は年2％であり、各回（割引率年2％）の年金現
価係数は以下のとおりである。

1回	2回	3回	4回	5回	6回	7回	8回
1	1.9804	2.9416	3.8839	4.8077	5.7135	6.6014	7.4720

8 有価証券

　甲社の保有する有価証券は以下のとおりである。なお、その他有価証券については全部純資産直入法により処理し、税効果会計を適用する。また、取得価額（帳簿価額）に対して時価が50％以上下落している場合には回復する見込みはないと認められるものとして、減損処理を行う。

	取得価額	前期末時価	当期末時価
K社社債	1,740,000円	1,755,000円	1,765,000円
L社株式	500,000円	240,000円	260,000円
M社株式	800,000円	820,000円	850,000円
N社株式	600,000円	550,000円	280,000円

(1) K社社債はX18年4月1日に発行と同時に取得したものであり、満期保有目的の債券として保有している。償還日はX24年3月31日、クーポン利子率は年1％、利払日は毎年3月31日の年1回である。償却原価法は定額法により処理している。

(2) L社株式、M社株式及びN社株式はその他有価証券として保有している。

9 賞与引当金

　甲社は従業員賞与を6月と12月の年2回支給しており、支給対象期間は6月賞与が前年11月から当年4月、12月賞与が当年5月から当年10月である。甲社のX21年6月賞与の支給見込額は6,900,000円であり、このうち当期負担分について賞与引当金に計上する。なお、賞与引当金に対する法定福利費の会社負担分を10％として計算し、賞与引当金に含めて計上する。また決算整理前残高試算表の賞与引当金は前期末残高であり、当期に支出した金額は人件費に計上している。賞与引当金については税効果会計を適用する。

10 退職給付引当金

甲社は確定給付型の企業年金制度及び退職一時金制度の２つの退職給付制度を採用している。退職給付債務の計算方法は原則法で、数理計算上の差異は発生年度から５年の定額法で償却している。決算整理前残高試算表の退職給付引当金は前期末残高であり、甲社が当期に支払った掛金と退職金は退職給付費用に計上している。なお、退職給付引当金に関する資料は以下のとおりであり、退職給付引当金については税効果会計を適用する。

期首退職給付債務（実際）		75,000,000円（割引率年1.5%）
期首年金資産（実際）		44,000,000円（長期期待運用収益率年２％）
期首未認識数理計算上の差異	X17年度発生分	270,000円（有利差異）
	X19年度発生分	450,000円（不利差異）
勤務費用		4,800,000円
掛金拠出額		2,640,000円
退職給付額		4,200,000円
期末退職給付債務（実際）		76,780,500円
期末年金資産（実際）		46,298,000円

11 短期借入金

決算整理前残高試算表の短期借入金はX20年７月１日に借り入れたドル建のもの（元本30,000ドル）であり、利子率は年1.8%、返済日及び利払日はX21年６月30日である。当該借入金についてはX21年２月１日にX21年６月30日を決済日として元利総額について為替予約を行った。為替予約については振当処理により処理することとするが、為替予約に関する処理は未処理である。X21年２月１日の直物レートは１ドル142円であり、予約レートは１ドル140円である。なお、直先差額の期間配分による損益は支払利息に加減することとする。

12 消費税等及び法人税等

仮払金のうち、600,000円は消費税等の中間納付額であり、432,000円は法人税等の中間納付額である。

⇨解答：151ページ

制限時間	60分
難 易 度	B

当社の以下の資料に基づき、決算整理後残高試算表の空欄の金額を求めなさい。なお、当社の決算期は3月末日の年1回であり、当事業年度はx16年4月1日からx17年3月31日である。

（留意事項）

1　計算の結果、千円未満の端数が生じたときは、四捨五入する。

2　日数計算は便宜上、月割りで処理すること。

3　当社は税効果会計を採用しており、法定実効税率は30％である。税務上の処理との差額は一時差異に該当し、繰延税金資産の回収可能性に問題はないものとする。なお、問題文中に「税効果会計を適用する」旨の指示がある場合のみ税効果会計を適用するものとする。

4　資料中の（　　　）は各自推定しなさい。

5　資料から読み取れる事項以外は考慮するに及ばない。

【資料１】 当社の修正前及び決算整理前の残高試算表（x17年３月31日）

（単位：千円）

借　方　科　目	金　　額	貸　方　科　目	金　　額
現　金　預　金	141,103	支　払　手　形	66,889
受　取　手　形	97,652	買　　掛　　金	149,924
売　　掛　　金	283,398	短　期　借　入　金	25,000
有　価　証　券	2,100	未　払　費　用	（　　　　　　）
仮　　払　　金	97,800	仮　　受　　金	25,620
繰　越　商　品	86,234	賞　与　引　当　金	8,400
未　収　収　益	（　　　　　　）	貸　倒　引　当　金	3,200
建　　　　　物	120,000	長　期　借　入　金	35,000
器　具　備　品	32,000	社　　　　　　　債	95,040
リ　ー　ス　資　産	（　　　　　　）	リ　ー　ス　債　務	（　　　　　　）
土　　　　　地	200,000	退　職　給　付　引　当　金	162,200
投　資　有　価　証　券	（　　　　　　）	減　価　償　却　累　計　額	51,569
繰　延　税　金　資　産	51,180	繰　延　税　金　負　債	（　　　　　　）
仕　　　　　入	999,453	資　　本　　金	130,000
営　　業　　費	605,705	新　株　式　申　込　証　拠　金	18,000
支　払　利　息	1,926	資　本　準　備　金	20,000
社　債　利　息	（　　　　　　）	そ　の　他　資　本　剰　余　金	350
雑　　損　　失	135	利　益　準　備　金	10,000
為　替　差　損　益	150	別　途　積　立　金	52,880
		繰　越　利　益　剰　余　金	66,014
		その他有価証券評価差額金	（　　　　　　）
		売　　　　　上	1,842,032
		受　取　利　息・配　当　金	1,323
合　　　　　計	（　　　　　　）	合　　　　　計	（　　　　　　）

【資料２】 当社の修正事項及び決算整理事項

1　当社の現金預金に関する事項は以下のとおりである。

（1）決算日における現金出納帳の帳簿残高は240千円であったが、実際の現金有高は466千円であった。調査した結果、以下の事実が判明したが、その他は不明である。

① 営業費162千円を支払っていたが、未記帳であった。

② 期限到来済みの社債利札400千円（源泉所得税等100千円控除後）について未記帳であった。なお、利息は受取利息・配当金として総額で計上する。また、当該源泉所得税等は全額当期の法人税等から控除できるものであるため、源泉所得税等相当額を仮払金に計上する。

(2) 決算日における当座預金出納帳の帳簿残高は1,050千円の貸方残高であったが、取引銀行における当社の残高証明書の金額は、2,180千円のマイナスであった。この差異原因を調査した結果、以下の事実が判明した。なお、取引銀行とは当座借越契約を結んでおり、貸方残高は短期借入金に振り替えるものとする。

① 期末に手形代金900千円が引き落とされていたが、当社では未記帳であった。

② 期末に銀行に預け入れた現金450千円が、銀行では翌日の預入として処理されていた。

③ 仕入先に買掛金支払のために振り出した小切手のうち未取付分が220千円あった。

2 当社の売掛金の残高確認を実施し、差異原因を調査した結果、以下の事実が判明した。

(1) M社に対する売掛金帳簿残高は3,600千円であったが、M社の残高確認金額（回答額）は2,200千円であった。この原因は、M社が期末日直前に返品したものであった。この返品商品は期末日現在当社に未着であるが、決算整理で返品処理を行う。

(2) O社に対する売掛金帳簿残高は4,000千円であったが、O社からは残高確認の回答書が来なかった。調査したところ、O社は既に倒産していたことが判明した。O社に対する債権はこの売掛金（うち2,200千円は当期に発生したものである。）のみであり、当該債権は回収見込がないと判断されるため、決算で全額を貸倒処理する。なお、O社に対する債権は、前期末は一般債権に区分されており、【資料1】の貸倒引当金はすべて一般債権に対して設定されたものである。

(3) 決算整理前残高試算表の売掛金には外貨建のものが38,400千円（300千ドル）含まれている。x17年3月31日の為替レートは1ドル135円である。

3 商品の期末棚卸を実施したところ、期末の商品帳簿棚卸高は65,164千円であるが、期末の商品実地棚卸高は64,422千円であった。帳簿棚卸高との差異を調査したところ、以下の事項が判明した。なお、その他の差異の原因については不明のため棚卸減耗とする。

(1) 上記2(1)の返品商品は帳簿棚卸高及び実地棚卸高の双方に含まれていない。返品の原因は商品の表面に傷があったためである。この商品の原価は1,000千円であり、正味売却価額は658千円である。

(2) 見本品として原価532千円の商品を得意先に送付したが、未処理となっていた。

4 当社は、売上債権を「一般債権」、「貸倒懸念債権」及び「破産更生債権等」に区分し、その

区分ごとに貸倒見積額の算定を行い、その合計額で貸倒引当金を設定し、繰入額は差額補充法により処理することとする。

(1) 一般債権の貸倒見積額の算定は、一般債権である売上債権（受取手形及び売掛金）に対し過去の貸倒実績率を乗じて求める。当期に適用する貸倒実績率は0.8%とする。

(2) 得意先P社は経営破綻の状態には陥っていないが、債務の弁済に重大な問題が生じていると考えられるため、P社に対する債権を貸倒懸念債権に区分する。P社に対する債権は受取手形3,000千円及び売掛金2,000千円であり、担保処分見込額（1,000千円）を差し引いた残額の50%相当額について貸倒引当金を設定する。

(3) 得意先S社は経営破綻に陥っていると考えられるため、S社に対する債権を破産更生債権等に区分する。S社に対する債権は受取手形5,000千円及び売掛金3,000千円であり、破産更生債権等への振替処理を行うとともに担保処分見込額（2,000千円）を差し引いた残額について貸倒引当金を設定する。

(4) 当期末における貸倒引当金繰入限度額は5,958千円であり、当該超過額について税効果会計を適用する。

5 当社の保有する有価証券の内訳は次のとおりである。なお、売買目的有価証券の評価差額については洗替方式、その他有価証券の評価差額については全部純資産直入法（税効果会計を適用）により処理しているが、当期首における洗替処理は行われていない。また、売却原価の算定は総平均法を採用している。

(1) W社株式は売買目的有価証券として保有するものであり、前期末残高は100株（取得価額@20千円、時価@21千円）であり、当期中の取得株数は700株（15,600千円）、売却株数は720株（売却価額18,000千円）である。当社は取得時の支出額を仮払金、売却時の受取額を仮受金に計上したのみである。なお、当期末の時価は@24千円である。

(2) X社社債は満期保有目的の債券として保有するものであり、x15年7月1日に債券金額20,000千円の社債を1口100円につき92.5円で取得したものである。当該債券の償還期限はx20年6月30日、クーポン利子率は年3%、利払日は毎年6月30日（年1回）である。債券金額と取得価額との差額は金利調整差額と認められるため、定額法による償却原価法により処理している。【資料1】の未収収益は前期末に当該債券に係るクーポン利息について計上したものであり、当期首の再振替仕訳が行われていない。

(3) Y社株式はその他有価証券として保有するものであり、前期末残高は500株（取得価額@30千円、時価35千円）であり、当期中に200株を7,200千円で売却した。売却時の受取額は仮受金に計上している。当期末の時価は@38千円である。

(4) Z社株式はその他有価証券として保有するものであり、すべて当期に取得したものである。取得株数は300株（@60千円）であり、取得時の支出額は仮払金に計上している。当期末の時

価は@58千円である。

6　当社の保有する固定資産の内訳は次のとおりである。なお、残存価額は建物のみ取得価額の10%としており、建物以外はゼロとしている。

　(1) 建物はx 3年10月に取得したものであり、減価償却は耐用年数を40年とする定額法により行っている。

　(2) 器具備品Aはx 12年 4月に20,000千円で取得したものであり、器具備品Bはx 14年 4月に12,000千円で取得したものである。器具備品については前期まで定額法により減価償却を行ってきたが、当期より定率法に変更することとした。器具備品Aの耐用年数は10年であり、定率法償却率は0.200、器具備品Bの耐用年数は 8年であり、定率法償却率は0.250である。

　(3) リース資産はx 15年 7月 1日に所有権移転外ファイナンス・リースにより取得した車両である。リース契約の内容等は次のとおりである。なお、【資料 1】の未払費用には前期末に当該リース料に係る支払利息について計上したものが含まれており、当期首における再振替仕訳が行われていない。また、当期中はリース料の支払額を仮払金に計上しているのみであり、減価償却は定額法により行っている。

　　①　リース契約日：x 15年 7月 1日
　　②　リース期間：5年
　　③　リース料：年額10,000千円を毎年 7月 1日に前払
　　④　リース物件の経済的耐用年数 6年
　　⑤　リース物件の借手の見積現金購入価額：45,620千円
　　⑥　借手の追加借入利子率年 5 %（期間 4年の年金現価係数3.546）

7　当社は年 2回（6月及び12月）賞与を支給している。 x 17年 6月に支給する予定の賞与（支給対象期間はx 16年12月〜x 17年 5月）は13,500千円であり、当期負担分を賞与引当金に計上する。なお、【資料 1】の賞与引当金は前期末残高であり、当期に支給した賞与は全額営業費に計上している。また、賞与引当金について税効果会計を適用する。

8　当社は退職給付制度について、退職一時金制度と企業年金制度を採用しており、退職給付債務の算定は原則法により行っている。【資料 1】の退職給付引当金は前期末残高であり、当期に支出した金額は全額営業費に計上している。なお、退職給付引当金について税効果会計を適用する。

　(1) 期首未認識数理計算上の差異の金額は1,800千円（借方差異）であり、内訳は前々期分3,000千円（借方差異）及び前期分1,200千円（貸方差異）である。なお、数理計算上の差異は発生年度から 3年で定額法により償却している。

(2) 当期の勤務費用は12,000千円である。

(3) 当期の割引率及び長期期待運用収益率はいずれも年2％である。

(4) 当期に支出した年金掛金拠出額は3,600千円、退職一時金支給額は10,000千円であり、当期に支給された企業年金額は2,400千円である。

(5) 当期末における退職給付債務（実績額）は257,400千円であり、年金資産（時価）は91,120千円である。

9 社債に関する事項は以下のとおりである。

(1) 当社はx14年8月1日に以下の条件で普通社債を発行している。なお、社債額面金額と払込金額との差額は利息法による償却原価法で処理する。

　① 社債額面金額　　　100,000千円

　② 払込金額　　　　　社債額面100円につき92.8円

　③ 償還期限　　　　　x19年7月31日

　④ クーポン利子率　　年2.4％

　⑤ 実効利子率　　　　年4.0％

　⑥ 利払日　　　　　　毎年1月31日及び7月31日（初回利払日x15年1月31日）

(2) x16年10月31日に社債金額20,000千円について額面100円につき94円で買入消却したが、当社では支払額（経過利息を含む。）を仮払金に計上していた。なお、【資料1】の未払費用には前期末に当該社債に係るクーポン利息について計上したものが含まれており、当期首における再振替仕訳が行われておらず、利払日におけるクーポン利息の支払額については社債利息に計上している。

10 株主資本等に関する事項は次のとおりである。

(1) 当社の前期末における発行済株式数は500,000株であり、x16年4月1日を払込期日として50,000株の増資を行った。【資料1】の新株式申込証拠金は当該増資に関するものであり、会社法に規定する最低額を資本金に計上する。

(2) x16年6月に開催された定時株主総会で利益剰余金の配当（配当基準日はx16年3月31日）を1株あたり10円及び別途積立金の取り崩し10,000千円を決議したが、配当金の支払額を仮払金に計上しているのみであった。

(3) x16年7月に自己株式2,000株を1株あたり400円で取得したが、支払額を仮払金に計上している。

(4) x16年11月に取締役会で利益剰余金の配当（配当基準日はx16年9月30日）を1株あたり10円とすることを決議し、支払額を仮払金に計上している。

(5) x16年12月に自己株式1,000株を1株あたり420円で処分し、受取額を仮受金に計上してい

る。

11　【資料１】の仮払金のうち24,000千円は、法人税等の中間納付額と受取利息・配当金の源泉
　　所得税等である。当期の法人税等の年税額は法人税等に法人税等調整額を加減した金額が税引
　　前当期純利益に法定実効税率（30％）を乗じた金額となるように算定する。法人税等の年税額
　　から中間納付額及び源泉所得税等を差し引いた額を未払法人税等として計上する。

⇨**解答：163ページ**

制限時間	60分
難易度	A

　当社は卸売業を営んでいる会社である。当期（自×10年4月1日　至×11年3月31日）の決算整理については、既に完了しているが、経理担当者が不慣れであったため、誤った決算整理後残高試算表を作成してしまっている。そこで、以下の【資料】に基づき、必要となる訂正を加え、答案用紙に示した修正後の決算整理後残高試算表を作成しなさい。

（解答上の留意事項）

1　解答金額については、問題文の決算整理後残高試算表の金額欄の数値のように3桁ごとにカンマで区切りなさい。この方法によっていない場合には正解としないので注意すること。また、解答にあたり、金額がマイナスとなる場合には、金額の前に△を付すこと。

2　金額の計算の結果、千円未満の端数が生じた場合は、千円未満を四捨五入する。

3　期間按分の計算が生じる場合には月割り（1か月未満の端数切上げ）により計算する。

（問題上の前提条件）

1　売上の認識時点は出荷日、仕入の認識時点は入荷日としている。

2　棚卸資産の評価については「棚卸資産の評価に関する会計基準」を適用し、通常の販売目的で保有する棚卸資産については収益性の低下による評価損は売上原価に含めるものとし、棚卸減耗損については売上原価に含めない。

3　貸倒引当金については売上債権を「一般債権」、「貸倒懸念債権」及び「破産更生債権等」に区分し、その区分ごとに貸倒見積高の算定を行い、それらの合計額を貸倒引当金として設定し、繰入処理は差額補充法により行う。

　(1)　一般債権については期末債権残高に1％を乗じて算定した金額を貸倒見積高とする。

　(2)　貸倒懸念債権については債権金額から担保処分見込額を控除した残額の50％相当額を貸倒見積高とする。

　(3)　破産更生債権等については債権金額から担保処分見込額を控除した残額の100％相当額を貸倒見積高とする。

4　投資有価証券の期末評価は、「金融商品に関する会計基準」及び「金融商品会計に関する実務指針」等に基づき処理を行い、その他有価証券に係る評価差額は全部純資産直入法により処理する。

5　当期末の直物レートは1ドル＝108円である。

6　税効果会計については、適用する旨の記載のある項目についてのみ適用し、記載のない項目については考慮する必要はない。なお、その適用に当たっては、回収可能性に問題はないもの

とし、法定実効税率は30%として計算する。

7　勘定科目は【資料】及び答案用紙にある科目を使用し、それ以外の勘定科目は使用しないものとする。

8　前期以前の会計処理は適正に実行されている。

【資料1】修正前の決算整理後残高試算表

修正前の決算整理後残高試算表　　　　　　（単位：千円）

借　　　　　方		貸　　　　　方	
勘　定　科　目	金　　額	勘　定　科　目	金　　額
現　金　預　金	16,302	支　払　手　形	87,500
受　取　手　形	98,000	買　　掛　　金	42,330
売　　掛　　金	50,000	未　　払　　金	315
商　　　　　品	25,920	未　払　費　用	5,625
貯　　蔵　　品	100	未払法人税等	3,500
有　価　証　券	30,000	貸　倒　引　当　金	1,480
建　　　　　物	232,500	賞　与　引　当　金	18,000
車　　　　　両	4,500	社　　　　　債	18,800
備　　　　　品	1,600	退職給付引当金	39,000
土　　　　　地	100,000	資　　本　　金	165,000
投　資　有　価　証　券	42,000	資　本　準　備　金	48,750
繰　延　税　金　資　産	11,700	繰越利益剰余金	161,117
売　上　原　価	455,000	売　　上　　高	799,680
棚　卸　減　耗　損	1,200	受取利息配当金	650
営　　業　　費	69,778	有　価　証　券　利　息	150
減　価　償　却　費	8,650	雑　　収　　入	222
貸　倒　引　当　金　繰　入	296		
人　　件　　費	230,719		
手　形　売　却　損	464		
社　債　利　息	600		
為　替　差　損　益	390		
雑　　損　　失	3,000		
投資有価証券評価損益	400		
法　人　税　等	9,000		
合　　　　　計	1,392,119	合　　　　　計	1,392,119

【資料2】勘定内訳（一部）

勘定科目	内　　訳　　等
現金預金	内訳は以下のとおりである。 　　現金：800千円（国内通貨580千円及び外国通貨2,000ドル） 　　当座預金：14,802千円（銀行残高） 　　普通預金：700千円
売掛金	内訳は以下のとおりである。 　　A社：9,360千円 　　B社：7,776千円 　　C社：1,500千円 　　その他：31,364千円
貯蔵品	内訳は以下のとおりである。 　　前期末に未使用であった収入印紙及び郵便切手：70千円 　　当期末に未使用であった収入印紙及び郵便切手：30千円
有価証券	Z社債の当期末時価であり、評価前の帳簿価額は29,400千円である。
投資有価証券	当期末時価であり、内訳は以下のとおりである。 　　X株式：16,000千円（評価前帳簿価額19,000千円） 　　Y株式：26,000千円（評価前帳簿価額24,000千円）
繰延税金資産	前期末残高であり、内訳は以下のとおりである。 　　賞与引当金：2,520千円 　　退職給付引当金：9,180千円
未払費用	翌期のリース料支払額のうち当期分を見越計上したものである。
賞与引当金	内訳は以下のとおりである。 　　前期計上額：8,400千円 　　当期計上額：9,600千円
退職給付引当金	当期の退職給付費用計上後の金額である。
営業費	内訳は以下のとおりである。 　　リース料支払額の見越額：5,625千円 　　当期購入した収入印紙及び切手代：1,350千円 　　自社利用目的のソフトウェア購入代価及び諸経費：825千円 　　その他の営業費：61,978千円

勘定科目	内　　　訳　　　等
減価償却費	全て一年分を計上しており、内訳は以下のとおりである。 　　建物：6,750千円 　　車両：1,500千円 　　備品：400千円
人件費	内訳は以下のとおりである。 　　賞与支払総額：26,250千円 　　給与支払総額：169,969千円 　　企業年金拠出額：4,500千円 　　賞与引当金繰入額：9,600千円 　　退職一時金支払額：12,000千円 　　退職給付費用：8,400千円
社債利息	クーポン利息の支払により計上したものである。
雑損失	Ｂ社の売掛金残高に合わせたことにより生じたものである。
投資有価証券 　　評価損益	内訳は以下のとおりである。 　　Ｘ株式：3,000千円（評価損） 　　Ｙ株式：2,000千円（評価益） 　　Ｚ社債：600千円（評価益）
有価証券利息	Ｚ社債に係るクーポン利息であり、内訳は以下のとおりである。 　　期首再振替：△150千円 　　クーポン利息受取：300千円
雑収入	当座預金勘定残高の調整により生じたものである。

【資料3】決算整理事項等

1　現金預金に関する事項

(1)　現金として処理するものは【資料2】勘定内訳（一部）に記載されているもので全てである。なお、保有している外国通貨は取得時の直物レートで換算されている。

(2)　×11年3月20日時点においては、当座預金出納帳と当座勘定照合表の残高は一致していた。期末日直近の記載内容は以下のとおりである。

(当座預金出納帳)　　　　　　　　　　　　　　　　　　　　　　　　　　（単位：千円）

日付	借方	貸方	残高	小切手・手形No.	摘要
3月20日		1,500	15,500	手形No.2110	支払手形決済
23日	600		16,100	手形No. 555	手形割引入金
25日		1,100	15,000	小切手No.300	買掛金支払
30日		420	14,580	小切手No.301	買掛金支払※1
31日	222		14,802		※2

※1　当社の金庫の中に保管されている。

※2　銀行残高に合わせるために雑収入勘定で処理している。

(当座勘定照合表)　　　　　　　　　　　　　　　　　　　　　　　　　　（単位：千円）

日付	出金	入金	残高	小切手・手形No.	摘要
3月20日	1,500		15,500	手形No.2110	
23日		585	16,085	手形No. 555	※
25日	1,100		14,985	小切手No.300	
31日	183		14,802		電話料金

※　割引料が控除されている。

2　売上に関する事項

(1)　得意先A社に対して計上していた掛売上400千円について、期末日直前に返品する旨の連絡を受けたが、当社の手許に商品が未着であったため未処理となっている。なお、返品される商品の数量は100個（1個あたりの原価2,400円）である。

(2)　得意先B社に対する売掛金残高とB社からの回答額が一致していなかった。経理担当者はB社の回答額に合わせるために、差額を雑損失勘定に計上している。この不一致の原因はB社が検収基準により仕入の計上を行っているためであり、期末日直近のB社との取引内容は以下のとおりである。

(当社)

倉庫出荷日	販売高	単価	個数
×11年3月10日	5,040千円	2,520円	2,000個
20日	4,016千円	2,510円	1,600個
30日	3,000千円	2,500円	1,200個

(B社)

到着日	仕入高	単価	個数	検収日
×11年3月11日	5,040千円	2,520円	2,000個	3月12日
21日	4,016千円	2,510円	1,600個	3月22日
31日	3,000千円	2,500円	1,200個	4月1日

3　商品に関する事項

　　以下のデータを基に売上原価を計算しており、上記2(1)の商品が考慮されていない。

　　帳簿棚卸高：11,300個（1個あたり2,400円）

　　実地棚卸高：10,800個（1個あたり2,400円）

　　実地棚卸数量のうち200個については収益性の低下が生じているが評価損の計上が未処理である。当該商品の1個あたりの正味売却価額は2,300円である。

4　貸倒引当金に関する事項

(1)　修正前の決算整理後残高試算表の貸倒引当金は、経理担当者が下記(2)を含む債権残高を全て一般債権として計上したものであるが、誤りがあることが判明した。なお、期末債権残高の中に貸倒懸念債権に該当するものはない。

(2)　得意先C社が民事再生法による再生手続開始の申立てを行っていたため、C社に対する売掛金を破産更生債権等勘定に振替えることとしたが、その処理が行われていなかった。なお、得意先C社に対する担保処分見込額は500千円である。

5　有形固定資産に関する事項　　　　　　　　　　　　　　　　　　　　（単位：千円）

種類	取得価額	耐用年数	残存割合	償却方法	事業供用日
建物	300,000	40年	10%	定額法	×1年4月1日
車両	9,000	6年	0%	定額法	×8年4月1日
備品	2,000	5年	0%	定額法	×10年7月1日

6　リース取引に関する事項

　　×10年10月１日に下記の所有権移転外ファイナンス・リース取引契約により物件を調達しているが、賃貸借処理を適用して翌期に支払うべきリース料のうち当期に属する金額を営業費として見越計上している。

リース料総額	リース料年額	リース期間	経済的耐用年数
56,250千円	11,250千円	5年	6年

　(1)　リース料の支払いは１年ごとの後払い（均等払い）である。

　(2)　減価償却については残存価額をゼロとする定額法により行う。

　(3)　リース料総額の現在価値の算定のために用いる借手の追加借入利子率は年利5.0％であり、期間５年の年金現価係数は4.32とする。

　(4)　リース物件の見積現金購入価額は49,200千円である。

7　ソフトウェアに関する事項

　　×10年12月１日に下記の内容でソフトウェアを購入しているが、支出額の全額を営業費勘定に計上している。なお、当該ソフトウェアは将来の費用削減が確実と認められるものであるため、その取得に要した金額をソフトウェア勘定に計上し、残存価額をゼロ、見込利用可能期間を５年とする定額法により減価償却を行う。

　(1)　目的：自社利用

　(2)　購入代価：500千円

　(3)　諸経費：325千円※

　　　※　諸経費の内訳は設定作業代金100千円及びデータの移替作業代金225千円である。

8　有価証券に関する事項

　(1)　保有するX株式及びY株式はその他有価証券に区分しており、Z社債は満期保有目的債券に区分している。経理担当者は全ての有価証券について時価評価を行い、評価差額の全てを投資有価証券評価損益勘定に計上している。

　(2)　Z社債は×７年10月１日に発行と同時に取得したものである。額面金額は30,000千円であり、取得価額との差額は金利の調整と認められるため、定額法による償却原価法を採用しているが、当期は未処理である。利払日は毎年９月30日（年利1.0％）、償還期日は×11年９月30日である。

　　　経理担当者は上記(1)の時価評価後において、償還期日が翌期であるため有価証券勘定に振り替えている。

9　社債に関する事項

　　×10年4月1日に下記の条件で社債を発行している。額面総額と払込金額との差額は金利調整差額と認められるため、利息法により償却することとしているが、当社では利息の支払時（利払日は毎年3月31日の年1回）に支払額をもって社債利息勘定に計上しているのみである。また、当該社債以外に発行した社債はない。

　(1) 額面総額：20,000千円

　(2) 払込金額：18,800千円

　(3) 償還期限：×16年3月31日（一括償還）

　(4) 実効利子率：年4.15%

10　賞与引当金に関する事項

支給対象期間	支給見込額	実際支給額
×9年12月1日から×10年5月31日	12,600千円	12,700千円
×10年6月1日から×10年11月30日	13,350千円	13,550千円
×10年12月1日から×11年5月31日	14,400千円	———————

11　退職給付引当金に関する事項

　　当社は退職給付引当金については原則法により計算している。×11年3月31日付で退職した従業員に対して×11年4月3日に退職金1,000千円を支払ったが未処理である。

12　税効果会計に関する事項

　　以下の内容について税効果会計を適用するが、未処理である。

　(1) その他有価証券評価差額金

　(2) 貸倒引当金（破産更生債権等）

　　税務上は債権金額から担保処分見込額を控除した残額の50%相当額の損金算入が認められる。

　(3) 賞与引当金

　　税務上はその全額について損金算入が認められない。

　(4) 退職給付引当金

　　税務上はその全額について損金算入が認められない。

13　法人税等に関する事項

　　修正後の法人税等の年税額は年税額に法人税等調整額を加減した金額が修正後の税引前当期純利益の30%となるように算定する。

⇨解答：174ページ

問題6　一般総合(6)

　当社の当期（自X25年4月1日　至X26年3月31日）中のX26年2月末日現在の残高試算表は【資料1】のとおりである。【資料2】に示すX26年3月中の取引と【資料3】に示す修正及び決算整理事項に基づき、決算整理後残高試算表を作成しなさい。

（留意事項）

1　資料中の（　　　）は各自推定すること。

2　計算の結果、円未満の端数が生じたときは、切捨てること。

3　日数計算は便宜上、月割りで計算することとし、1ヶ月未満は1ヶ月として計算すること。

4　消費税及び地方消費税（以下「消費税等」という。）の会計処理は税抜方式を採用している。資料中（税込）とある取引には消費税等10%が含まれており、それ以外の取引には消費税等を考慮しない。なお、未払消費税等は仮受消費税等と仮払消費税等と相殺し、中間納付額を控除して算定する。

5　税効果会計の適用については適用する旨の記載がある項目についてのみ適用することとし、繰延税金資産の回収可能性及び繰延税金負債の支払可能性に問題はないものとする。なお、法定実効税率は30%であり、繰延税金資産と繰延税金負債は相殺しない。

6　法人税等及び法人税等調整額の合計額は税引前当期純利益に法定実効税率（30%）を乗じて算出した金額とし、法人税等は逆算で計算すること。未払法人税等は法人税等の金額から中間納付額を控除して算定する。

7　資料から読み取れる事項以外は考慮する必要はない。

【資料1】 X26年2月末日現在の残高試算表

(単位：円)

借 方 科 目	金 額	貸 方 科 目	金 額
現 金 預 金	21,831,355	支 払 手 形	3,850,000
受 取 手 形	12,100,000	買 掛 金	6,600,000
売 掛 金	27,965,000	預 り 金	175,000
繰 越 商 品	9,192,000	未 払 費 用	762,000
仮 払 金	3,450,000	仮 受 消 費 税 等	21,740,000
未 収 収 益	(　　　　　)	賞 与 引 当 金	4,320,000
仮 払 消 費 税 等	13,239,600	貸 倒 引 当 金	357,500
建 物	(　　　　　)	借 入 金	(　　　　　)
建 物 附 属 設 備	(　　　　　)	リ ー ス 債 務	(　　　　　)
車 両	5,180,000	社 債	4,260,000
リ ー ス 資 産	(　　　　　)	資 産 除 去 債 務	(　　　　　)
土 地	80,000,000	退 職 給 付 引 当 金	69,600,000
の れ ん	(　　　　　)	繰 延 税 金 負 債	(　　　　　)
投 資 有 価 証 券	(　　　　　)	資 本 金	90,000,000
繰 延 税 金 資 産	22,795,101	資 本 準 備 金	5,000,000
仕 入	129,350,000	利 益 準 備 金	1,280,000
営 業 費	2,919,763	別 途 積 立 金	6,000,000
給 料 手 当	32,816,000	繰 越 利 益 剰 余 金	62,501,621
賞 与 手 当	12,960,000	売 上	217,400,000
法 定 福 利 費	3,480,000	受 取 利 息 ・ 配 当 金	83,000
退 職 給 付 費 用	(　　　　　)	有 価 証 券 利 息	195,000
支 払 利 息	(　　　　　)		
手 形 売 却 損	86,000		
合 計	(　　　　　)	合 計	(　　　　　)

【資料2】X26年3月中の取引

1　現金預金の収支状況　　　　　　　　　　　　　　　　（単位：円）

日　付	摘　　　　　要	収　　入	支　　出
3月1日	前月繰越		
省	リース料の支払（注1）		50,800
	商品の売上（税込）	2,640,000	
	商品の仕入（税込）		660,000
	売掛金の回収	4,950,000	
	受取手形の期日取立	6,600,000	
	受取手形の割引入金（注2）	2,156,000	
	買掛金の支払		3,850,000
	支払手形の期日決済		3,300,000
	給料の支払（注3）		（　　　　　）
	営業費の支払（税込）		2,035,000
	源泉所得税等（2月分）の納付		175,000
略	社会保険料（2月分）の納付（注3）		（　　　　　）
	企業年金掛金の支払		500,000
	退職一時金の支払		6,000,000
	借入金の元本及び利息の支払（注4）		（　　　　　）
	社債のクーポン利息の支払		45,000

（注1）【資料3】4(4)参照。

（注2）手形額面金額は2,200,000円である。

（注3）X26年3月25日に従業員給料を支給したが、内訳は以下のとおりである。なお、源泉所得税
　　　　等は翌月10日までに納付し、社会保険料は給料手当額から天引きした個人負担額に同額の会
　　　　社負担額を加算した金額を同月末日までに納付する。

　　　　給料手当額：3,300,000円

　　　　所　得　税：△185,000円（3月分）

　　　　住　民　税：△　91,000円（3月分）

　　　　社会保険料：△350,000円（2月分）

（注4）【資料1】の借入金及び支払利息は以下のものに係る金額である。

　　　　借　入　日：X25年4月1日

　　　　借入元本額：27,000,000円

　　　　利　子　率：年3％

　　　　元本返済及び利払：X25年4月末日からX28年3月末日までの毎月月末に元本（均等額）及
　　　　　　　　　　　　　び1ヶ月分の利息を支払う。

2 商品売買及び債権債務の決済等に関する状況（上記より判明する事項を除く）

(1) 商品の売上は掛売上が16,500,000円（税込）、手形売上が6,600,000円（税込）であった。

(2) 売掛金の回収として得意先振出しの約束手形8,800,000円を受け取った。

(3) 買掛金の決済として得意先振出しの約束手形1,100,000円を裏書譲渡した。

(4) 商品の仕入は掛仕入が8,800,000円（税込）、手形仕入が6,490,000円（税込）であった。

(5) 買掛金の決済として約束手形5,500,000円を振り出した。

(6) 商品53,000円（2月仕入分）を見本品として得意先に提供した。

【資料3】修正及び決算整理事項

1 現金預金に関する事項

決算日にあたり、現金預金の帳簿残高について調査した結果、以下の事実が判明した。

(1) 営業費68,200円（税込）を支払った際に6,820円（税込）として処理していた。

(2) 得意先から売掛金3,300,000円が振り込まれた際に330,000円の入金として処理していた。

(3) 買掛金支払のために振り出した小切手880,000円が決済されていなかった。

2 売上債権及び仕入債務に関する事項（上記より判明する事項を除く）

(1) 売掛金について残高確認を行ったところ、以下の事実が判明した。

① 得意先から商品385,000円（税込）が返品され、当社に到着していたが、未処理であった。なお、当該商品は3月に仕入れたものであり、原価（送状価額）は210,000円である。

② 得意先との交渉の結果、330,000円（税込）の値引きを行うことで合意したが、未処理であった。

(2) 買掛金について残高確認を行ったところ、以下の事実が判明した。

① 商品の仕入に係る運送費について当社負担であったが、仕入先が立て替え払いしていたため、未処理であった。なお、3月分の仕入に係る運送費は760,320円（税込）であった。

② 仕入先との交渉の結果、3月に仕入れた商品の一部について110,000円（税込）の値引きを受けることで合意したが、未処理であった。

③ 買掛金支払いのための振込手数料88,000円（税込）について仕入先負担として処理していたが、当社負担であった。

3 商品に関する事項

(1) 上記修正前の商品の期末帳簿棚卸高（送状価額）は1,550,000円であり、実地棚卸高（送状価額）は1,700,000円であった。なお、値引きの対象となった商品は当期中に販売されている。仕入諸掛については先入先出法（月別）に従って按分することとする。

(2) 得意先から返品された商品は品質低下品であり、正味売却価額は120,000円である。商品評

価損については洗替法により処理することとしているが、前期末に計上した商品評価損80,000円については未処理である。

4　有形固定資産に関する事項

(1)　【資料1】に計上されている有形固定資産は以下のとおりである。減価償却方法はすべて定額法である。

	取得価額	耐用年数	残存割合	取得日
建　物　1	120,000,000円	30年	10%	X1年4月1日
建　物　2	60,000,000円	30年	0%	X20年4月1日
建物附属設備	（　　　　）円	10年	0%	X24年4月1日
車　両　1	3,600,000円	5年	0%	X22年10月1日
車　両　2	3,900,000円	5年	0%	X24年8月1日
リース資産	（　　　　）円	（　）年	0%	X26年2月1日
土　地　1	50,000,000円	—	—	X1年4月1日
土　地　2	30,000,000円			X20年4月1日

(2)　償却率は以下のとおりである。

耐用年数	5年	6年	8年	10年	30年
償　却　率	0.200	0.167	0.125	0.100	0.034

(3)　建物附属設備は20,000,000円で取得したものであるが、耐用年数経過後に除去する契約が締結されているため、除去に係る費用を1,950,000円と見積もり、資産除去債務を計上している。当期末において除去費用の見積額が2,280,000円に変更された。取得時の割引率は年2%、当期末の割引率は年2.5%であり、現価係数は以下のとおりである。なお、資産除去債務及び資産除去債務の計上に伴って計上した建物附属設備について税効果会計を適用する。【資料1】の繰延税金負債は当該建物附属設備に係る金額である。

	年2%	年2.5%
8回	0.853490	0.820747
10回	0.820348	0.781198

(4)　リース資産はファイナンス・リース取引により取得したものであり、リース契約等の内容は以下のとおりである。なお、割引率年0.2%で59回の年金現価係数は55.599607である。

①　リース期間：X26年2月1日～X31年1月31日

②　リース料：月額50,800円を毎月1日に前払

③　所有権移転条項：なし

④　割安購入選択権：あり

⑤　特別仕様：該当しない

⑥　経済的耐用年数：8年

⑦　貸手の購入価額及び貸手の計算利子率：不明

⑧　見積現金購入価額：2,900,000円

⑨　借手の追加借入利子率：年2.4%

5　貸倒引当金に関する事項

(1) 当社は売上債権について、一般債権、貸倒懸念債権及び破産更生債権等に区分して貸倒見積高を算定し、差額補充法により貸倒引当金を計上している。なお、【資料1】の貸倒引当金はすべて一般債権に係る金額である。

(2) 得意先Z社が破産手続きを開始していたことが判明した。受取手形770,000円及び売掛金1,210,000円はZ社に対する債権であり、破産更生債権等に区分し、振替処理を行うとともに債権金額の100%相当額を貸倒見積高とする。なお、税務上の繰入限度額は債権金額の50%であるため、繰入限度超過額について税効果会計を適用する。

(3) 得意先Y社は破産には至っていないが、資金繰りが悪化しており、債務の弁済に重大な問題が生じていると考えられる。受取手形660,000円及び売掛金1,540,000円はY社に対する債権であり、貸倒懸念債権に区分し、債権金額の50%を貸倒見積高とする。なお、税務上の繰入限度額は債権金額の1%であるため、繰入限度額について税効果会計を適用する。

(4) 上記(3)及び(4)以外の債権はすべて一般債権に区分し、債権金額の1%を貸倒見積高とする。なお、税務上の繰入限度額は債権金額の1%である。

6　有価証券に関する事項

(1) 【資料1】に計上されている投資有価証券は以下のとおりであり、すべて市場価格のある有価証券である。債券については定額法による償却原価法、その他有価証券については全部純資産直入法（税効果会計を適用する。）により処理している。

	保 有 目 的 区 分	取得価額	当期末時価
O 社 社 債	満期保有目的の債券	9,622,000円	9,680,000円
P 社 株 式	そ の 他 有 価 証 券	5,000,000円	5,200,000円
Q 社 株 式	そ の 他 有 価 証 券	3,800,000円	1,800,000円
R 社 社 債	そ の 他 有 価 証 券	8,748,000円	8,850,000円

(2) O社社債はX25年9月1日に発行と同時に取得したものであり、債券金額は10,000,000円、償還日はX30年8月31日、クーポン利子率は年1.2%、利払日は毎年2月末日及び8月末日の年2回である。

(3) Ｑ社株式は回復の見込みがないと認められるため、減損処理を行う。

(4) Ｒ社社債はX23年12月１日に発行と同時に取得したものであり、債券金額は9,000,000円、償還日はX29年11月30日、クーポン利子率は年1.5％、利払日は毎年11月30日の年１回である。【資料１】の未収収益はすべてＲ社社債に係る金額である。

7　賞与引当金に関する事項

(1) 当社は毎年７月と12月の年２回賞与を支給している。支給対象期間は７月賞与が前年12月から当年５月、12月賞与が当年６月から当年11月である。X26年７月賞与の支給見込額は7,200,000円であり、当期負担額を賞与引当金に計上する。当期に支給した賞与の金額は全額賞与手当に計上している。

(2) 賞与引当金に対する社会保険料の会社負担額を10％として計算し、未払費用に計上する。【資料１】の未払費用のうち432,000円は前期末に計上した賞与引当金に対する社会保険料の会社負担額として計上したものである。

(3) 賞与引当金及び賞与引当金に対する社会保険料の会社負担額の未払費用計上額について税効果会計を適用する。

8　退職給付引当金に関する事項

当社は退職給付について退職一時金制度及び確定給付型の企業年金制度を採用している。

【資料１】の退職給付引当金は前期末残高であり、支出額は退職給付費用に計上している。数理計算上の差異は発生年度の翌年度から５年で定額法により償却している。当期の退職給付に関する内容は以下のとおりである。

(1) 期首退職給付債務：（　　　　　　　）円

(2) 期首年金資産：（　　　　　　）円

(3) 期首未認識数理計算上の差異

　① X23年３月期発生分：300,000円（不利差異）

　② X24年３月期発生分：500,000円（有利差異）

　③ X25年３月期発生分：600,000円（不利差異）

(4) 割引率及び長期期待運用収益率：年2.5％

(5) 勤務費用：8,000,000円

(6) 掛金拠出額：月額500,000円（毎月25日に支払）

(7) 退職一時金支給額：8,000,000円（【資料２】を含む）

(8) 退職年金支給額：6,600,000円

9 社債に関する事項

(1)【資料1】の社債はX22年4月1日に発行したものであり、債券金額は12,000,000円、償還日はX28年3月31日、クーポン利子率は年1%、利払日は毎年3月31日の年1回である。発行差額については定額法による償却原価法により処理している。

(2) X25年10月1日に債券金額7,500,000円について買入消却を行い、経過利息を含む7,410,000円を支払ったが、全額社債を減額する処理を行っている。

10 社会保険料（会社負担額）に関する事項

X26年3月分の社会保険料（会社負担額）390,000円について見越計上する。【資料1】の未払費用のうち330,000円は前期末にX25年3月分の社会保険料（会社負担額）について計上したものである。

11 事業譲受に関する事項

当社はX25年4月1日にG社からα事業を譲り受け、対価として小切手11,000,000円を振り出して支払った。G社から受け入れたα事業に係る財産は以下のとおりであるが、当社では譲受時の処理は適正に行われている。なお、のれんは発生年度より5年で定額法により償却する。

〔G社から受け入れた財産（時価）〕

売掛金：12,000,000円

商品：8,000,000円（繰越商品に計上している。）

買掛金：10,000,000円

12 税金に関する事項

【資料1】の仮払金は消費税等の中間納付額3,000,000円及び法人税等の中間納付額450,000円である。

⇨解答：182ページ

問題6

問題

　甲株式会社（以下「甲社」という。）は商品の販売業を営んでいる。甲社の当期（自 x 24年 4 月 1 日　至 x 25年 3 月31日）における次の【資料 1 】決算整理前残高試算表、【資料 2 】勘定科目内訳書及び【資料 3 】決算整理事項等に基づき、【資料 4 】決算整理後残高試算表の 1 ～40に入る金額を答えなさい。

（解答上の留意事項）

1　【資料 1 】及び【資料 2 】の（　　　　）に該当する金額は各自推定すること。

2　解答金額については、問題文の残高試算表の金額欄の数値のように 3 桁ごとにカンマで区切り、解答金額がマイナスとなる場合には、金額の前に「△」を付すこと。この方法によって解答していない場合には正解としない。

3　金額計算において、円未満の金額が生じた場合は、円未満を切り捨てる。

4　解答金額が「 0 」となる場合には「 0 」と記載すること。

5　勘定科目は問題の試算表で使用されているものを使用し、それ以外の勘定科目は使用しないこと。

（問題の前提条件）

1　問題文に指示のない限り、企業会計基準等の原則的な処理方法による。

2　税効果会計については、適用する旨の記載のある項目についてのみ適用し、繰延税金資産の回収可能性及び繰延税金負債の支払可能性に問題はなく、法定実効税率30％とする。

　　なお、繰延税金資産と繰延税金負債は相殺せずに解答すること。

3　消費税及び地方消費税（以下「消費税等」という。）の会計処理については税抜方式を採用しており、（税込み）と記載されている項目についてのみ税率10％で税額計算を行うものとする。また、未払消費税等は仮受消費税等と仮払消費税等を相殺後に中間納付額を控除して計算するものとする。

4　法人税等及び法人税等調整額の合計額は、税引前当期純利益に法定実効税率（30％）を乗じて算出した金額とし、法人税等の金額は逆算で計算する。未払法人税等は中間納付額を控除して計算する。

5　日数計算は、すべて月割計算とし、 1 ヶ月未満の端数は切り上げて 1 ヶ月とする。

6　問題から読み取れる事項以外は考慮不要である。

(単位：円)

借	方		貸	方	
科　　　目	金　　額		科　　　目	金　　額	
現 金 預 金	17,066,039		支 払 手 形	5,500,000	
受 取 手 形	15,950,000		買 掛 金	9,900,000	
売 掛 金	25,905,000		未 払 金	137,500	
繰 越 商 品	2,090,000		未 払 法 人 税 等	450,000	
貯 蔵 品	3,800		仮 受 消 費 税 等	18,823,000	
仮 払 金	17,345,000		未 払 費 用	(　　　　)	
仮 払 消 費 税 等	12,703,100		貸 倒 引 当 金	2,640,000	
車 両 運 搬 具	9,040,000		賞 与 引 当 金	(　　　　)	
器 具 備 品	2,003,837		仮 受 金	3,570,000	
土 地	20,000,000		借 入 金	(　　　　)	
投 資 有 価 証 券	(　　　　)		社 債	19,040,000	
破 産 更 生 債 権 等	2,640,000		退 職 給 付 引 当 金	1,500,000	
繰 延 税 金 資 産	(　　　　)		繰 延 税 金 負 債	(　　　　)	
仕 入	124,180,000		資 本 金	35,000,000	
人 件 費	47,903,000		利 益 準 備 金	3,000,000	
そ の 他 営 業 費 用	2,851,187		繰 越 利 益 剰 余 金	9,754,403	
社 債 利 息	300,000		その他有価証券評価差額金	(　　　　)	
雑 損 失	22,320		売 上 高	188,230,000	
			受 取 利 息 配 当 金	88,200	
			有 価 証 券 利 息	30,000	
			雑 収 入	38,000	
合 計	(　　　　)		合 計	(　　　　)	

（単位：円）

勘定科目	内　　　　　訳	金　　額
現　金　預　金	現金	1,132,000
	当座預金	3,670,170
	その他預金	12,263,869
受　取　手　形	D社（税込み）	2,200,000
	F社（税込み）	1,650,000
	その他（税込み）	12,100,000
売　　掛　　金	A社（税込み）	4,972,000
	B社（税込み）	5,632,000
	C社（税込み）	6,655,000
	D社（税込み）	2,200,000
	F社（税込み）	1,496,000
	その他（税込み）	4,950,000
繰　越　商　品	商品αの前期末残高（数量2,400個）	1,440,000
	商品βの前期末残高	650,000
貯　　蔵　　品	前期末における収入印紙の未使用分	3,800
仮　　払　　金	消費税等の中間納付額	1,200,000
	法人税等の納付額	1,200,000
	出張費用の仮払額	80,000
	器具備品1の処分及び器具備品3の取得に係る純支払額	3,355,000
	P社株式の取得代金	3,900,000
	社債の買入消却に係る支払額	7,610,000
投 資 有 価 証 券	M社社債	（　　　　　）
	O社株式	（　　　　　）
	P社株式	（　　　　　）
破産更生債権等	E社（税込み）	2,640,000
繰 延 税 金 資 産	前期末の賞与引当金	（　　　　　）
	前期末の賞与引当金に係る法定福利費の未払費用	（　　　　　）
	前期末の貸倒引当金（破産更生債権等）	396,000
	前期末の退職給付引当金	450,000
	前期末のその他有価証券評価差額金（O社株式）	（　　　　　）

未　　払　　金	前期末に受け取った営業費の請求書に係る計上額（税込み）	137,500
未払法人税等	前期末残高	450,000
未　払　費　用	前期末の賞与引当金に係る法定福利費の計上額	（　　　　　）
	前期末の社債のクーポン利息に係る計上額	（　　　　　）
貸倒引当金	前期末の破産更生債権等に係る金額	2,640,000
賞与引当金	前期末残高	（　　　　　）
仮　　受　　金	Ｏ社株式の売却代金	3,570,000
社　　　　債	前期末残高	19,040,000
退職給付引当金	前期末残高	1,500,000
繰延税金負債	前期末のその他有価証券評価差額金（Ｐ社株式）	（　　　　　）
仕　　　　入	商品α（数量122,600個）	76,180,000
	商品β	48,000,000
人　　件　　費	給与支給額	21,400,000
	当期賞与支給額	17,835,000
	法定福利費	3,268,000
	企業年金掛金拠出額	5,400,000
社　債　利　息	利払日におけるクーポン利息支払額	300,000
売　　上　　高	商品α	123,800,000
	商品β	64,430,000

【資料3】決算整理事項等

1　現金預金

(1) 金庫の中を実査したところ、①に示すものが保管されていた。調査した結果、②～⑥の事項が判明した。なお、原因不明分については雑損失又は雑収入に振り替えることとする。

① 通貨250,000円、A社振出小切手880,000円、甲社振出小切手132,000円、M社社債クーポン利息30,000円、収入印紙3,000円、仮払金精算書

② A社振出小切手は売掛金の回収として受け取ったものであり、現金の受け取りとして現金預金勘定に計上したものであるが、振出日がx25年4月10日であった。

③ 甲社振出小切手は営業費（税込み）支払いのために振り出したものであるが、未渡しであった。

④ M社社債クーポン利息はx25年3月31日が利払日のものであるが、未処理であった。

⑤ 収入印紙は購入時にその他営業費用勘定に計上している。

⑥ 仮払金精算書はx25年3月31日に出張から帰社した従業員から受け取ったものであるが、

仮払額を仮払金勘定に計上したのみであった。出張で使用した金額は85,800円（税込み）であり、差額はx25年4月2日に支払った。

(2) 当座預金について銀行の証明書残高は9,256,330円であったため、差額について調査したところ、以下の事項が判明した。

① 営業費132,000円（税込み）の支払いのために振り出した小切手が金庫に保管されていた（上記1(1)参照）。

② 得意先B社から売掛金1,650,000円について、振込手数料3,300円（税込み）控除後の金額が振り込まれていたが、未処理であった。

③ 仕入先W社から商品αに係るx25年2月の仕入分に係るリベートとして132,000円（税込み）が振り込まれていたが、未処理であった。

④ 取立依頼していた得意先振出約束手形3,300,000円が取り立てられていたが、未処理であった。

⑤ 買掛金の支払いのために振り出した小切手1,540,000円が未取付であった。

⑥ 銀行からの借入金元本及び借入金利息339,540円が引き落とされていたが、未処理であった（下記10参照）。

⑦ 売掛金の回収として受け取った小切手825,000円を銀行に取立依頼していたが、取り立てられていなかった。

2 売掛金

期末日に得意先に対して残高確認を行ったところ、以下の回答金額及び差異事由等が判明した。

得意先	回答金額（税込み）	差異事由等
A社	5,720,000円	A社からの要請によりA社得意先へ商品βを直送したが、甲社において未処理であった。
B社	3,850,000円	B社からの振り込みが甲社において未処理であった。B社が負担すべき商品αの運送料（税込み）についてB社において未処理であった。
C社	6,600,000円	C社が商品α50個を返品していたが、甲社に未到着であったため、甲社において未処理であった。
D社	なし	D社は破産手続を開始していることが判明した。

3 商品

甲社は商品α及び商品βを取り扱っており、評価方法は商品αが総平均法、商品βが売価還元法を採用している。なお、商品評価損は売上原価に算入する。

(1) 商品αの期末帳簿数量（上記修正前）は1,200個であり、実地棚卸数量は1,170個であった。期末日に商品α20個を陳腐化のため廃棄したが、未処理であった。

(2) 商品βの期首商品売価は897,000円であり、当期仕入商品の原始値入額は仕入原価の40%である。当期中の値上額は2,253,000円（うち値上取消額は850,000円）、値下額は3,576,000円（うち値下取消額は240,000円）であった。期末商品実地売価は1,020,000円であり、商品評価損の計上は売価還元低価法の原価率を用いて算定することとする。

4 貸倒引当金

甲社は売上債権のうち貸倒懸念債権及び破産更生債権等に分類した債権について、それぞれに応じて貸倒見積高を算出し、その合計額をもって差額補充法により貸倒引当金を計上している。貸倒引当金繰入限度超過額について税効果会計を適用する。なお、貸倒引当金の繰入基準は前期も同様である。

債権区分	貸倒引当金の繰入基準	
	会計	税法
貸 倒 懸 念 債 権	50%	0%
破 産 更 生 債 権 等	100%	50%

(1) 得意先D社に対する債権は破産更生債権等に分類する。

(2) 得意先F社に対する債権を貸倒懸念債権に分類する。

(3) 得意先E社は当期中に倒産し、債権の回収は不可能と判断されるため、貸倒処理する。

5 有形固定資産

(1) 有形固定資産の内訳は以下のとおりである。減価償却方法については車両運搬具は定額法、器具備品は定率法を選定し、届出も行っている。なお、残存価額はゼロである。

	取得価額	帳簿価額	耐用年数	事業供用日
車両運搬具1	3,800,000円	3,040,000円	5年	x23年4月1日
車両運搬具2	6,000,000円	6,000,000円	5年	x24年7月1日
器 具 備 品 1	2,320,000円	355,037円	8年	x19年4月1日
器 具 備 品 2	2,400,000円	1,648,800円	8年	x23年4月1日

(2) 耐用年数8年の定率法償却率等は以下のとおりである。

償却率	改定償却率	保証率
0.313	0.334	0.05111

(3) x25年2月15日に器具備品1を処分し、新たに器具備品3を取得した。明細は以下のとおりであり、甲社では差引支払額を仮払金に計上したのみである。なお、器具備品3は取得後直ちに事業供用しており、耐用年数は8年である。

器具備品1撤去費用	220,000円	（税込み）
器具備品3本体価格	3,300,000円	（税込み）
器具備品3設置費用	330,000円	（税込み）
器具備品1下取価格	△ 495,000円	（税込み）
差引支払額	3,355,000円	（税込み）

6　有価証券

(1) 甲社の保有している有価証券の内訳は以下のとおりであり、表中の金額は1株又は1口あたりの金額である。それぞれの銘柄について、その保有目的を判断し、適切に処理すること。なお、債券については債券金額と取得価額との差額が金利調整差額と認められるため、定額法による償却原価法を適用する。その他有価証券の評価差額については全部純資産直入法により処理し、税効果会計を適用する。また、当期首において必要となる処理は行われていなかった。

	取得価額	前期末		当期末	
		保有数	時価	保有数	時価
M社社債	1,940円	1,000口	1,960円	1,000口	1,980円
O社株式	2,500円	2,000株	2,420円	500株	2,350円
P社株式	1,800円	3,000株	1,900円	5,000株	2,100円

(2) M社社債はx23年4月1日に発行と同時に取得したものであり、償還日まで売却する意思はない。債券金額は1口2,000円、償還日はx28年3月31日、クーポン利子率は年3％、利払日は毎年9月30日と3月31日の年2回である。

(3) O社株式はO社と業務提携していたことにより保有していたものであるが、当期において業務提携を解消したため、一部の株式を売却し、売却代金を仮受金に計上しているのみであった。

(4) P社株式は投資目的で保有している株式であり、売却する意思は不明である。上記(1)の取得価額は前期末に保有していた株式の金額であり、当期に追加で取得した分の金額は仮払金に計上している。

7 賞与引当金

　甲社は毎年7月と12月に賞与を支給しており、当期に支給した賞与及び社会保険料の会社負担額は人件費に計上している。支給見込額基準に基づいて賞与引当金を計上し、賞与引当金に係る法定福利費の会社負担額を賞与引当金の14%として計算し未払費用に計上する。賞与に関する内容は以下のとおりであり、税効果会計を適用する。

	支給見込額	支給対象期間	実際支給額
x24年7月賞与	8,400,000円	x23年12月～x24年5月	8,700,000円
x24年12月賞与	－	x24年6月～x24年11月	9,135,000円
x25年7月賞与	9,300,000円	x24年12月～x25年5月	－

8 退職給付

　甲社は退職給付制度として企業年金制度を採用している。退職給付に関する内容は以下のとおりであり、税効果会計を適用する。なお、当期の割引率は年1%であり、長期期待運用収益率は年2%である。また、数理計算上の差異は発生年度から5年で定額法により償却しており、期首未認識数理計算上の差異はすべて前期に発生したものである。

(1) 期首退職給付債務：60,000,000円

(2) 期首年金資産時価：58,000,000円

(3) 当期勤務費用　　：　5,000,000円

(4) 当期掛金拠出額　：　5,400,000円

(5) 当期退職給付額　：　3,600,000円

(6) 期末退職給付債務：62,050,000円

(7) 期末年金資産時価：61,250,000円

9 社債

(1) 社債はx21年8月1日に発行したものである。債券金額は20,000,000円、償還日はx29年7月31日、クーポン利子率は年1.5%、利払日は毎年1月31日と7月31日の年2回である。債券金額と発行価額との差額は定額法による償却原価法を適用している。

(2) x25年3月1日に債券金額8,000,000円について買入消却を行ったが、経過利息を含めた支払額を仮払金に計上している。

10 借入金

　借入金は以下に示す取引銀行からの借入金であるが、甲社では支払額の全額を借入金から減額する処理を行っていた。なお、利息の配分計算は利息法を採用する。

(1)　借入日　　：x24年12月1日

(2)　借入元本：12,000,000円

(3)　利子率　　：年1.2%

(4)　期間　　　：3年

(5)　返済方法：x24年12月31日から毎月末に339,540円ずつ返済する。

11　未払金

　　期末日に営業費165,000円（税込み）の請求書を受け取ったが、未処理であった。前期末に受け取った請求書分（税込み）については当期に支払っているが、その他営業費用に計上（消費税等を考慮している。）していた。

【資料４】決算整理後残高試算表

（単位：円）

借	方	貸	方
科　　　　　目	金　　額	科　　　　　目	金　　額
現　金　預　金	1	支　払　手　形	
受　取　手　形	2	買　　掛　　金	
売　　掛　　金	3	未　払　金	25
繰　越　商　品	4	未　払　法　人　税　等	26
貯　蔵　品	5	未　払　消　費　税　等	27
車　両　運　搬　具	6	未　払　費　用	28
器　具　備　品	7	貸　倒　引　当　金	29
土　　　　　地		賞　与　引　当　金	30
投　資　有　価　証　券	8	借　　入　　金	31
破　産　更　生　債　権　等	9	社　　　　　債	32
繰　延　税　金　資　産	10	退　職　給　付　引　当　金	33
仕　　　　　入	11	繰　延　税　金　負　債	34
人　　件　　費	12	資　　本　　金	
賞　与　引　当　金　繰　入　額	13	利　益　準　備　金	
退　職　給　付　費　用	14	繰　越　利　益　剰　余　金	
減　価　償　却　費	15	その他有価証券評価差額金	35
貸　倒　引　当　金　繰　入　額	16	売　　上　　高	36
棚　卸　減　耗　損	17	受　取　利　息　配　当　金	
そ　の　他　営　業　費　用	18	有　価　証　券　利　息	37
支　払　利　息	19	雑　　収　　入	
社　債　利　息	20	社　債　償　還　益	38
雑　　損　　失	21	器　具　備　品　売　却　益	39
商　品　廃　棄　損	22	法　人　税　等　調　整　額	40
投　資　有　価　証　券　売　却　損	23		
法　人　税　等	24		
合　　　　　計		合　　　　　計	

⇨解答：195ページ

制限時間	60分
難易度	B

　甲株式会社（以下「甲社」という。）は商品の小売業及び卸売業を営んでいる。甲社の当期（自×20年4月1日　至×21年3月31日）について、以下の【資料】に基づいて、【資料3】決算整理後残高試算表の空欄1～43に入る金額を答えなさい。

（解答上の留意事項）

1　問題文に出てくる金額の単位は円である。

2　解答金額については問題文の決算整理前残高試算表の金額欄の数値のように3桁ごとにカンマで区切ること。

3　消費税及び地方消費税（以下「消費税等」という。）の会計処理は税抜方式を採用している。資料中に「（税込み）」又は「消費税等が含まれている。」と記載されている金額のみ消費税等10%を考慮して処理する。仮受消費税等と仮払消費税等を相殺し、中間納付額を控除して未払消費税等を計上する。

4　税効果会計は特に記述のない項目には適用しない。また、その適用にあたっては、法定実効税率を30%とする。税務上との処理は一時差異に該当し、繰延税金資産と繰延税金負債は相殺せずに解答すること。

5　棚卸資産の評価については、「棚卸資産の評価に関する会計基準」を適用し、通常の販売目的で保有する棚卸資産の収益性の低下については商品評価損として、棚卸減耗については棚卸減耗費として原価外処理する。

6　A商品は店舗で現金販売（小売販売）する商品であり、売上高は小売売上として処理している。B商品は他社に掛販売（卸売販売）する商品であり、売上高は一般売上として処理している。

7　金額計算において、円未満の端数が生じた場合には円未満を四捨五入すること。

8　期間による計算が生ずる場合には月割計算によるものとする。

9　法人税等及び法人税等調整額の合計額は、税引前当期純利益に法定実効税率（30%）を乗じて算出した金額とし、法人税等は逆算で計算する。未払法人税等は源泉所得税等及び法人税等の中間納付額を控除して計算する。

10　勘定科目は【資料3】決算整理後残高試算表にある科目を使用し、それ以外の科目は使用しないものとする。

【資料1】決算整理前残高試算表　　　　　　　　　　　　　　　　　（単位：円）

借　方　科　目	金　　額	貸　方　科　目	金　　額
現　　　　　金	200,000	支　払　手　形	85,482,550
当　座　預　金	63,644,500	買　　掛　　金	61,842,900
受　取　手　形	126,753,000	仮　受　消　費　税　等	127,051,000
売　　掛　　金	55,836,000	貸　倒　引　当　金	2,406,519
繰　越　商　品	46,783,300	社　　　　　債	19,520,000
仮　　払　　金	28,210,000	減　価　償　却　累　計　額	122,418,750
仮　払　消　費　税　等	94,726,450	資　　本　　金	90,000,000
建　　　　　物	239,000,000	資　本　準　備　金	42,000,000
車　　　　　両	6,300,000	利　益　準　備　金	2,500,000
備　　　　　品	4,500,000	繰　越　利　益　剰　余　金	54,714,361
土　　　　　地	80,000,000	小　　売　　上	495,510,000
建　設　仮　勘　定	24,000,000	一　　般　　売　　上	775,000,000
投　資　有　価　証　券	8,434,000	受　取　配　当　金	540,000
繰　延　税　金　資　産	7,920,000	有　価　証　券　利　息	40,000
仕　　　　　入	909,560,200		
営　　業　　費	165,233,945		
法　定　福　利　費	16,800,000		
支　払　リ　ー　ス　料	1,000,000		
手　形　売　却　損	124,685		
合　　　　　計	1,879,026,080	合　　　　　計	1,879,026,080

【資料2】修正及び決算整理事項等

1　現金

　　現金の残高はすべて小口現金であり、全額営業費の支払いとして使用している。小口現金に関しては毎月末に小口現金の出納係から1ヶ月に支払った営業費の報告がなされ、翌月1日に使用額が補充されることとなっているが、3月分の使用金額189,200円（税込み）報告が未処理であった。

2　当座預金

　　当座預金について、銀行から取り寄せた証明書の金額は58,837,300円であった。甲社の当座預金残高との差異について調査したところ、以下の事項が判明した。

(1)　A商品の引取運賃として198,000円（税込み）の小切手を振出して支払ったが、甲社では誤って19,800円（税込み）として処理していた。

(2)　×21年3月31日に現金350,000円を銀行に預け入れたが、銀行では営業時間外であったため、×21年4月1日付で記帳されていた。

(3) 買掛金決済のために振出した小切手231,000円が引き落とされていなかった。

(4) Z社に対する買掛金決済のために振出した小切手1,650,000円が、Z社の担当者が受取に来なかったため、金庫に保管されていた。

(5) 銀行で割引きしたT社振出の約束手形6,160,000円が期日に不渡りとなり、買戻し金が当座預金口座から引き落とされていたが、未処理であった。

3　受取手形

(1) 受取手形に関する内容は以下のとおりである。なお、割引手形は割引時に受取手形から直接控除する処理を行っている。

得意先名	S 社	T 社	G 社	その他
手 持 手 形	30,800,000円	9,350,000円	47,410,000円	4,950,000円
取 立 依 頼 手 形	15,400,000円	3,520,000円	13,200,000円	2,123,000円
割 引 手 形	5,500,000円	6,160,000円	—	—

(2) T社振出しの約束手形についてはT社が決算日現在、破産の申し立てを行っているため、破産更生債権等に区分し、振替処理を行う。

(3) T社の割引手形は買戻しをしている（上記2(5)参照）。

4　売掛金

(1) 売掛金の内訳は以下のとおりである。なお、金額には消費税等が含まれている。

得意先名	S 社	T 社	G 社	その他
残　　　　高	16,720,000円	2,640,000円	28,182,000円	8,294,000円

(2) G社に対して残高確認を行ったところ、13,768,150円（税込み）との回答があった。甲社の残高との差異について調査したところ、甲社が販売したB商品885個について、期末日現在配送中であり、G社に到着していないことが判明したため、売上の取消処理を行う。

5　小売売上

(1) 甲社は×21年1月1日より、小売販売についてポイント制度を導入することとしたが、これに関する処理が行われていなかった。甲社は顧客がA商品を100円購入するごとに1ポイントを顧客に付与し、顧客は将来、甲社のA商品を購入する際に1ポイントに付き1円の値引を受けることができる。当期中におけるポイント制度の対象となった小売売上高は120,000,000円（全額小売売上に計上済みである。）であり、これに対し1,200,000ポイントを付与した。当社は販売時点でポイントの使用率を90%と見込んだ。これにより1ポイントあ

たりの独立販売価格を0.90円とした。

(2) 上記(1)のうち、当期中に使用されたポイントは200,000ポイントであったが、ポイント使用分について未処理である。決算日においてポイントの使用率の見込みに変更はない。

6　買掛金

B商品の仕入先の1つであるR社に対する買掛金残高は5,309,700円（税込み）であるが、R社からの回答金額は6,939,900円（税込み）であった。差異について調査したところ、以下の事項が判明した。

(1) R社から購入した事務用備品（事務用2）660,000円（税込み）について未処理であった。

(2) ×21年3月20日のB商品の仕入数量が320個であったが、甲社では230個で計算し、処理していた。なお、同日に仕入れたB商品は決算日現在未販売である。

7　商品

(1) 商品の評価方法は商品別に総平均法を採用している。

(2) A商品

①　上記より判明する事項について修正する前の数量及び金額は以下のとおりである。

	期　首	当期仕入	期　末	
			帳簿棚卸高	実地棚卸高
数量	22,585個	311,015個	22,848個	22,405個
金額	27,102,000円	398,076,000円	（　　　　）円	（　　　　）円

②　期中に見本品として商品432個を提供したが、未処理である。

③　期末実地棚卸高のうち200個は棚ざらし品であり、正味売却価額は1個あたり600円である。

(3) B商品

①　上記より判明する事項について修正する前の数量及び金額は以下のとおりである。

	期　首	当期仕入	期　末	
			帳簿棚卸高	実地棚卸高
数量	2,029個	52,506個	2,250個	2,300個
金額	19,681,300円	511,484,200円	（　　　　）円	（　　　　）円

②　期末実地棚卸高のうち100個は品質低下品であり、正味売却価額は1個あたり5,000円である。

8　有形固定資産

(1)　有形固定資産の内訳は以下のとおりである。

勘定科目	用　途	取得価額	減価償却累計額	耐用年数
建　　　　物	事　務　所	114,000,000円	38,475,000円	40年
	倉　庫　1	80,000,000円	62,400,000円	15年
	倉　庫　2	45,000,000円	15,000,000円	15年
車　　　　両	営業車1	6,300,000円	5,118,750円	6年
備　　　　品	事　務　用1	4,500,000円	1,425,000円	5年
リ　ー　ス　資　産	営業車2	（　　　　　　）円	－	（　　）年
建　設　仮　勘　定	－	24,000,000円	－	－

(2)　建物

　　　減価償却方法は定額法であり、残存価額は事務所及び倉庫1が取得価額の10%、倉庫2が
　　ゼロとする。

　　　×20年4月1日に倉庫2（×15年4月1日取得）について改修を行い、耐用年数が10年延
　　長した。改修に要した支出額を建設仮勘定に計上しているため、延長年数に相当する金額を
　　資本的支出として処理する。なお、減価償却計算は当初耐用年数により行い、資本的支出分
　　の残存価額はゼロとする。

(3)　車両（営業車1）

　　　減価償却方法は定額法であり、残存価額は取得価額の10%である。営業車1は×14年11月
　　に取得したものであり、償却可能限度額（取得価額の95%）まで減価償却を行う。

(4)　備品

　　　減価償却方法は定額法であり、残存価額はゼロである。なお、事務用2は×21年3月に取
　　得したものであり耐用年数は5年である。

(5)　リース資産（営業車2）

　　　×20年10月1日に所有権移転外ファイナンス・リース取引により取得したものであるが、
　　当期の支出額を支払リース料に計上している。リース契約の内容等は以下のとおりである。

　　①　リース期間：×20年10月1日から×25年9月30日

　　②　リース料：年額1,000,000円を毎年10月1日に前払い

　　③　リース物件の見積現金購入価額：4,844,980円

　　④　リース料総額の現在価値（割引率1.9%）：（　　　　　　　）円※

　　⑤　減価償却方法：定額法

　　　※　割引率1.9%の年金現価係数

　　　　　1年：0.98135　　2年：1.94441　　3年：2.88951　　4年：3.81699　　5年：4.72717

9 社債

(1) 甲社は×18年4月1日に以下に示す普通社債を発行している。

① 社債金額：20,000,000円

② 払込金額：19,200,000円

③ 償還期限：×23年3月31日

④ クーポン利子率：年1.5%

⑤ 利払日：毎年3月31日

⑥ 社債金額と払込金額との差額は償却原価法（定額法）により処理する。

(2) ×20年12月31日に社債金額4,000,000円について買入消却を行った。

(3) 買入消却による支出額及び利払日におけるクーポン利息支払額については仮払金に計上している。

10 賞与引当金

(1) 翌期の夏期賞与（支給対象期間は×20年12月〜×21年5月である。）の支給見込額は39,000,000円であり、このうち当期に帰属する金額を賞与引当金に計上する。また、賞与引当金に対する法定福利費の会社負担額を10%として計算し、未払費用に計上する。

(2) 賞与引当金及び賞与引当金に対する法定福利費の未払費用については税効果会計を適用する。なお、決算整理前残高試算表の繰延税金資産はすべて前期末に計上した賞与引当金及び賞与引当金に対する法定福利費の未払費用について計上したものである。

11 投資有価証券

(1) 甲社の保有する有価証券は以下のとおりであり、すべてその他有価証券に区分している。

銘　柄	市場価格	帳簿残高	期末時価
P社株式	有	1,500,000円	1,650,000円
N社株式	有	4,000,000円	3,890,000円
K社社債	有	2,934,000円	2,992,000円

(2) K社社債は×18年12月1日に取得したものであり、債券金額は3,000,000円である。償還期限は×23年11月30日、クーポン利子率は年2%、利払日は毎年5月31日と11月30日の年2回である。債権金額と取得価額との差額は金利調整差額と認められるものであり、償却原価法（定額法）により処理する。

(3) その他有価証券の時価評価による差額は全部純資産直入法により処理し、税効果会計を適用する。

問題 8

問題

12 貸倒引当金

(1) 破産更生債権等については債権金額から担保処分見込額9,000,000円を控除した残額について貸倒引当金を計上する。

(2) 一般債権（受取手形、売掛金及び割引手形）については債権金額に貸倒実績率2％を乗じた金額について貸倒引当金を計上する。

(3) 貸倒引当金の計上については差額補充法により処理する。なお、決算整理前残高試算表の貸倒引当金はすべて一般債権に係るものである。

(4) 破産更生債権等に対する貸倒引当金の繰入限度額は債権金額から担保処分見込額を控除した残額の50％であるため、貸倒引当金繰入限度超過額に対して税効果会計を適用する。

13 仮払金

決算整理前残高試算表の仮払金の内訳は以下のとおりである。

消費税等の中間納付額　　　　　9,000,000円

法人税等の中間納付額　　　　15,000,000円

社債に関する支出額　　　　　　4,210,000円

14 受取配当金

源泉所得税等60,000円控除後の金額となっているため、総額に修正する。なお、源泉所得税等は法人税等の納付額から控除できるものである。

15 見越・繰延

営業費の見越額が81,000円、繰延額が62,500円ある。

【資料３】決算整理後残高試算表

決算整理後残高試算表　　　　　（単位：千円）

借　方　科　目	金　額	貸　方　科　目	金　額
現　　　　　金	1	支　払　手　形	
当　座　預　金	2	買　掛　金	26
受　取　手　形	3	未　払　金	27
売　　掛　　金	4	未　払　費　用	28
繰　越　商　品	5	契　約　負　債	29
前　払　費　用		未　払　消　費　税　等	30
未　収　収　益	6	未　払　法　人　税　等	31
建　　　　　物	7	賞　与　引　当　金	
車　　　　　両		貸　倒　引　当　金	32
備　　　　　品	8	リ　ー　ス　債　務	33
リ　ー　ス　資　産	9	社　　　　　債	34
土　　　　　地		減　価　償　却　累　計　額	35
投　資　有　価　証　券	10	繰　延　税　金　負　債	36
破　産　更　生　債　権　等	11	資　　本　　金	
繰　延　税　金　資　産	12	資　本　準　備　金	
売　上　原　価	13	利　益　準　備　金	
営　　業　　費	14	繰　越　利　益　剰　余　金	
法　定　福　利　費	15	その他有価証券評価差額金	37
賞与引当金繰入額	16	小　　売　　売　　上	38
貸倒引当金繰入額	17	一　　般　　売　　上	39
減　価　償　却　費	18	受　取　配　当　金	40
見　本　品　費	19	有　価　証　券　利　息	41
修　　繕　　費	20	社債買入消却損益	42
棚　卸　減　耗　費	21	法　人　税　等　調　整　額	43
商　品　評　価　損	22		
支　払　利　息	23		
社　債　利　息	24		
手　形　売　却　損			
法　人　税　等	25		
合　　　計		合　　　計	

⇨解答：207ページ

問題
8

問題

問題 9　一般総合(9)

甲株式会社（以下「当社」という。）の当期（自 x 27年 4 月 1 日　至 x 28年 3 月31日）について、【資料 1】に示す x 28年 3 月31日現在の決算整理前残高試算表、【資料 2】に示す修正及び決算整理事項並びに【資料 3】に示す決算整理前残高試算表の勘定科目の内訳等に基づき、答案用紙の決算整理後残高試算表を完成させなさい。

（解答上の留意事項）

1　金額計算において、円未満の金額が生じた場合は、円未満を切り捨てる。

2　日数計算が必要な場合は、月割りにより行う。

3　解答金額については、問題文の残高試算表の金額欄の数値のように 3 桁ごとにカンマで区切りなさい。この方法によらない場合には正解としないので注意すること。

4　マイナスとなる場合には、数値の前に△を付すこと。

（問題の前提条件）

1　棚卸資産の評価については、「棚卸資産の評価に関する会計基準」を適用し、通常の販売目的で保有する棚卸資産について生じた収益性低下評価損益は切放法により処理している。なお、棚卸減耗損は売上原価に含めずに処理し、商品評価損は売上原価に含めて処理する。

2　投資有価証券の期末評価は、金融商品に関する会計基準及び金融商品会計に関する実務指針等に基づき処理を行い、評価差額は全部純資産直入法（税効果会計を適当する。）により処理する。なお、市場価格のある株式については、期末時価が取得価額より50％以上下落した場合には減損処理することとし、市場価格のない株式については、実質価額が取得価額より50％以上低下した場合には減損処理することとしている。

3　税効果会計については、適用する旨の記載のある項目についてのみ適用し、記載のない項目については考慮する必要はない。なお、その適用に当たっては、法定実効税率30％として計算し、繰延税金資産の回収可能性に問題はないものとする。また、繰延税金資産と繰延税金負債の相殺は行わないものとする。

4　法人税等及び法人税等調整額の合計額は、税引前当期純利益に法定実効税率（30％）を乗じて算出した金額とし、法人税等の金額は逆算で計算する。未払法人税等は受取配当金に係る源泉税額及び法人税等の中間納付額を控除して計算する。

【資料1】 x28年3月31日現在の決算整理前残高試算表

(単位：円)

借	方	貸	方
科　　目	金　額	科　　目	金　額
現　金　預　金	29,512,580	支　払　手　形	73,209,000
受　取　手　形	86,266,000	買　　掛　　金	29,640,000
売　　掛　　金	34,415,000	賞　与　引　当　金	9,240,000
繰　越　商　品	5,625,000	貸　倒　引　当　金	3,433,850
仮　　払　　金	5,200,000	社　　　　債	35,160,000
建　　　　物	68,160,000	退　職　給　付　引　当　金	47,052,000
車　両　運　搬　具	8,375,000	資　　本　　金	95,000,000
器　具　備　品	4,625,000	利　益　準　備　金	1,500,000
土　　　　地	60,000,000	繰　越　利　益　剰　余　金	42,844,984
投　資　有　価　証　券	31,370,000	売　　　　上	508,775,000
破　産　更　生　債　権　等	3,000,000	受　取　利　息　配　当　金	160,000
繰　延　税　金　資　産	17,337,600	雑　　収　　入	2,440,000
仕　　　　入	386,375,000		
人　　件　　費	87,172,800		
そ　の　他　の　費　用	6,183,956		
手　形　売　却　損	125,900		
社　債　利　息	504,000		
雑　　損　　失	14,206,998		
合　　　計	848,454,834	合　　　計	848,454,834

問題9

問題

－65－

【資料2】修正及び決算整理事項

1 現金預金

(1) 現金

期末に現金実査を行ったところ、金庫に以下のものが入っていた。

通貨 716,190円　　配当金領収証 108,000円（源泉所得税等12,000円控除後）

当社振出小切手(No.634) 1,260,000円　　得意先振出小切手 3,000,000円

なお、現金の帳簿残高と実際有高との差額の原因として、以下の事項が判明したが、その他の原因に関しては不明であるため、雑損失又は雑収入として処理する。

① 上記配当金領収証については未処理であった。

② 得意先振出小切手は売掛金の回収として受け取ったものであり、受取時に当座預金の入金として処理していた。

③ 営業費143,892円を支払ったが、未処理であった。

(2) 当座預金

当座預金については、2月末の時点において当座預金出納帳の残高と当座勘定照合表（注1）の残高は一致していた。3月中の取引及び記帳の状況は次のとおりである。

当 座 預 金 出 納 帳　　（単位：円）

日 付		借 方	貸 方	残 高	小切手・手形No	摘 要
3	1			21,074,000		
	6	1,995,000		23,069,000		売掛代金決済
	9	4,200,000		27,269,000	手形No.2012	受取手形割引
	16		1,638,000	25,631,000		買掛代金支払
	25		5,650,000	19,981,000		給料
	26		414,750	19,566,250		営業費支払
	27	3,885,000		23,451,250	手形No.2429	受取手形取立依頼
	30	940,380		24,391,630	小切手No.333	小切手預入
	31	3,000,000		27,391,630		小切手預入
	31	1,260,000		28,651,630	小切手No.634	買掛代金支払

当 座 勘 定 照 合 表　　　　（単位：円）

日 付		出　金	入　金	残　高	小切手・手形No	摘　要
3	1			21,074,000		
	6		1,992,900	23,066,900		（注2）
	9		4,186,000	27,252,900		手形割引入金
	16	1,638,000		25,614,900		
	25	5,650,000		19,964,900		給与支払
	26	414,750		19,550,150		自動引落
	31	1,491,000		18,059,150	手形No.1798	（注3）

（注1）「当座勘定照合表」とは、一定期間ごとに銀行から送られてくる書類で、普通預金の
　　　　通帳と同様に、その期間に当座預金口座で取引があった内容を知らせるものである。

（注2）売掛金の振り込みであり、手数料は当社が負担している。

（注3）支払手形は仕入先に買掛金の支払として振り出していたものであり、手形No.1798の
　　　　支払期日は3月31日である。

2　売掛金

　　得意先が期末日直前に返品した商品100個（売価80,000円）が未着であったため、当社では未
処理であった。

3　商品

　　当社は商品の評価方法として総平均法を採用している。商品の期末帳簿数量は9,400個であり、
実地数量は9,100個であった。なお、期中に見本品として商品250個を提供していたが当社では
未処理であった。なお、返品された商品は劣化品であるため、評価損を計上することとし、正
味売却価額は1個あたり290円と算定された。

4　有価証券

　　当社が決算日現在保有する有価証券はすべてその他有価証券であり、詳細は以下のとおりで
ある。

（単位：円）

銘　柄	市場価格	取得価額	前期末時価	当期末時価	備　考
A社株式	あり	8,000,000	3,750,000	3,700,000	（注1）
B社社債	あり	5,525,000	5,550,000	5,700,000	（注2）
C社株式	あり	15,000,000	14,800,000	15,500,000	―
D社株式	なし	7,000,000	―	―	（注3）

問題9

問題

（注１）　Ａ社株式は前期末において市場価格が50％以上下落し、かつ、回復の見込みもないため、減損処理を行っている。なお、当該減損処理は税務上も損金算入が認められる。

（注２）　Ｂ社社債は前期首において発行と同時に取得したものである。Ｂ社社債の債券金額は6,000,000円であり、償還期限はｘ31年３月31日である。取得差額は金利調整差額と認められるため、定額法による償却原価法を適用する。なお、クーポン利息については適正に処理済みである。

（注３）　当社の保有するＤ社株式の実質価額は3,000,000円である。

5　貸倒引当金
（1）Ｙ社に対する債権は前期末に破産更生債権等に区分しており、債権金額の100％を貸倒引当金として計上している。決算整理前残高試算表の破産更生債権等はすべてＹ社に対するものであるが、回収不能と判断し、貸倒処理する。

（2）当社が期中に銀行で割引を行ったＺ社振出の約束手形4,000,000円について不渡りとなったため、買戻しを行ったが仮払金で処理しているのみであった。Ｚ社の債権については破産更生債権等に区分し、破産更生債権等へ振り替える。また、Ｚ社の債権に対する担保処分見込額は2,000,000円であり、担保処分見込額を除いた残額と同額の貸倒引当金を設定する。税務上の貸倒引当金繰入限度額は債権金額から担保処分見込額を控除した残額の50％相当額であるため、貸倒引当金繰入限度超過額に対して税効果会計を適用する。

（3）一般債権（受取手形及び売掛金）の貸倒れの見積りは、以下の条件に基づいて計算した貸倒実績率により差額補充法で貸倒引当金を計上する。
条件：債権の期末残高に対する翌期１年間の貸倒損失発生の割合を、過去３算定年度分合計し、その平均値を貸倒実績率とする。

（単位：円）

	前々々期	前 々 期	前　　期	当　　期
債権の期末残高	66,500,000	0		
（貸倒損失発生額）		（　1,795,500）		
債権の期末残高		72,345,000	0	
（貸倒損失発生額）			（　2,025,660）	
債権の期末残高			75,500,000	0
（貸倒損失発生額）				（　1,736,500）

（注）債権の平均回収期間は３ヶ月である。

6　有形固定資産
（1）車両運搬具Ａについてｘ27年６月30日に売却を行ったが、入金額を雑収入として処理して

いるのみである。

(2) 器具備品Cについてx28年3月20日に除却(見積処分価額100,000円)を行ったが未処理であった。

7　賞与引当金

　翌期の夏期賞与の支給見込額は14,520,000円である。当社の夏期賞与の支給対象期間は毎年12月から5月であり、当期に属する金額を賞与引当金として計上する。なお、賞与引当金に対して税効果会計を適用する。

8　退職給付引当金

　当社は退職金制度として退職一時金制度と企業年金制度を採用している。退職給付引当金の計算に係るデータは次のとおりである。なお、数理計算上の差異は発生年度から3年間で定額法により償却する。また、退職給付引当金に対して税効果会計を適用する。

(1) 期首退職給付債務　　　　　98,762,000円　（割引率2.0%）
(2) 期首年金資産　　　　　　　51,010,000円　（長期期待運用収益率1.5%）
(3) 未認識数理計算上の差異
　① 前々期発生分　　　　　　　540,000円　（貸方差異）
　② 前期発生分　　　　　　　1,240,000円　（借方差異）
(4) 勤務費用　　　　　　　　　3,600,000円
(5) 退職給付額　　　　　　　 10,700,000円
(6) 年金掛金拠出額　　　　　　4,200,000円
(7) 期末退職給付債務（実績） 95,029,000円
(8) 期末年金資産（実績）　　 52,228,180円

9　社債

　x26年12月1日に額面36,000,000円の社債を額面1口100円当たり97.5円で割引発行した。償還期限はx31年11月30日である。なお、クーポン利息については年利2.1%で計算した金額を毎年5月31日及び11月30日に支払うこととしている。また、債券金額と発行価額との差額は定額法による償却原価法により計算し、社債利息勘定で処理している。当社はx28年1月31日に債券金額の40%につき買入消却を行ったが、支出額を全額雑損失として計上しているのみである。

問題
9

問題

—69—

【資料３】決算整理前残高試算表の勘定科目の内訳等

勘定科目	内　訳　等
現 金 預 金	現金預金の内訳は現金と当座預金である。
受 取 手 形	倒産したＺ社に対するものが2,000,000円含まれている。
売 掛 金	倒産したＺ社に対するものが3,000,000円含まれている。
繰 越 商 品	前期末残高であり、数量は9,000個である。
仮 払 金	仮払金の内訳 　　法人税等の中間納付額　　1,200,000円 　　Ｚ社振出約束手形買戻額　4,000,000円
建 物	前期末残高である。 減価償却は定額法を採用し、取得価額120,000,000円、耐用年数50年、残存価額は取得価額の10%として算出している。
車 両 運 搬 具	前期末残高であり、内訳は次のとおりである。 　　車両運搬具Ａ　　　2,750,000円（取得価額8,000,000円） 　　車両運搬具Ｂ　　　5,625,000円（取得価額7,500,000円） 減価償却は定額法を採用し、耐用年数は８年、残存価額はゼロとして算出している。
器 具 備 品	前期末残高であり、内訳は次のとおりである。 　　器具備品Ｃ　　　　1,125,000円（取得価額3,000,000円） 　　器具備品Ｄ　　　　3,500,000円（取得価額4,200,000円） 減価償却は定額法を採用し、耐用年数は８年、残存価額はゼロとして算出している。
繰 延 税 金 資 産	前期末残高であり、内訳は次のとおりである。 　　貸倒引当金　　　　　450,000円 　　賞与引当金　　　　2,772,000円 　　退職給付引当金　14,115,600円
賞 与 引 当 金	前期末残高である。
社 債	前期末残高である。
退職給付引当金	前期末残高である。
雑 収 入	雑収入の内訳 　　車両運搬具Ａの売却代金　2,300,000円 　　その他の雑収入　　　　　　140,000円
仕 入	当期の仕入高であり、数量は603,500個である。

勘定科目	内　　　訳　　　等
人　件　費	人件費の内訳 　給料手当　　　　　　57,200,000円 　賞与　　　　　　　　18,972,800円 　年金掛金拠出額　　　4,200,000円 　退職一時金支払　　　6,800,000円
その他の費用	その他の費用の内訳 　営業費　　　　　5,305,356円 　租税公課　　　　801,800円 　支払手数料　　　76,800円
雑　損　失	雑損失の内訳 　社債買入消却時の支出額　14,162,400円 　その他の雑損失　　　　　44,598円

⇨解答：217ページ

問題
9

問題

制限時間　60分

難易度　C

　甲株式会社（以下「甲社」という。）は、国内で商品の小売業及び卸売業を営んでいる。甲社の当期（自X18年4月1日　至X19年3月31日）について、【資料1】に示すX19年3月31日現在の決算整理前残高試算表と【資料2】に示す修正及び決算整理事項等に基づいて次の問に答えなさい。

問1　貸借対照表に計上される棚卸資産の内訳となる各商品の棚卸資産金額及び収益性の低下による評価損の金額を求めなさい。

問2　【資料3】の貸借対照表及び損益計算書の1から30の金額を求めなさい。

（解答上の留意事項）

　1　解答金額については、問題文の決算整理前残高試算表の金額欄の数値のように3桁ごとにカンマで区切り、マイナスとなる場合には、金額の前に「△」を付しなさい。この方法によっていない場合には正解としないので注意すること。

　2　金額計算において、円未満の金額が生じた場合は、円未満を切捨てること。

　3　解答金額が「0」となる場合には、「0」と記載する。

　4　解答の勘定科目は、【資料3】にある科目を使用し、それ以外の勘定科目は使用しないものとする。

（問題の前提条件）

　1　問題に指示がない限り、会計基準に示された原則的な会計処理によること。

　2　税効果会計については、適用する旨の記載のある項目についてのみ適用し、記載のない項目については考慮する必要はない。

　　　なお、その適用にあたっては、繰延税金資産の回収可能性に問題はないものとし、法定実効税率は30%として計算する。

　3　法人税等及び法人税等調整額の合計額は、税引前当期純利益に法定実効税率（30%）を乗じて算出した金額とし、法人税等の金額は逆算で計算する。未払法人税等は受取利息及び受取配当金に係る源泉税額並びに法人税等の中間納付額を控除して計算する。

　4　消費税及び地方消費税（以下「消費税等」という。）については、（税込）と記載されている取引についてのみ税率10%で、税抜処理を行うこととし、仮払消費税等と仮受消費税等を相殺し、中間納付額を控除して未払消費税等を計上する。

　5　民事再生手続開始の決定がされた債権については、破産更生債権等として会計処理する。

【資料１】決算整理前残高試算表（X19年３月31日現在）

（単位：円）

借	方	貸	方
勘 定 科 目	金 額	勘 定 科 目	金 額
現 金	250,000	支 払 手 形	70,424,000
普 通 預 金	66,095,700	買 掛 金	41,146,000
当 座 預 金	38,526,150	仮 受 金	29,000,000
受 取 手 形	111,004,000	その他流動負債	8,227,740
売 掛 金	33,828,000	仮 受 消 費 税 等	103,122,200
商 品	36,246,660	貸 倒 引 当 金	3,344,000
仮 払 金	45,700,000	社 債	19,712,000
仮 払 消 費 税 等	70,628,300	退 職 給 付 引 当 金	（ ）
その他流動資産	8,280,000	資 本 金	10,000,000
建 物	101,880,000	繰 越 利 益 剰 余 金	24,786,510
車 両	8,600,000	小 売 売 上 高	220,190,000
器 具 備 品	900,000	一 般 売 上 高	811,032,000
土 地	132,556,000	受 取 利 息	50,000
建 設 仮 勘 定	55,800,000	受 取 配 当 金	600,000
投 資 有 価 証 券	17,740,000		
繰 延 税 金 資 産	（ ）		
商 品 仕 入 高	686,293,340		
給 与 手 当	190,440,000		
法 定 福 利 費	19,044,000		
賃 借 料	3,200,000		
租 税 公 課	2,026,000		
その他営業費用	20,365,000		
社 債 利 息	160,000		
手 形 売 却 損	71,300		
合 計	（ ）	合 計	（ ）

【資料2】修正及び決算整理事項等

1 現金預金

(1) 現金 250,000円

この現金は、小口現金であり、すべてその他営業費用の支払として利用している。毎月末に小口現金の出納係からその一月に出金した営業費の支払報告がなされ、翌月月初に使用した金額が補充されることになっているが、当月においては使用した金額225,500円（税込）の報告の記帳漏れが生じていることが判明した。

(2) 当座預金 38,526,150円

この預金について、銀行の残高証明書を取り寄せたところ、次のとおりであった。

銀行の残高証明書の金額 33,164,150円

残高の差異の原因を分析したところ、以下のような事情が判明した。

① 店舗の午前中の売上代金140,800円（税込）を預け入れたが、銀行の営業時間外の入金となったため、銀行では4月1日付として記帳されていた。なお、この代金については、小売売上高として計上済みである。

② B商品の引取運賃の支払いとして、280,500円（税込）の小切手を振り出して支払っていたが、誤って247,500円（税込）として記帳していた。

③ 2月末に割り引いていたN商事の3月20日期日の手形6,000,000円が不渡りとなり、その買戻し金が預金から引き落とされていたが、未記帳であった。なお、N商事は、3月20日付で民事再生手続きの開始決定がなされた。

④ O商事の手形割引として、割引料8,200円を差引かれて811,800円の入金があったが、未処理であった。

2 受取手形

(1) いずれも、国内取引に伴って生じた手形であり、内訳は次のとおりである。なお、割引手形は、割引時に受取手形勘定から直接控除する形式で記帳されている。

得意先名	手持手形	取立手形	割引手形
M商事	15,280,000円	14,200,000円	11,200,000円
N商事	5,220,000円	4,800,000円	7,200,000円
O商事	5,100,000円	4,450,000円	4,600,000円
その他	33,334,000円	28,620,000円	20,018,000円
合　計	58,934,000円	52,070,000円	43,018,000円

(2) N商事の割引手形については、不渡りになった手形6,000,000円が含まれているが、その他の割引手形についても、すべて買戻しており、その代金は仮払金に計上している。

3 売掛金

(1) 試算表上の売掛金残高は、すべてB商品の販売から生じたものであり、その得意先別の内訳は次のとおりである。

得意先名	残　　高
M商事	12,450,000円
N商事	2,880,000円
O商事	3,320,000円
その他	15,178,000円
合　　計	33,828,000円

(2) M商事に対して残高確認を実施したところ、回答金額は12,175,000円であった。この差額を調査したところ、3月販売分の値引の処理もれ41,800円（税込）と3月販売分のうち、100個の返品233,200円（税込）の処理が行われていなかったことが判明した。この返品されたB商品は良品であった。

4 棚卸資産

(1) 甲社の販売している商品は、A商品、B商品である。

　　A商品は、店舗で現金販売する商品、B商品は国内の他社に販売する商品である。売上高は、それぞれ小売売上高、一般売上高として表示している。

　　棚卸資産の評価方法は、A商品については売価還元法、B商品は年間総平均法である。棚卸資産の評価については、棚卸資産の評価に関する会計基準を適用し、通常の販売目的で保有する棚卸資産に係る収益性の低下については、収益性低下評価損として売上原価とは別に表示し、棚卸減耗による損失については、棚卸減耗損として表示するものとする。なお、期首の棚卸資産に係る収益性の低下については考慮する必要はないものとする。また、A商品に関する収益性低下評価損の計算においては、売価還元低価法を採用する。

(2) 期首商品の数量と内訳は次のとおりである。

商　品　名	数　　量	原価金額
A商品	7,500個	15,812,160円
B商品	17,100個	20,434,500円
合　　計	―	36,246,660円

（注）上記A商品の売価金額は17,376,000円である。

問題
10

問題

—75—

(3) 商品仕入高の内訳は次のとおりである。

商 品 名	数 量	仕 入 高
A商品	96,500個	197,717,840円
B商品	407,100個	488,575,500円
合　　計	―	686,293,340円

(4) A商品

① 当期の値付けの状況は次のとおりである。

内 容	金 額	備 考
値入額	（　　　　）	原価金額の10%である。
値上額	8,816,000円	
値上取消額	1,022,624円	
値下額	6,242,000円	
値下取消額	842,000円	

② 売価による帳簿棚卸高は各自推計すること。

③ 売価による実地棚卸高は16,550,000円である。

④ 売価による帳簿棚卸高と売価による実地棚卸高の差額を分析したところ、以下の事情が判明したが、それ以外の原因は不明であり、棚卸減耗として取り扱う。

(a) 3月31日の1日分の小売売上高の総額は686,400円（税込）であり、銀行の担当者に預けた午前中の売上代金以外は、4月1日付の売上として計上されていた。

(b) 3月31日に掛により仕入れ納品された310,000円（原価）について、仕入計上されていなかったが、実地棚卸金額には含まれていた。なお、消費税等については考慮する必要はない。

(c) 当期に見本品として提供した商品が94,000円（売価）あるが、未記帳であった。

(5) B商品

① B商品の帳簿棚卸数量は16,300個であり、実地棚卸数量は16,100個であった。実地棚卸数量には、M商事からの返品100個が含まれている。差額の原因は不明のため、棚卸減耗として処理する。

② 収益性の低下の測定については、売却市場における合理的な価額として、期末月である3月の販売実績に基づく商品の平均売価を用いるものとする。修正及び決算整理前の3月のB商品の販売実績は、販売数量が33,400個、販売金額が42,208,000円であった。なお、正味売却価額の算定に際して控除すべき見積販売直接経費は、平均売価の5%と見積られた。

5 仮払金

　仮払金の内訳は次のとおりである。

内　　　容	金　　　額
Ｎ商事の割引手形の買い戻し金	1,200,000円
消費税等の中間納付額	7,400,000円
法人税等の中間納付額	2,200,000円
社債の買入消却に係る支出額	11,900,000円
年金掛金拠出額	23,000,000円
合　　　計	45,700,000円

6 有形固定資産

(1) 有形固定資産の内訳は次のとおりである。

勘定科目	用　途	事業供用年月	取 得 価 額	帳 簿 価 額	耐用年数
建　物	事務所	X09年4月	117,000,000円	74,880,000円	25年
	倉　庫	X13年4月	54,000,000円	27,000,000円	10年
車　両	役員車	X16年1月	12,000,000円	6,600,000円	5年
	営業車	X17年8月	2,400,000円	2,000,000円	4年
器具備品	事務用	X18年10月	900,000円	900,000円	4年
建設仮勘定	倉　庫	―	55,800,000円	55,800,000円	―

(2) X13年4月から倉庫として使用している建物は、X18年6月20日に火災により全焼したが、その際に会計処理を行っていない。後日、保険金の支払を受け、新たに取得価額55,800,000円の倉庫を新築し、X18年11月より事業の用に供している。甲社は、入金した保険金29,000,000円を仮受金に計上し、新築した倉庫については、支出額をもって建設仮勘定としている。

　焼失した倉庫については焼失した月までの減価償却を行い、帳簿価額と保険金との差額は保険差益とする会計処理を行うものとする。なお、新築した倉庫の耐用年数は10年である。

(3) 減価償却

　減価償却費は使用期間分を月割計算し、残存価額はゼロ、償却方法はすべて定額法による。

7 投資有価証券

投資有価証券の内訳は次のとおりである。

銘　柄	帳簿価額	当期末時価	保有目的
W株式	1,300,000円	1,100,000円	その他有価証券
X株式	6,800,000円	2,900,000円	その他有価証券
Y社債	9,640,000円	9,500,000円	その他有価証券

(1) 投資有価証券の期末評価は、金融商品に関する会計基準及び金融商品会計に関する実務指
針等に基づき処理を行い、評価差額は全部純資産直入法により処理する。

(2) Y社債は、X19年2月1日に9,640,000円で取得したもので、額面金額は10,000,000円、満
期日はX22年1月31日である。クーポン利息は年利3％で、利払日は毎年7月末日と1月末
日の年2回である。取得価額と額面金額との差額は金利調整差額と認められるため、償却原
価法（定額法）を適用する。

(3) 時価が著しく下落している場合には、回復する見込みがないものとして計算する。

なお、その他有価証券評価差額金については、税効果を認識するものとする。

8 貸倒引当金

(1) 破産更生債権等については、100％引き当てるものとし、一般債権（売掛金、受取手形を対
象とし、割引手形を含める。）については、貸倒実績率を2％として計算し、差額補充法によ
り処理する。なお、決算整理前残高試算表の貸倒引当金はすべて一般債権に係るものである。

(2) 破産更生債権等の貸倒引当金の税法上の繰入限度額は50％であり、限度超過額について税
効果を認識する。

9 社債

(1) 試算表上の社債残高は、すべてX16年4月1日に19,520,000円で発行した社債で、額面金
額は20,000,000円、満期日はX21年3月31日である。クーポン利息は年利2％で、利払日は
毎年3月末日の年1回である。なお、発行価額と額面金額との差額は償却原価法（定額法）
を適用している。

(2) X18年7月31日に額面金額12,000,000円を11,820,000円（経過利息を含まない金額であ
る。）で買入消却を行い、経過利息とともに支払った金額を仮払金に計上している。

10 退職給付引当金

(1) 甲社は退職金制度として退職一時金制度と企業年金制度を採用している。当期の退職給付引当金計算に係るデータは次のとおりである。

内　　容	金　　額
期首退職給付債務	626,000,000円
期首年金資産	150,000,000円
当期勤務費用	50,500,000円

割引率は年2％、長期期待運用収益率は年1％であり、利息費用及び期待運用収益はこの率に基づいて計算すること。

(2) 当期は年金掛金拠出額を仮払金として処理しているのみである。また、当期中に退職金の支払いはなかった。

(3) 期首の未認識数理計算上の差異は36,000,000円である。なお、未認識数理計算上の差異は発生年度の翌年より10年間の定額法で償却を行っており、期首の内訳は次のとおりである。

発生年度	発生金額	期首残高
X16年3月期	（　　　　　）	16,000,000円
X18年3月期	（　　　　　）	20,000,000円

なお、発生金額は、いずれも退職給付引当金の積立不足となるものである。

(4) 退職給付引当金について、税効果を認識するものとする。なお、決算整理前残高試算表の繰延税金資産はすべて退職給付引当金に係るものである。

11 租税公課

租税公課の内訳は次のとおりである。

内　　容	金　　額
固定資産税	1,588,000円
収入印紙代	120,000円
自動車税他	188,000円
受取利息及び受取配当金の源泉税額	130,000円
合　　計	2,026,000円

【資料３】

貸 借 対 照 表
X19年３月31日　　　　　　　　　（単位：円）

借	方	貸	方
科　　　　　目	金　　額	科　　　　　目	金　　額
現　　　　　　　金	1	支　払　手　形	
普　通　預　金		買　　掛　　金	12
当　座　預　金	2	未　払　消　費　税　等	13
受　取　手　形	3	未　払　法　人　税　等	
売　　掛　　金	4	そ　の　他　流　動　負　債	
商　　　　　　　品		社　　　　　　　債	14
未　収　収　益	5	退　職　給　付　引　当　金	15
そ　の　他　流　動　資　産		資　　本　　金	
建　　　　　　　物	6	繰　越　利　益　剰　余　金	
車　　　　　　　両	7	その他有価証券評価差額金	16
器　具　備　品	8		
土　　　　　　　地			
投　資　有　価　証　券	9		
破　産　更　生　債　権　等	10		
繰　延　税　金　資　産	11		
貸　倒　引　当　金			
合　　　　計		合　　　　計	

自Ｘ18年４月１日　至Ｘ19年３月31日　　　　（単位：円）

借	方	貸	方
科　　　　目	金　　額	科　　　　目	金　　額
売　上　原　価		小　売　売　上　高	26
棚　卸　減　耗　損	17	一　般　売　上　高	27
収 益 性 低 下 評 価 損		受　取　利　息	
給　与　手　当		有　価　証　券　利　息	28
法　定　福　利　費		受　取　配　当　金	
退　職　給　付　費　用		保　険　差　益	29
賃　　借　　料		社　債　買　入　消　却　益	30
見　本　品　費	18		
減　価　償　却　費			
租　税　公　課	19		
貸 倒 引 当 金 繰 入 額	20		
そ の 他 営 業 費 用			
社　債　利　息	21		
手　形　売　却　損	22		
投 資 有 価 証 券 評 価 損	23		
法　人　税　等	24		
法　人　税　等　調　整　額	25		
当　期　純　利　益			
合　　　計		合　　　計	

⇨解答：226ページ

　甲株式会社（以下「当社」という。）に関する x 20年 2 月28日現在の残高試算表は【資料 1 】、x 20年 3 月中の取引に関する内容は【資料 2 】、修正及び決算整理事項等は【資料 3 】に示すとおりである。これらの資料に基づいて【資料 4 】に示す決算整理後残高試算表の 1 から41に入る金額を答案用紙の所定の箇所に記入しなさい。なお、当社の決算日は 3 月末日であり、当期は x 19年 4 月 1 日から x 20年 3 月31日である。

（留意事項）

1　計算の結果、円未満の端数が生じたときは、切り捨てる。

2　償却及び利息の計算は月割で行い、 1 月未満の端数は切り上げて 1 月として計算する。

3　消費税等は税抜方式により会計処理し、問題文に「税込価額」、「税抜価額」、「消費税等を考慮する」等の指示があるものについては消費税等10％を考慮して税額計算を行うものとする。未払消費税等は仮払消費税等と仮受消費税等を相殺して計上する。

4　当社は税効果会計を採用しており、法定実効税率は30％である。税務上の処理との差額は一時差異に該当し、繰延税金資産の回収可能性に問題はないものとする。なお、問題文中に「税効果会計を適用する」旨の指示がある場合のみ、税効果会計を適用する。また、繰延税金資産と繰延税金負債の相殺は行わないものとする。

5　法人税等は、法人税等調整額を加減した額が税引前当期純利益の30％となるように計上する。また、法人税等の当期計上額から中間納付額を控除した金額を「未払法人税等」として計上する。

6　資料以外の事項は考慮しなくてよい。

7　指示がある場合を除き、過年度の誤謬訂正はないものとする。

【資料１】　ｘ20年２月28日現在の残高試算表

(単位：円)

借	方		貸	方	
科　　　　　目	金　　額		科　　　　　目	金　　額	
現　　　　　　　　金	219,000		支　払　手　形	51,300,000	
当　座　預　金	62,538,664		買　　掛　　金	56,700,000	
普　通　預　金	13,151,349		預　　り　　金	2,355,000	
受　取　手　形	85,800,000		未　払　費　用	32,220	
売　　掛　　金	97,900,000		仮　受　消　費　税　等	85,161,875	
商　　　　　　　品	3,000,000		賞　与　引　当　金	27,390,000	
仮　　払　　金	2,800,000		貸　倒　引　当　金	434,960	
仮　払　消　費　税　等	68,873,825		長　期　借　入　金	50,000,000	
建　　　　　　　物	23,800,000		社　　　　　　　債	2,917,500	
構　　築　　物	6,000,000		リ　ー　ス　債　務	1,074,000	
車　両　運　搬　具	4,538,400		退　職　給　付　引　当　金	60,000,000	
リ　ー　ス　資　産	1,099,200		資　　本　　金	80,000,000	
土　　　　　　　地	88,000,000		資　本　準　備　金	10,000,000	
投　資　有　価　証　券	19,780,000		利　益　準　備　金	10,000,000	
繰　延　税　金　資　産	26,217,000		別　途　積　立　金	10,000,000	
売　上　原　価	528,002,000		繰　越　利　益　剰　余　金	9,211,347	
人　　件　　費	265,522,000		売　　　　　　　上	853,281,250	
営　　業　　費	11,250,034		受　取　利　息　配　当　金	93,000	
支　払　利　息	1,200,000		雑　　収　　入	10,220	
社　債　利　息	54,000				
手　形　売　却　損	184,350				
雑　　損　　失	31,550				
合　　　　計	1,309,961,372		合　　　　計	1,309,961,372	

【資料２】　ｘ20年３月中の取引に関する内容

　1　商品売買（金額はすべて税込価額であり、消費税等を考慮すること。）

　　(1)　３月における商品の仕入高は以下のとおりである。

　　　①　現金仕入　748,000円

　　　②　当座仕入（小切手振出及び当座振込）　4,950,000円

　　　③　掛仕入　40,581,750円

　　　④　手形仕入　11,550,000円

(2) 3月における商品販売高は以下のとおりである。

① 現金売上　2,970,000円

② 当座売上（当座振込）　8,800,000円

③ 掛売上　61,380,000円

④ 手形売上（得意先振出約束手形）　14,850,000円

2　商品代金の決済等（すべて税込価額である。）

(1) 買掛金の決済等

① 小切手振出及び当座振込　24,750,000円

② 約束手形振出　18,562,500円

③ 得意先振出約束手形の裏書譲渡　1,430,000円

(2) 支払手形の期日決済　44,000,000円

(3) 売掛金の決済等

① 現金及び得意先振出小切手の受取　6,600,000円

② 当座振込　49,500,000円

③ 得意先振出約束手形の受取　22,000,000円

(4) 受取手形の決済等

① 仕入先への裏書譲渡　1,430,000円

② 期日決済　35,750,000円

③ 取引銀行での割引による回収額　2,671,360円（割引料78,640円控除後）

3　源泉所得税等（2月分）及び社会保険料（2月分）の納付（当座振込）　3,585,000円

　残高試算表の預り金はすべて2月分の源泉所得税等及び社会保険料（従業員負担分）である。

4　従業員給与（3月分）の支払（当座振込）

(1) 給与総額　24,880,000円

(2) 源泉所得税等（3月分）　1,142,000円

(3) 社会保険料（3月分の従業員負担分）　1,275,000円

5　退職給付

(1) 企業年金掛金の拠出（当座振込）　2,000,000円※

(2) 退職者への退職一時金支給（当座振込）　18,000,000円※

　※　期中においては支出額を人件費勘定に計上しており、決算において、まとめて修正する
　　こととしている。

6　その他の取引

(1)　現金の当座預入　8,000,000円

(2)　従業員の出張費用の仮払（現金払）　100,000円

(3)　営業費の支払（すべて税込価額である。）

① 現金払　679,250円

② 当座振込　1,595,000円

【資料3】修正及び決算整理事項等

1　現金等に関する事項

(1)　現金について金庫の中を調査したところ、以下のものが保管されていたが、クーポン利息及び配当金領収書については未処理であった。

紙幣及び硬貨　261,300円

当社振出小切手　550,000円

A社社債のクーポン利息（　　　　）円

B社株式の配当金領収書　35,000円

(2)　当座預金について、銀行から送付されてきた当座勘定照合表の内容を確認したところ、以下の事項が判明した。

① 買掛金の支払いのため振出した小切手について550,000円が未渡しであり、864,000円が未取付であった。

② 出張していた従業員から以下の出張報告とともに振込があったが、未処理であった。

仮払額	100,000円
宿泊費及び交通費	△　69,300円（税込価額）
得意先からの商品の手付金	137,500円
得意先との懇親会費	△　33,000円（税込価額）
差引振込額	135,200円

③ 3月31日に3月分の仕入先に対する買掛金の振込について、振込手数料13,200円が引き落とされていたが、未処理であった。振込手数料は仕入先が負担する契約となっている。

2　仕入先に買掛金の残高確認を行ったところ、2月末日現在は一致していたが、残高が一致していなかった。その原因は次のとおりである。なお、金額は税込価額である。

(1)　3月18日仕入分について132,000円の値引を受けたが、未処理であった。

(2)　3月23日仕入分の返品額431,750円が未処理であった。

3　商品については移動平均法を採用しており、毎月末に売上原価を商品勘定から売上原価勘定に振替えている処理を行っているが、3月分の振替処理が行われていなかった。2月末日現在の商品残高は2,000個であった。

(1) 3月の商品の受払記録は以下のとおりである。なお、金額は税抜価額である。

日 付		受 入		払 出
月	日	数量（個）	単価（円）	数量（個）
3	5	10,000	1,560	
	10			9,000
	12	10,000	1,589	
	15			11,000
	18	8,000	1,605	
	23	5,250	1,570	
	25			12,000

(2) 期末実地棚卸高が2,950個であり、期末実地棚卸高のうち30個については品質低下のため、正味売却価額を@1,000円として商品評価損を計上する。なお、商品評価損については売上原価に算入する。

4　当社の保有する固定資産は以下のとおりである。

(1) 建物（取得原価40,000,000円）

　　耐用年数40年、残存価額は取得原価の10%、定額法により減価償却費を算定する。

(2) 構築物（取得原価10,000,000円）

　　耐用年数10年、残存価額はゼロ、定額法により減価償却費を算定する。

(3) 車両運搬具

　　耐用年数5年、残存価額はゼロ、定率法（償却率0.400）により減価償却費を算定する。

　　残高試算表の車両運搬具のうち、2,850,000円はx19年11月に取得したものである。

(4) リース資産

　　x18年4月1日に所有権移転外ファイナンスリースにより計上された備品である。リース期間5年、残存価額ゼロ、定額法により減価償却費を算定する。リース料は年額300,000円、リース料支払日は毎年4月1日（前払）であり、当期に支払ったリース料は全額営業費に計上していた。なお、残高試算表の未払費用は全額前期末においてリース債務に対する支払利息の見越額を計上したものであり、当期末の支払利息の見越計上額は24,186円である。

(5) 土地

　　土地の一部（取得原価20,000,000円）について当期末に減損の兆候が認められたため、減

損会計を適用することとした。当該土地の正味売却価額は15,000,000円であり、割引前将来キャッシュ・フローは毎期1,500,000円（5年間継続すると見込まれる。）、5年後の処分見込額は11,000,000円である。割引率は年3.0%とし、年金現価係数は期間4年を3.717、期間5年を4.580として算定すること。なお、減損損失計上額については税効果会計を適用する。

5　当社の保有する有価証券は以下のとおりである。

　(1)　A社社債（満期保有目的の債券）

　　債券金額10,000,000円、期首帳簿価額（　　　　　　　）円、当期末時価9,880,000円、当期首から償還期限までの期間4年（48月）、クーポン利子率年2.4%、利払日毎年3月31日、定額法により償却額を算定する。

　(2)　B社株式（その他有価証券）

　　取得原価3,500,000円、当期末時価3,650,000円、時価評価については全部純資産直入法（税効果会計を適用する。）により、処理する。

　(3)　C社株式（その他有価証券）

　　取得原価4,280,000円、当期末時価2,100,000円、時価が著しく下落しており、回復する見込みもないため、減損処理を行う。

　(4)　D社株式（その他有価証券）

　　取得原価2,200,000円、当期末時価2,120,000円、時価評価については全部純資産直入法（税効果会計を適用する。）により、処理する。

6　賞与引当金については翌期の6月に支給する見込額31,500,000円の支給対象期間は11月から4月までであり、当期負担分を人件費及び賞与引当金に計上するとともに当該金額の10%を法定福利費の見越額として人件費及び賞与引当金に計上する。賞与引当金計上額（法定福利費の見越額を含む。）については税効果会計を適用する。なお、当期に支給した賞与等に関する金額については全額人件費に計上していた。

7　退職給付引当金については原則法により計上することとしているが、年金掛金の拠出額及び退職一時金の支給額を人件費に計上していた。当期の退職給付引当金の計算に必要な資料は以下のとおりである。なお、退職給付引当金計上額については税効果会計を適用する。

　(1)　期首退職給付債務　153,200,000円

　(2)　期首年金資産時価　90,700,000円

　(3)　期首退職給付引当金　60,000,000円

　(4)　数理計算上の差異の年度別発生額

　　数理計算上の差異は発生年度の翌年度から3年で定額法により償却する。

① ｘ16年度　　　2,700,000円

② ｘ17年度　△　1,500,000円

③ ｘ18年度　△（　　　　　）円

　　　△（マイナス）で示した金額については、損失（積立不足）を意味している。

(5) 勤務費用　48,300,000円

(6) 割引率　年２％

(7) 長期期待運用収益率　年2.4％

(8) 当期掛金拠出額　24,000,000円

(9) 当期退職一時金支給額　28,000,000円

8　３月分の従業員給与に対する社会保険料の会社負担額1,275,000円を見越計上する。

9　社債は債券金額12,000,000円を発行したものであるが、ｘ19年10月に債券金額9,000,000円について8,770,500円（経過利息を含む。）を支払い、買入消却を行ったが、支払額を社債勘定から減額する処理を行っていた。社債の償還期日はｘ22年６月30日、クーポン利子率は年1.8％であり、利払日は毎年６月30日である。定額法により償却額を算定する。

10　貸倒引当金は以下の債権区分及び設定額（率）により算定し、差額補充法で処理する。貸倒引当金繰入限度超過額については税効果会計を適用する。

債　権　区　分	会計上の設定額（率）	税務上の設定額（率）
一　般　債　権	債権金額の１％	債権金額×１％
貸 倒 懸 念 債 権	（債権金額－保証額）×50％	債権金額×１％
破 産 更 生 債 権 等	（債権金額－保証額）×100％	（債権金額－保証額）×50％

(1) Ｆ社の財政状態が悪化しているため、Ｆ社に対する債権を貸倒懸念債権に区分する。Ｆ社に対する債権は受取手形2,000,000円及び売掛金1,000,000円であり、保証額は500,000円である。

(2) Ｇ社が当期に倒産したため、Ｇ社に対する債権を破産更生債権等に区分し、破産更生債権等勘定へ振り替える。Ｇ社に対する債権は受取手形1,000,000円及び売掛金1,200,000円であり、保証額は300,000円である。

(3) 前期末において、貸倒懸念債権及び破産更生債権等に区分された債権はなかった。

11　【資料１】の残高試算表の仮払金は法人税等の中間納付額である。

【資料４】決算整理後残高試算表

（単位：円）

借　　　方		貸　　　方	
科　　　目	金　額	科　　　目	金　額
現　　　　　　　金	1	支　払　手　形	26
当　座　預　金	2	買　　掛　　金	27
普　通　預　金		預　　り　　金	28
受　取　手　形	3	前　　受　　金	29
売　　掛　　金	4	未　払　費　用	30
商　　　　　品	5	未　払　消　費　税　等	31
建　　　　　物	6	未　払　法　人　税　等	
構　　築　　物	7	賞　与　引　当　金	32
車　両　運　搬　具	8	貸　倒　引　当　金	
リ　ー　ス　資　産	9	長　期　借　入　金	
土　　　　　地	10	社　　　　　債	33
投　資　有　価　証　券	11	リ　ー　ス　債　務	34
破　産　更　生　債　権　等	12	退　職　給　付　引　当　金	35
繰　延　税　金　資　産	13	繰　延　税　金　負　債	36
売　上　原　価	14	資　　本　　金	
人　　件　　費	15	資　本　準　備　金	
営　　業　　費	16	利　益　準　備　金	
貸　倒　引　当　金　繰　入	17	別　途　積　立　金	
減　価　償　却　費	18	繰　越　利　益　剰　余　金	
棚　卸　減　耗　費	19	その他有価証券評価差額金	37
支　払　利　息	20	売　　　　　上	38
社　債　利　息	21	受　取　利　息　配　当　金	39
手　形　売　却　損	22	有　価　証　券　利　息	40
雑　　損　　失	23	社　債　買　入　消　却　益	41
投　資　有　価　証　券　評　価　損	24	雑　　収　　入	
減　損　損　失	25	法　人　税　等　調　整　額	
法　　人　　税　　等			
合　　　計		合　　　計	

⇨解答：238ページ

　甲株式会社（以下、「甲社」という。）は、製造業及び販売業を営んでいる。甲社の当期（X10年4月1日からX11年3月31日）における次の【資料1】決算整理前残高試算表、【資料2】決算整理事項等に基づき、【資料3】決算整理後残高試算表の空欄①〜㊽に入る金額を答えなさい。

（解答上の留意事項）

1　資料中の（　　）に入る金額は、各自推定すること。

2　解答金額は3桁ごとにカンマで区切ること。この方法によって解答していない場合には正解としない。

3　金額計算において、1円未満の金額が生じた場合は切捨てること。

4　解答金額は「0」となる場合には「0」と記載すること。

（問題の前提条件）

1　問題文に指示のない限り、企業会計基準等に示された原則的な会計処理によるものとする。

2　日数計算はすべて月割計算とし、1ヶ月未満の端数は切り上げて1ヶ月として計算する。

3　消費税及び地方消費税（以下「消費税等」という。）の会計処理については税抜方式を採用しており、（税込み）と記載されている項目についてのみ税率10%で税額計算を行うものとする。また、未払消費税等は仮受消費税等と仮払消費税等を相殺後に中間納付額を控除して計算するものとする。

4　税効果会計については適用する旨の記載がある項目についてのみ適用するものとする。なお、繰延税金資産の回収可能性及び繰延税金負債の支払可能性に問題はなく、法定実効税率は前期以前から変更はなく当期も30%として計算する。また、繰延税金資産と繰延税金負債は相殺せずに解答すること。

5　法人税等及び法人税等調整額の合計額は、税引前当期純利益に法定実効税率（30%）を乗じて算出した金額とし、法人税等の金額は逆算で計算する。未払法人税等の金額は中間納付額を控除して計算するものとする。

6　勘定科目は問題の試算表で使用されているものを使用し、それ以外の勘定科目は使用しないものとする。

【資料1】決算整理前残高試算表

（単位：円）

借	方		貸	方	
科 目		金 額	科 目		金 額
現 金		209,500	買 掛 金		24,200,000
当 座 預 金		24,163,066	電 子 記 録 債 務		5,720,000
普 通 預 金		63,606,800	短 期 借 入 金		5,000,000
売 掛 金		68,618,000	仮 受 金		30,000,000
電 子 記 録 債 権		8,800,000	賞 与 引 当 金		9,500,000
クレジット売掛金		1,100,000	貸 倒 引 当 金		2,200,000
材 料		390,000	仮 受 消 費 税 等		96,760,000
仕 掛 品		248,500	長 期 借 入 金		30,000,000
製 品		987,000	退 職 給 付 引 当 金	(	)
繰 越 商 品		1,920,000	繰 延 税 金 負 債	(	)
貯 蔵 品		6,000	資 本 金		60,000,000
仮 払 金		57,000,000	利 益 準 備 金		1,500,000
仮 払 消 費 税 等		54,604,550	繰 越 利 益 剰 余 金		7,330,091
建 物		107,100,000	土 地 再 評 価 差 額 金	(	)
機 械		12,000,000	商 品 売 上		285,000,000
車 両		9,000,000	製 品 売 上		681,800,000
備 品		3,925,000	受 取 利 息 配 当 金		97,000
土 地		133,000,000	有 価 証 券 利 息		60,000
投 資 有 価 証 券		9,560,000	雑 収 入		29,625
外 貨 定 期 預 金		11,500,000			
破 産 更 生 債 権 等		1,650,000			
繰 延 税 金 資 産		10,579,500			
材 料 仕 入		167,822,000			
商 品 仕 入		154,800,000			
人 件 費		265,782,500			
営 業 費		102,430,500			
租 税 公 課		685,000			
支 払 利 息		90,000			
雑 損 失		8,800			
車 両 売 却 損	(	)			
合 計	(	)	合 計	(	)

【資料2】決算整理事項等

1 現金

(1) 決算日において金庫を実査したところ、以下のものが保管されていた。

① 通貨（円） 133,000円

② 通貨（ドル） 500ドル

③ 得意先振出小切手 880,000円

④ 当社振出小切手 2,200,000円

⑤ 収入印紙（未使用） 8,000円

(2) 決算日に現金残高について調査したところ、以下の事項が判明した。

① 上記(1)の得意先振出小切手は売掛金の回収として受け取ったものであるが、未記帳であった。

② 収入印紙は購入時に租税公課に計上しており、未使用分を貯蔵品に振り替える。なお、【資料1】の貯蔵品は前期末に計上した収入印紙の未使用分である。

③ 営業費5,500円（税込み）を支払ったが、550円（税込み）と記帳していた。

④ 上記(1)の通貨（ドル）は受取時の直物レート140円/ドルで記帳されている。X11年3月31日の直物レートは145円/ドルである。

⑤ 原因不明の差額については雑損失又は雑収入に振り替える。

2 当座預金

甲社はY銀行とZ銀行に当座預金口座を開設しており、Y銀行の当座預金口座の帳簿残高は22,358,066円、Z銀行の当座預金口座の帳簿残高は1,805,000円であるが、両銀行の残高証明書残高と一致していなかったため、差額について調査したところ、以下の事項が判明した。なお、甲社は両銀行と限度額2,500,000円の当座借越契約を締結している。

(1) X11年3月31日にY銀行当座預金に現金500,000円預け入れたが、銀行ではX11年4月1日付けで記録されていた。

(2) Y銀行の当座預金口座を支払銀行口座として振り出した買掛金支払のための小切手が金庫に保管されていた。

(3) 得意先から売掛金1,650,000円をZ銀行の当座預金口座に振り込む旨の連絡があったため、記帳したが、入金はX11年4月1日であった。

(4) 電子記録債務770,000円がZ銀行の当座預金口座から引き落とされていたが、未記帳であった。

(5) Y銀行の当座預金口座からZ銀行の当座預金口座に資金移動した300,000円が、未記帳であった。

(6) 借入金に係る支払利息（変動金利）及び金利スワップに係る純支払額がY銀行の当座預金

口座から引き落とされていたが、未記帳であった（下記15参照）。

3 外貨定期預金

甲社は以下に示す外貨（ドル）建定期預金を有している。

	預入額	預入日	満期日	利子率	利払日
定期預金1	50,000ドル	X10年7月1日	X13年6月30日	年1.8%	毎年6月30日
定期預金2	30,000ドル	X10年12月1日	X15年11月30日	年2.4%	毎年11月30日

4 為替予約

甲社はX11年3月1日に以下の為替予約を行ったが、未記帳であった。なお、X11年3月1日の直物レートは141円/ドルである。

(1)【資料1】の買掛金のうち7,150,000円はX11年2月に計上された外貨（ドル）建買掛金50,000ドルであり、取引日の直物レートで換算されたものである。当該買掛金の決済日であるX11年4月30日を決済日として50,000ドルの買予約を行った。先物レートは140円/ドルであり、当該為替予約については振当処理により記帳する。

(2) X11年4月に仕入予定の商品代金120,000ドルについて、決済予定日のX11年6月30日を決済日として120,000ドルの買予約を行った。先物レートは139円/ドルであり、当該為替予約についてはヘッジ会計の要件を満たしているものであるため、繰延ヘッジ（税効果会計を適用する。）により記帳する。なお、X11年3月31日の先物レートは144円/ドルである。

5 クレジット売掛金

クレジット売掛金は販売代金（税込み）の1％をクレジット会社に手数料（税込み）として支払うこととなっており、手数料を差し引かれた残額を受け取ることとなっている。期中は販売代金（税込み）をクレジット売掛金に計上し、代金受取時に手数料（税込み）を営業費（消費税等は適正に考慮されている。）として記帳している。

6 商品

(1) 【資料1】の繰越商品は前期末残高であり、甲社は商品の評価方法として先入先出法を採用している。3月の受け払い状況は以下のとおりである。なお、3月1日時点の残高は500個（@200円）であった。

	受入数量（単価）	払出数量
3月10日	2,000個（@2,600円）	
3月15日		2,200個
3月20日	3,000個（@2,800円）	
3月25日		2,700個

(2) 期末日における実地棚卸数量は630個であった。差異について調査したところ、以下の事項が判明した。

① 3月25日に販売した商品のうち100個（販売単価@5,500円（税込み））が返品されていたが、未記帳であった。

② 3月31日に見本品として商品50個を提供したが、未記帳であった。

(3) 返品された商品は品質不良があったためであり、正味売却価額は@1,500円と見積もられた。なお、商品評価損は商品売上原価に算入する。

7 材料

【資料1】の材料は前期末残高であり、材料は工程の始点ですべて投入している。期末日における材料の帳簿棚卸高は250,000円であり、実地棚卸高は240,000円であった。棚卸減耗損は原価性があるため、製造原価に算入する。

8 仕掛品

(1) 【資料1】の仕掛品は前期末残高であり、内訳は材料費168,000円及び加工費80,500円である。

(2) 仕掛品の評価方法は平均法を採用している。期首仕掛品数量は200個（加工進捗度50%）、期末仕掛品数量は500個（加工進捗度40%）、当期完成品数量は195,000個であった。

9 製品

【資料1】の製品は前期末残高であり、製品の評価方法は先入先出法を採用している。期首製品数量は600個、期末製品数量は800個である。期末日に製品120個を見本品として提供したが、販売価格462,000円（税込み）で掛売上として製品売上高に計上（消費税等は考慮している。）していた。

10 貸倒引当金

(1) 売掛金、電子記録債権、クレジット売掛金及び破産更生債権等の期末残高に対して貸倒引当金を差額補充法により計上する。なお、破産更生債権等については税務上の繰入限度額が債権金額の50%であるため、貸倒引当金繰入限度超過額について税効果会計を適用する。

(2)【資料１】の破産更生債権等（税込み）は前期末に区分した債権であり、債権金額の100%を貸倒引当金として計上している。当該債権については債務者が当期中に倒産し、回収の見込みがないものとして貸倒処理することとする。

(3) 売掛金のうち1,320,000円（税込み）については債務者が破産状態に陥っていることから破産更生債権等に振替処理を行い、債権金額の100%を貸倒引当金として計上する。

(4) 破産更生債権等以外の債権はすべて一般債権であり、債権金額の１%を貸倒引当金として計上する。

11 賞与引当金

(1) 甲社は毎年６月と12月の年２回賞与を支給している。当期に支給した賞与はすべて人件費に計上している。X11年６月の賞与の支給見込額は15,000,000円であり、支給対象期間はX10年12月からX11年５月である。

(2) 賞与引当金繰入額の40%は製造原価に算入する。

(3) 賞与引当金について税効果会計を適用する。

12 退職給付引当金

(1) 甲社は退職給付について確定給付型の企業年金制度を採用している。【資料１】の退職給付引当金は前期末残高であり、当期に支出した金額は人件費に計上している。退職給付引当金の算定等に関する内容は以下のとおりである。なお、数理計算上の差異は発生年度より３年（定額法）で償却している。

① 期首退職給付債務　：120,000,000円（割引率年２%）

② 期首年金資産時価　： 95,000,000円（長期期待運用収益率年2.5%）

③ 当期勤務費用　　　： 13,500,000円

④ 当期掛金拠出額　　： 12,000,000円

⑤ 当期退職給付額　　： 7,200,000円

⑥ 数理計算上の差異の年度別発生額

　　X９年３月期発生額：　　120,000円（有利差異）

　　X10年３月期発生額：　　150,000円（不利差異）

⑦ 期末退職給付債務　：128,800,000円

⑧ 期末年金資産時価　：102,080,000円

(2) 退職給付費用の40%は製造原価に算入する。

(3) 退職給付引当金について税効果会計を適用する。

13　有形固定資産

(1)　【資料1】に計上されている有形固定資産に関する内容は以下のとおりである。減価償却方法はすべて定額法であり、残存価額は0円である。

	取得価額	耐用年数	取得年月日
建物（事務所）	80,000,000円	40年	X1年4月1日
建物（店舗）	30,000,000円	30年	X6年10月1日
建物（工場）	24,000,000円	30年	X3年7月1日
機械装置（製造用）	15,000,000円	10年	X8年4月1日
車両（営業用）	6,300,000円	5年	X10年12月1日
車両（製造用）	3,600,000円	4年	X9年4月1日
備品（営業用）	1,800,000円	8年	X7年4月1日
備品（製造用）	2,800,000円	8年	X10年10月1日
土地	80,000,000円	－	X1年4月1日
土地	20,000,000円	－	X3年5月1日
土地	25,000,000円	－	X6年10月1日

(2)　車両（営業用）についてはX10年12月1日に期首に保有していた車両（取得価額5,400,000円、X6年7月1日取得、耐用年数5年）を下取りに出し、新たに取得したものである。甲社では期首帳簿価額と下取価額880,000円（税込み）との差額を車両売却損に計上（消費税等は考慮している。）し、新たに取得した車両の定価（税込み）を車両に計上（消費税等は考慮している。）している。なお、下取りに出した車両の適正評価額は814,000円（税込み）である。

(3)　土地（取得価額20,000,000円）については、「土地の再評価に関する法律」に基づき、当時の時価28,000,000円に再評価（税効果会計を適用している。）している。当該土地についてはX10年11月に30,000,000円で売却しているが、売却代金を仮受金に計上したのみである。なお、【資料1】の繰延税金負債及び土地再評価差額金は当該土地の再評価によって計上されたものである。

14 投資有価証券

(1)【資料１】に計上されている投資有価証券に関する内容は以下のとおりである。

	保有目的区分	保有数	取得価額 （１株又は１口）	当期末時価 （１株又は１口）
株式１	その他有価証券	2,000株	200円	180円
株式２	その他有価証券	3,000株	300円	140円
株式３	その他有価証券	10,000株	150円	190円
債券１	満期保有目的の債券	500口	9,600円	9,760円
債券２	その他有価証券	200口	9,400円	9,650円

(2) その他有価証券については全部純資産直入法（税効果会計を適用する。）により記帳し、債券については償却原価法（定額法）により記帳する。当期末時価が50％以上下落している場合には減損処理（税効果会計を適用する。）を行うこととする。

(3) 債券１はX８年10月１日に取得したものであり、債券金額は１口10,000円、償還日はX13年９月30日、クーポン利子率は年1.2％、利払日は毎年９月30日の年１回である。

(4) 債券２はX９年４月１日に取得したものであり、債券金額は１口10,000円、償還日はX15年３月31日、クーポン利子率は年1.5％、利払日は毎年３月31日の年１回である。

15 長期借入金

長期借入金はX10年４月１日に30,000,000円を変動金利により借り入れたものであり、返済日はX15年３月31日、利払日は毎年３月31日の年１回である。甲社は借り入れと同時に変動金利を固定金利に変換するため、期間５年、想定元本30,000,000円のスワップ契約を締結した。当該取引はヘッジ会計の要件を満たしているため、繰延ヘッジ（税効果会計を適用する。）により記帳する。X11年３月31日の変動金利は借入金、金利スワップともに1.6％であり、金利スワップの固定金利は2.2％である。なお、X11年３月31日の金利スワップの時価は200,000円（評価益）である。

16 労務費及び製造経費

修正後の人件費のうち40％及び修正後の営業費のうち50％を製造原価に算入する。

17 消費税等及び法人税等

仮払金は、消費税等の中間納付額33,000,000円及び法人税等の中間納付額24,000,000円である。

借　　　　　方		貸　　　　　方	
科　　　　　目	金　　　額	科　　　　　目	金　　　額
現　　　　　　　　金	①	買　　　掛　　　金	㉙
当　座　預　金	②	電　子　記　録　債　務	㉚
普　通　預　金		短　期　借　入　金	㉛
売　　　掛　　　金	③	前　受　収　益	㉜
電　子　記　録　債　権		未　払　消　費　税　等	㉝
クレジット売掛金	④	未　払　法　人　税　等	㉞
材　　　　　　　料		賞　与　引　当　金	㉟
仕　　　掛　　　品	⑤	貸　倒　引　当　金	
製　　　　　　　品	⑥	長　期　借　入　金	
繰　越　商　品	⑦	退　職　給　付　引　当　金	㊱
貯　　　蔵　　　品		繰　延　税　金　負　債	㊲
未　　収　　収　　益	⑧	資　　　本　　　金	
為　替　予　約		資　本　準　備　金	
金　利　スワップ		繰　越　利　益　剰　余　金	㊳
建　　　　　　　物	⑨	その他有価証券評価差額金	㊴
機　械　装　置	⑩	繰　延　ヘッジ　損　益	㊵
車　　　　　　　両	⑪	商　品　売　上　高	㊶
備　　　　　　　品	⑫	製　品　売　上　高	㊷
土　　　　　　　地	⑬	受　取　利　息　配　当　金	㊸
投　資　有　価　証　券	⑭	有　価　証　券　利　息	㊹
外　貨　定　期　預　金	⑮	為　替　差　益	㊺
破　産　更　生　債　権　等		雑　　　収　　　入	
繰　延　税　金　資　産	⑯	車　両　売　却　益	㊻
商　品　売　上　原　価	⑰	土　地　売　却　益	㊼
製　品　売　上　原　価	⑱	法　人　税　等　調　整　額	㊽
見　本　品　費	⑲		
人　　　件　　　費	⑳		
営　　　業　　　費	㉑		
賞　与　引　当　金　繰　入　額			
退　職　給　付　費　用			

減 価 償 却 費	㉒		
貸 倒 引 当 金 繰 入 額	㉓		
租 税 公 課	㉔		
商 品 棚 卸 減 耗 損			
支 払 利 息	㉕		
雑 損 失	㉖		
投 資 有 価 証 券 評 価 損	㉗		
法 人 税 等	㉘		
合 計		合 計	

問題
12

問題

　川崎株式会社（以下、「当社」という。）は、卸売業を営む企業である。当社の当期（会計期間は4月1日から3月31日である。）の資料に基づいて、【資料3】決算整理後残高試算表の空欄(1)～(42)に入る金額を答えなさい。

（留意事項等）

1　問題文に出てくる金額の単位は円である。

2　解答金額は問題文の残高試算表の金額欄の数値のように3桁ごとにカンマで区切りなさい。
　この方法によっていない場合には正解としないので注意すること。

3　金額計算において、円未満の金額が生じた場合は切捨てること。

4　期間による計算が生ずる場合には月割り計算によること。

5　当社の取り扱っている商品はA商品、B商品及びC商品である。売上収益の認識は出荷基準としている。

　　棚卸資産の評価方法については、A商品は移動平均法、B商品は総平均法、C商品は先入先出法であり、棚卸減耗費及び商品評価損については売上原価に含めるものとする。

6　その他有価証券の期末評価は全部純資産直入法により処理し、売却原価は移動平均法により算定する。

7　消費税等は考慮しない。

8　税効果会計については適用する旨の記載がある項目についてのみ適用し、記載のない項目については考慮する必要はない。なお、その適用に当たっては、繰延税金資産の回収可能性に問題はないものとし、法定実効税率は前期40%、当期30%として計算する。

9　法人税等及び法人税等調整額の合計額は、税引前当期純利益に法定実効税率（30%）を乗じて算出した金額とし、法人税等の金額は逆算で計算する。なお、法人税等から中間納付額を控除して未払法人税等を計上する。

10　勘定科目は問題の試算表で使用されているものを使用し、それ以外の勘定科目は使用しないものとする。

11　資料中の（　　　）は各自推定しなさい。

【資料1】修正前及び決算整理前残高試算表

(単位：円)

借	方		貸	方	
科　　目	金　額		科　　目	金　額	
現　金　預　金	42,158,600		支　払　手　形	21,330,000	
受　取　手　形	45,000,000		買　　掛　　金	12,500,000	
売　　掛　　金	42,500,000		仮　　受　　金	7,000,000	
繰　越　商　品	6,256,000		賞　与　引　当　金	3,200,000	
仮　　払　　金	10,610,000		貸　倒　引　当　金	342,592	
建　　　　物	60,000,000		建物減価償却累計額	27,000,000	
建　物　付　属　設　備	(　　　　　)		建物付属設備減価償却累計額	(　　　　　)	
備　　　　品	6,800,000		備品減価償却累計額	4,880,000	
車　　　　両	5,580,000		車両減価償却累計額	1,791,666	
土　　　　地	63,000,000		資　産　除　去　債　務	(　　　　　)	
投　資　有　価　証　券	(　　　　　)		借　　入　　金	50,400,000	
繰　延　税　金　資　産	19,680,706		退　職　給　付　引　当　金	18,910,000	
仕　　　　入	258,290,000		繰　延　税　金　負　債	(　　　　　)	
販　売　費・一　般　管　理　費	63,528,000		資　　本　　金	90,000,000	
人　　件　　費	148,928,000		資　本　準　備　金	22,500,000	
支　払　利　息	1,250,000		繰　越　利　益　剰　余　金	4,142,501	
そ　の　他　費　用	1,604,813		売　　　　上	(　　　　　)	
為　替　差　損　益	144,000		受　取　利　息　配　当　金	520,000	
			投資有価証券売却損益	(　　　　　)	
合　　　計	(　　　　　)		合　　　計	(　　　　　)	

【資料2】修正事項及び決算整理事項

1　現金預金に関する事項

(1) 金庫の中には次のものが保管されていた。

① 通貨　　　　　　　228,000円

② 得意先振出小切手　1,300,000円（受取時に現金預金に計上している。このうち、750,000円は先日付小切手である。）

③ 当社振出小切手　　500,000円（下記(2)参照）

④ 収入印紙及び切手　　12,000円（購入時に販売費・一般管理費に計上している。）

(2) 取引銀行から送付されてきた当座勘定照合表の期末日現在の残高は25,804,280円であり、帳簿残高24,327,140円との間に差異があったものは次のとおりであった。

① 3月31日に預け入れた現金300,000円が当座勘定照合表には記載されていなかった。

② 当座勘定照合表に3月31日付で通信費221,760円の出金記録があったが当座預金出納帳には未記帳であった。

③ 買掛金の支払いのために3月29日に振り出した小切手700,000円及び3月31日に振り出した小切手500,000円について、当座勘定照合表には記載されていなかった。なお、当該小切手のうち3月31日に振り出した小切手は当社の金庫の中に保管されていた。

④ 3月25日に得意先から売掛金1,000,000円について振込む旨の連絡があったため、当社では入金処理を行ったが、当座勘定照合表には振込手数料1,100円控除後の金額で入金記録がされていた。

⑤ 3月31日に当社振出の約束手形800,000円について支払期日となったため、出金処理を行ったが、当座勘定照合表には記載されていなかった。

2 商品売買に関する事項

(1) 当期の期首商品の内訳は次のとおりである。

① A商品 15,000個 @ 240円

② B商品 2,000個 @1,200円

③ C商品 200個 @ 10ドル

(2) A商品の売買はすべて掛により行っており、当期の状況は次のとおりである。

① 当期の仕入状況

	仕入数量	仕入単価
4月1日	200,000個	240円
7月1日	200,000個	258円
10月1日	175,000個	262円
1月1日	130,000個	245円

② 当期の売上状況

	販売総数量	販売単価
4月～6月	190,000個	550円
7月～9月	190,000個	600円
10月～12月	180,000個	600円
1月～3月	150,000個	550円

(3) B商品の売買はすべて掛により行っている。当期の仕入数量は58,000個であり、当期の販売数量は58,600個（販売単価は2,200円）であった。

(4) C商品はすべて輸入品であり、C商品の売買はすべて掛により行っている。当期中の仕入状況は次のとおりであり、当期中の販売数量は5,400個（販売単価は3,000円）である。なお、買掛金の決済日は仕入月の翌々月末日となっている。また、当期末の直物レートは1ドル135円である。

	仕入数量	仕入単価	直物レート
5月10日	1,000個	10ドル	1ドル125円
8月10日	2,000個	12ドル	1ドル130円
11月10日	1,500個	12ドル	1ドル128円
2月10日	1,000個	13ドル	1ドル132円

(5) 期末に実地棚卸を行った結果、A商品は9,700個、B商品は1,350個、C商品は300個残っていた。なお、A商品について、期末日に200個を得意先に見本品として提供したが、未処理であった。また、A商品のうち100個は品質低下品であり、その正味売却価額は1個当たり100円と算定された。

3 貸倒引当金に関する事項

(1) 受取手形5,000,000円及び売掛金2,000,000円について破産更生債権等に区分し、振替処理を行う。担保処分見込額は3,000,000円であり、債権金額から担保処分見込額を控除した残額を貸倒引当金として計上する。なお、税務上の貸倒引当金繰入限度額は債権金額から担保処分見込額を控除した残額の50%相当額であるため、貸倒引当金繰入限度超過額に対して税効果会計を適用する。

(2) 受取手形3,000,000円及び売掛金1,000,000円について貸倒懸念債権に区分し、債権金額から担保処分見込額2,000,000円を控除した残額の50%を貸倒引当金として計上する。なお、税務上の貸倒引当金繰入限度額は債権金額に一般債権の貸倒実績率を乗じた金額であり、貸倒引当金繰入限度超過額に対して税効果会計を適用する。

(3) 上記(1)及び(2)以外の受取手形及び売掛金については一般債権に区分し、債権金額に当期を含めた3事業年度の貸倒実績率を乗じた金額を貸倒引当金として計上する。貸倒実績率は次の算式により算定する。

$$貸倒実績率 = \frac{貸倒損失の3年間の合計額}{一般債権に区分される受取手形及び売掛金の3年間の期末残高の合計額}$$

	一般債権に区分される売掛金及び受取手形の期末残高	貸倒損失の合計額
前々期	57,692,000円	1,438,000円
前 期	66,358,000円	1,338,000円
当 期	（　　　　　）円	1,250,000円

4　固定資産に関する事項

　　有形固定資産は建物のみ残存価額を取得価額の10%、その他の資産は残存価額を０円として
減価償却を行う。

（単位：円）

	取　得　価　額	期首帳簿価額	耐用年数	償却方法	そ　の　他
建　　　　　物	60,000,000	33,000,000	40年	定額法	（注１）
建物付属設備	（　　　　　）	19,845,675	10年	定額法	（注２）
備　品　　1	4,800,000	720,000	５年	定額法	（注３）
備　品　　2	2,000,000	1,200,000	５年	定額法	－
車　両　　1	3,000,000	1,208,334	６年	定額法	（注４）
車　両　　2	（　　　　　）	———	６年	定額法	（注４）
土　地　　1	30,000,000	18,000,000	———	———	（注５）
土　地　　2	45,000,000	45,000,000	———	———	－

（注１）建物は前期末までに20年経過しており、当期首に改修を施した結果、耐用年数が10年
　　　　延長した。その際に支出した7,500,000円をすべて仮払金に計上していたが、このうち、
　　　　延長年数に相当する金額を資本的支出として処理することとする。なお、資本的支出後
　　　　の減価償却費は当初耐用年数により計算することとし、資本的支出分の残存価額は０円
　　　　とする。

（注２）建物付属設備は前期首に取得したものであるが、耐用年数経過後に除去する義務があ
　　　　るため、資産除去債務を計上している。取得時における除去費用の見積額は2,500,000
　　　　円であったが、当期末において3,000,000円に変更となった。取得時の割引率は年2.0%
　　　　であり、当期末の割引率は年2.5%である。年2.0%で10年の現価係数は0.8203、年2.5%
　　　　で８年の現価係数は0.8207である。資産除去債務及び資産除去債務の計上に伴って計上
　　　　した建物付属設備に対して税効果会計を適用する。

（注３）当期の６月末日に備品１をすべて除却しているが、未処理である。なお、除却費用と
　　　　して200,000円を支出しているが、仮払金に計上していた。

（注４）当期の12月１日に従来から使用していた車両１を下取りに出し、車両２に買い換え直
　　　　ちに使用を開始した。車両１の下取価額は220,000円であり、車両２の定価は2,800,000
　　　　円であった。当社は支出額を車両に計上していた。車両１の減価償却は下取りの前月ま
　　　　で行うものとする。

（注５）土地１は前期末に減損損失を計上し、税効果会計を適用している。当期中に土地１の
　　　　うち40%を7,000,000円で売却したが、売却代金を仮受金に計上したのみである。

5 投資有価証券に関する事項

当社は甲社株式、乙社株式及び丙社株式を保有しており、前期末における保有目的区分はすべてその他有価証券であった。その他有価証券の評価差額については税効果会計を適用する。

(1) 甲社株式の当期の増減等は次のとおりである。なお、売却手数料は売却損益に加減する。

		購 入 単 価	売 却 単 価	売買手数料
期　　　首	1,000株	1,200円	――――	4,000円
取　　　得	1,000株	1,400円	――――	4,000円
株 式 分 割	2,000株	――――	――――	――――
売　　　却	△1,000株	――――	820円	3,000円

(2) 乙社株式は前期に10,000株（取得価額は1株当たり600円）を取得したが、当期に新たに20,000株（取得価額は1株当たり700円）を取得し、保有割合が増加したため、保有目的区分を子会社株式及び関連会社株式に変更するが、当期取得分を投資有価証券に追加計上しており、変更に係る処理が行われていない。

(3) 丙社株式の保有株式数は15,000株（取得価額は1株当たり300円）である。

(4) 当期末における1株当たりの時価は甲社株式が800円、乙社株式が680円、丙社株式が280円であった。

6 退職給付会計に関する事項

当社は従業員の退職に備えて退職一時金制度及び企業年金制度を採用しており、「退職給付に関する会計基準」を適用した会計処理を行っている。なお、期中は支出額をもって退職給付引当金から控除したのみであり、退職給付費用の計上は未処理であった。

当期における退職給付債務等の状況は次のとおりである。数理計算上の差異は発生年度から3年で定額法により費用処理する。また、退職給付引当金については税効果会計を適用する。

(1) 期首退職給付債務　　　67,500,000円

(2) 期首年金資産時価　　　35,500,000円

(3) 当期の勤務費用　　　　2,958,000円

(4) 当期の割引率　　　　　2.0%

(5) 当期の長期期待運用収益率　1.5%

(6) 当期末退職給付債務　　55,958,360円

(7) 当期末年金資産時価　　32,942,500円

(8) 数理計算上の差異の年度別発生額（△で表示された金額は未積立退職給付債務について、見込額を実績額が上回ったことによるものである。）

　① 前々期　　　　　　　△450,000円

　② 前　期　　　　　　　90,000円

7 賞与引当金に関する事項

　当社の賞与支給対象期間は毎年6月から11月と12月から5月であり、支給月は12月と6月である。翌期の6月には総額5,250,000円の賞与を支給する見込みであるため、このうち当期負担分を賞与引当金として計上する。なお、期中においては、支給額の全額を人件費に計上していた。また、賞与引当金については税効果会計を適用する。

8 借入金に関する事項

　当社は当期の8月1日に会社の営業資金として80,000ドルを借り入れた。借入期間は3年、利子率は年1.8%、利払日は毎年7月31日（年1回）であり、借入時の直物レートは1ドル130円であった。当期の2月1日に当該借入金の返済日を決済日として80,000ドルの為替予約を行ったが、未処理である。2月1日の直物レートは1ドル131円、予約レートは1ドル128円である。為替予約については振当処理を採用し、直先差額については支払利息に加減することとする。

9 税金に関する事項

　仮払金には、法人税等の中間納付額2,910,000円が計上されている。

【資料3】決算整理後残高試算表

（単位：円）

借	方	貸	方
科　　目	金　　額	科　　目	金　　額
現　金　預　金	（1）	支　払　手　形	（26）
受　取　手　形	（2）	買　　掛　　金	（27）
売　　掛　　金	（3）	未　払　費　用	（28）
繰　越　商　品	（4）	未　払　法　人　税　等	（29）
貯　　蔵　　品		賞　与　引　当　金	
建　　　　　物		貸　倒　引　当　金	（30）
建　物　付　属　設　備	（5）	建　物　減　価　償　却　累　計　額	（31）
備　　　　　品		建物付属設備減価償却累計額	（32）
車　　　　　両		備　品　減　価　償　却　累　計　額	（33）
土　　　　　地	（6）	車　両　減　価　償　却　累　計　額	（34）
投　資　有　価　証　券	（7）	長　期　前　受　収　益	（35）
関　係　会　社　株　式	（8）	資　産　除　去　債　務	（36）
破　産　更　生　債　権　等		借　　入　　金	（37）
繰　延　税　金　資　産	（9）	繰　延　税　金　負　債	（38）
仕　　　　　入	（10）	退　職　給　付　引　当　金	（39）
販　売　費・一　般　管　理　費	（11）	資　　本　　金	
人　　件　　費	（12）	資　本　準　備　金	
退　職　給　付　費　用	（13）	繰　越　利　益　剰　余　金	
減　価　償　却　費	（14）	その他有価証券評価差額金	（40）
利　　息　　費　　用	（15）	売　　　　　上	（41）
賞　与　引　当　金　繰　入　額	（16）	受　取　利　息　配　当　金	
貸　倒　引　当　金　繰　入　額	（17）	投　資　有　価　証　券　売　却　損　益	（42）
修　　繕　　費	（18）		
支　　払　　利　　息	（19）		
為　替　差　損　益	（20）		
そ　の　他　費　用			
車　　両　　売　　却　　損	（21）		
備　品　除　却　損	（22）		
土　　地　　売　　却　　損	（23）		
法　　人　　税　　等	（24）		
法　人　税　等　調　整　額	（25）		
合　　　　　計		合　　　　　計	

⇨解答：265ページ

問 題 14	本支店会計

制限時間　60分

難 易 度　C

　当社は、本店及び支店において商品の販売業を営んでいる。当社の当期（自X21年4月1日　至X22年3月31日）の【資料1】本店及び支店の決算整理前残高試算表及び【資料2】決算整理事項に基づいて、【資料3】本店及び支店の決算整理後残高試算表の1から36に入る金額を算定し、さらに【資料4】未達事項を加味して【資料5】本支店合併財務諸表の37から50に入る金額を算定しなさい。

（注意事項）

1　金額の単位はすべて円とし、円未満の端数が生じたときは切り捨てる。

2　按分計算を行う場合は、月割計算で行うこと。

3　税効果会計は、本店で一括して処理するものとし、特に記述のない項目には適用しない。また、その適用にあたっては、法定実効税率を30％とする。税務上の処理との差額は一時差異に該当し、繰延税金資産の回収可能性及び繰延税金負債の支払可能性に問題はない。

　なお、繰延税金資産と繰延税金負債は相殺せずに解答すること。

（本支店間取引等に関する前提条件）

1　当社は商品Aと商品Bの2種類を取り扱っているが、商品Aは本店が外部の仕入先から仕入れ、本店は外部の得意先及び支店に販売し、支店は外部の得意先に販売している。商品Bは支店が外部の仕入先から仕入れ、支店は外部の得意先及び本店に販売し、本店は外部の得意先に販売している。

　商品Aの支店に対する内部振替価格は本店仕入原価の10％増とし、本店及び支店の外部販売価格は本店の仕入原価が60％となるように設定している。

　商品Bの本店に対する内部振替価格は支店仕入原価の15％増とし、本店及び支店の外部販売価格は支店の仕入原価が55％となるように設定している。

2　未達取引については、帳簿上、実際到着日に処理することとしており、合併財務諸表作成上は合併整理で考慮することとしている。

【資料１】本店及び支店の決算整理前残高試算表

1　本店の決算整理前残高試算表

決算整理前残高試算表　　　　　　（単位：円）

借	方	貸	方
科　　　　目	金　　額	科　　　　目	金　　額
現　金　預　金	29,601,882	支　払　手　形	8,500,000
受　取　手　形	10,500,000	買　　掛　　金	10,110,000
売　　掛　　金	13,689,000	繰　延　内　部　利　益	（　　　　　）
繰　越　商　品	10,780,000	貸　倒　引　当　金	115,300
仮　　払　　金	21,700,000	賞　与　引　当　金	19,250,000
建　　　　物	80,000,000	借　　入　　金	30,000,000
車　　　　両	9,800,000	退　職　給　付　引　当　金	（　　　　　）
備　　　　品	3,000,000	建　物　減　価　償　却　累　計　額	19,800,000
土　　　　地	22,000,000	車　両　減　価　償　却　累　計　額	4,800,000
投　資　有　価　証　券	28,900,000	備　品　減　価　償　却　累　計　額	750,000
繰　延　税　金　資　産	28,491,000	資　　本　　金	95,000,000
支　　　　店	48,511,600	資　本　準　備　金	12,000,000
仕　　　　入	110,820,000	利　益　準　備　金	8,750,000
支　店　仕　入	30,043,750	繰　越　利　益　剰　余　金	15,097,142
人　　件　　費	54,888,500	売　　　　上	（　　　　　）
営　　業　　費	13,082,010	支　店　売　上	37,194,300
支　払　利　息	1,200,000	有　価　証　券　利　息	450,000
合　　　計	（　　　　　）	合　　　計	（　　　　　）

2　支店の決算整理前残高試算表

決算整理前残高試算表　　　　　　　　（単位：円）

借　　　　　　方		貸　　　　　　方	
科　　　　　目	金　　額	科　　　　　目	金　　額
現　金　預　金	2,256,005	支　払　手　形	5,400,000
受　取　手　形	5,000,000	買　　掛　　金	8,250,000
売　　掛　　金	12,300,000	貸　倒　引　当　金	125,000
繰　越　商　品	6,776,000	建物減価償却累計額	5,625,000
建　　　　　物	55,400,000	車両減価償却累計額	（　　　　　　）
車　　　　　両	3,000,000	備品減価償却累計額	612,500
備　　　　　品	2,400,000	本　　　　　店	44,034,350
土　　　　　地	9,000,000	売　　　　　上	（　　　　　　）
仕　　　　　入	69,850,000	本　店　売　上	31,625,000
本　店　仕　入	36,798,300		
人　　件　　費	23,135,220		
営　　業　　費	2,363,325		
合　　　計	（　　　　　　）	合　　　計	（　　　　　　）

【資料2】決算整理事項

1　現金預金に関する事項

(1) 本店

① 営業費200,000円が預金から引き落とされていたが、本店では未処理であった。

② 得意先から売掛金1,200,000円の振り込みがあったが、未処理であった。

③ 買掛金600,000円の支払いのために振り出した小切手が未決済であった。

④ 買掛金900,000円の支払いのために振り出した約束手形が支払期日となったため、引き落とされていたが、未処理であった。

(2) 支店

① 営業費123,000円が預金から引き落とされていたが、未処理であった。

② 得意先から売掛金880,000円の振り込みがあったが、88,000円で記帳していた。

③ 現金の実際有高を確認したところ、帳簿残高より2,500円少なかった。原因は不明である。

2 商品売買に関する事項

(1) 本店

① 得意先に売掛金残高について確認したところ、本店の売掛金残高2,880,000円に対して得意先の本店に対する買掛金残高は2,550,000円であった。差額は得意先が返品した商品Aが本店に到着していなかったため、本店では未処理であった。

② 本店は得意先に商品A120,000円を見本品として提供したが、未処理であった。

③ 期首商品棚卸高は商品Aが8,250,000円、商品Bが2,530,000円であった。

④ 期末商品帳簿棚卸高は商品Aが6,162,000円、商品Bが2,783,000円であった。

⑤ 期末商品実地棚卸高は商品Aが5,982,000円、商品Bが2,783,000円であった。

(2) 支店

① 期首商品棚卸高は商品Aが2,376,000円、商品Bが4,400,000円であった。

② 期末商品帳簿棚卸高は商品Aが2,706,000円、商品Bが5,500,000円であった。

③ 期末商品実地棚卸高は商品Aが2,706,000円、商品Bが5,445,000円であった。

3 固定資産に関する事項

(1) 本店

種類	償却方法	耐用年数	残存割合	償却率
建　物	定額法	40年	10%	0.025
車　両	定率法	5年	0%	0.400
備　品	定率法	8年	0%	0.250
土　地	－	－	－	－

① 車両（取得原価2,000,000円、車両減価償却累計額1,280,000円、適正評価額400,000円）をX21年11月30日に下取りに出し、新たに車両2,700,000円（定価）を取得したが、買換えによる支出額2,300,000円を車両に計上していた。なお、新たに取得した車両は翌月より使用を開始している。

② 土地（取得原価10,000,000円）をX21年8月1日に18,000,000円で売却したが、売却代金を土地から減額していた。

(2) 支店

種類	償却方法	耐用年数	残存割合	償却率
建　物	定額法	40年	10%	0.025
車　両	定率法	5年	0%	0.400
備　品	定率法	8年	0%	0.250
土　地	－	－	－	－

① 建物（取得原価50,000,000円、経過年数5年）についてX21年4月1日に改修を行い、改修費5,400,000円を支払ったが、支出額を建物に計上していた。この改修により、耐用年数が10年延長したため、延長年数に相当する金額を資本的支出として処理する。なお、資本的支出分の残存割合は0％とし、当初耐用年数により減価償却費を算定する。

② 車両はすべてX18年4月1日に取得したものである。

③ 備品のうち1,000,000円はX22年1月10日に取得したものである。

4　有価証券に関する事項

当社の保有する有価証券はすべて本店が保有している。

銘　柄	保有目的区分	取得原価	当期末時価
甲社債	満期保有目的の債券	14,250,000円	14,660,000円
乙株式	その他有価証券	8,000,000円	7,800,000円
丙株式	その他有価証券	6,500,000円	6,800,000円

(1) 甲社債はX20年4月1日に発行と同時に取得したものであり、債券金額は15,000,000円、償還期日はX25年3月31日、クーポン利子率は年3％、利払日は毎年9月30日及び3月31日である。債券金額と取得原価との差額は金利調整差額と認められるため、償却原価法（定額法）により処理している。当社では利払日にクーポン利息の受取額について有価証券利息に計上したのみである。

(2) その他有価証券については全部純資産直入法により処理する。なお、税効果会計を適用する。

5　退職給付引当金に関する事項

退職給付引当金は本店で一括して計上し、決算整理で支店に帰属する退職給付費用について照合勘定を使用して振替処理を行っているが、期中は掛金拠出額及び退職一時金支給額を仮払金に計上しているのみである。支店に帰属する退職給付費用の割合は30％である。なお、税効果会計を適用する。

当期の退職給付引当金の算定に必要な金額は以下のとおりである。また、数理計算上の差異については、発生年度から3年で定額法により費用処理する。

(1) 期首退職給付債務（実際）　　　　　　　　150,335,000円

(2) 期首年金資産（時価）　　　　　　　　　　72,500,000円

(3) 期首未認識数理計算上の差異　　　　　　　2,115,000円※

　※　前々期発生分685,000円（利得）、前期発生分2,800,000円（損失）

(4) 割引率　　　　　　　　　　　　　　　　　年2.0％

(5) 長期期待運用収益率　　　　　　　　　　　年1.5％

(6) 当期勤務費用	12,000,000円
(7) 当期年金掛金拠出額	8,400,000円
(8) 当期退職給付額（うち、年金給付額7,200,000円）	18,000,000円
(9) 当期末退職給付債務（予測）	147,341,700円
(10) 当期末年金資産（予測）	74,787,500円
(11) 当期末退職給付債務（実際）	149,691,600円
(12) 当期末年金資産（時価）	73,850,000円

6　賞与引当金に関する事項

　　賞与引当金は本店で一括して計上し、決算整理で支店に帰属する賞与引当金繰入額について照合勘定を使用して振替処理を行うこととする。なお、税効果会計を適用する。

　　賞与は年2回（7月及び12月）支給しており、支給対象期間は12月から5月及び6月から11月である。X22年7月に支給する賞与の見込額は31,800,000円であり、このうち、支店従業員の金額は10,500,000円である。

　　本店の決算整理前残高試算表の賞与引当金は前期末に計上した金額であり、このうち、支店に帰属する金額は6,600,000円である。本店では当期に支給した賞与については全額本店の人件費に計上しているが、このうち、19,800,000円は支店の従業員に支給されたものであるため、支店の金額は照合勘定を使用して振替処理を行うこととする。

7　貸倒引当金に関する事項
　(1) 本店
　　①　本店の得意先である丁社が破産の申し立てを行った。丁社に対する債権は受取手形2,500,000円及び売掛金1,500,000円である。本店は丁社に対する債権を破産更生債権等に区分することとし、振替処理を行う。丁社に対する債権については100%の貸倒引当金を設定する。なお、貸倒引当金設定額の50%について税効果会計を適用する。
　　②　上記①以外の債権はすべて一般債権に区分されるものであり、貸倒実績率1%を乗じた金額を貸倒引当金として設定する。
　　③　前期末の債権はすべて一般債権に区分されるものであり、貸倒懸念債権及び破産更生債権等に区分されるものはなかった。
　(2) 支店
　　前期末及び当期末の債権はすべて一般債権に区分されるものであり、貸倒実績率1%を乗じた金額を貸倒引当金として設定する。

8　為替予約に関する事項

　　本店は翌期から新たに外国企業からの輸入取引を開始する予定である。

　　X22年5月1日に商品の仕入取引500,000ドルが予定されており、その代金の決済予定日がX22年6月30日である。この予定取引について、本店はX22年3月1日（直物レート113円）に1ドル110円を予約レートとして為替予約を行った。当該為替予約については、ヘッジ会計の要件を満たしているため、繰延ヘッジにより処理する。X22年3月31日の直物レートは111円、予約レートは1ドル112円である。なお、税効果会計を適用する。

9　法人税等に関する事項

　　本店で一括して計上する。法人税等の年税額は3,744,000円であり、当期に納付した法人税等の中間納付額は仮払金に計上している。

【資料３】本店及び支店の決算整理後残高試算表

1　本店の決算整理後残高試算表

決算整理後残高試算表　　　　　　　　　（単位：円）

借	方	貸	方
科　　目	金　　額	科　　目	金　　額
現　金　預　金	1	支　払　手　形	16
受　取　手　形	2	買　　掛　　金	10,110,000
売　　掛　　金	3	繰　延　内　部　利　益	17
繰　越　商　品	4	未　払　法　人　税　等	
為　替　予　約		貸　倒　引　当　金	
建　　　　物	80,000,000	賞　与　引　当　金	
車　　　　両	5	借　　入　　金	30,000,000
備　　　　品	3,000,000	退　職　給　付　引　当　金	18
土　　　　地	6	建　物　減　価　償　却　累　計　額	19
投　資　有　価　証　券	7	車　両　減　価　償　却　累　計　額	20
破　産　更　生　債　権　等	8	備　品　減　価　償　却　累　計　額	21
繰　延　税　金　資　産	9	繰　延　税　金　負　債	22
支　　　　店		資　　本　　金	95,000,000
売　　上　　原　　価		資　本　準　備　金	12,000,000
棚　卸　減　耗　費	10	利　益　準　備　金	8,750,000
人　　件　　費		繰　越　利　益　剰　余　金	15,097,142
営　　業　　費		その他有価証券評価差額金	23
貸　倒　引　当　金　繰　入　額		繰　延　ヘ　ッ　ジ　損　益	24
賞　与　引　当　金　繰　入　額	11	売　　　　上	
退　職　給　付　費　用	12	支　　店　　売　　上	
減　価　償　却　費	13	有　価　証　券　利　息	25
見　　本　　品　　費	14	土　地　売　却　益	26
支　　払　　利　　息	1,200,000	法　人　税　等　調　整　額	
車　　両　　売　　却　　損	15		
法　　人　　税　　等			
合　　　計		合　　　計	

2 支店の決算整理後残高試算表

決算整理後残高試算表　　　　　　　　（単位：円）

借	方		貸	方	
科　　　目	金　　額		科　　　目	金　　額	
現　金　預　金	27		支　払　手　形	5,400,000	
受　取　手　形	5,000,000		買　　掛　　金	8,250,000	
売　　掛　　金			貸　倒　引　当　金		
繰　越　商　品			建物減価償却累計額	34	
建　　　　　物	28		車両減価償却累計額	35	
車　　　　　両	3,000,000		備品減価償却累計額	36	
備　　　　　品	2,400,000		本　　　　　店		
土　　　　　地	9,000,000		売　　　　　上		
売　上　原　価			本　店　売　上		
棚　卸　減　耗　費					
人　　件　　費	29				
営　　業　　費	30				
貸倒引当金繰入額	31				
賞与引当金繰入額					
退　職　給　付　費　用					
減　価　償　却　費	32				
修　　繕　　費	33				
雑　　損　　失					
合　　　計			合　　　計		

【資料４】未達事項

1　本店は支店に商品Ａ360,000円（本店仕入原価）を送付したが、支店に未達であった。

2　本店は支店の買掛金2,500,000円を仕入先に支払ったが、支店に未達であった。

3　支店は本店に商品Ｂ770,000円（支店仕入原価）を送付したが、本店に未達であった。

4　支店は本店の得意先に商品Ｂ605,000円（支店仕入原価）を直接販売したが、本店に未達であった。

【資料５】本支店合併財務諸表

1　本支店合併損益計算書

本支店合併損益計算書　　　　　　　　（単位：円）

借　　　　　方		貸　　　　　方	
科　　　目	金　　額	科　　　目	金　　額
商 品 期 首 た な 卸 高	37	売　　　　　　　　上	45
当 期 商 品 仕 入 高	38	見 本 品 費 振 替 高	
棚 卸 減 耗 費		商 品 期 末 た な 卸 高	46
人　　件　　費	39	有 価 証 券 利 息	
営　　業　　費	40	土 地 売 却 益	
貸 倒 引 当 金 繰 入 額		法 人 税 等 調 整 額	
賞 与 引 当 金 繰 入 額	41		
退 職 給 付 費 用	42		
減 価 償 却 費	43		
見　　本　　品　　費			
修　　繕　　費			
支　払　利　息	1,200,000		
雑　　損　　失	44		
車 両 売 却 損			
法　人　税　等			
当 期 純 利 益			
合　　　計		合　　　計	

問題14

問題

2　本支店合併貸借対照表

本支店合併貸借対照表　　　　　　　（単位：円）

借	方	貸	方
科　　　目	金　額	科　　　目	金　額
現　金　預　金		支　払　手　形	
受　取　手　形	47	買　　掛　　金	50
売　　掛　　金	48	未　払　法　人　税　等	
商　　　　　品	49	貸　倒　引　当　金	
為　替　予　約		賞　与　引　当　金	
建　　　　　物		借　　入　　金	30,000,000
車　　　　　両		退　職　給　付　引　当　金	
備　　　　　品		建物減価償却累計額	
土　　　　　地		車両減価償却累計額	
投　資　有　価　証　券		備品減価償却累計額	
破　産　更　生　債　権　等		繰　延　税　金　負　債	
繰　延　税　金　資　産		資　　本　　金	95,000,000
		資　本　準　備　金	12,000,000
		利　益　準　備　金	8,750,000
		繰　越　利　益　剰　余　金	
		その他有価証券評価差額金	
		繰　延　ヘ　ッ　ジ　損　益	
合　　　　計		合　　　　計	

⇨解答：277ページ

問題 15 組織再編

制限時間　60分
難易度　B

　甲株式会社（以下「甲社」という。）は、商品売買を営む企業である。甲社は事業の規模拡大のため、ｘ21年12月31日を合併基準日、ｘ22年4月1日を合併期日（企業結合日）として乙株式会社（以下「乙社」という。）を吸収合併することとし、乙社の合意も得ている。そこで下記の【資料】に基づき次の**問**に答えなさい。なお、甲社の事業年度はｘ21年4月1日からｘ22年3月31日であり、乙社の事業年度は毎年1月1日から12月31日であるが、吸収合併に伴う最終事業年度はｘ22年1月1日からｘ22年3月31日である。

問1　【資料3】に示した甲社の決算整理後残高試算表の1〜17の金額を求めなさい。

問2　【資料7】に示した乙社の決算整理後残高試算表の1〜12の金額を求めなさい。

問3　【資料8】に基づき次の金額及び数値を求めなさい。

　　1．甲社の企業評価額

　　2．交付株式数

問4　【資料8】に示した合併仕訳の1及び2の金額を求めなさい。

（解答上の留意事項）

1　問題文に出てくる金額の単位は円である。

2　解答金額については、問題文の決算整理前残高試算表の金額欄の数値のように3桁ごとにカンマで区切ること。この方法によっていない場合には正解としないので注意すること。

3　金額計算において、円未満の金額が生じた場合は、円未満を切捨てること。

（甲社及び乙社に関する問題の前提条件）

1　消費税及び地方消費税（以下、「消費税等」という。）については、（税込み）及び消費税等を考慮すると記載されている取引についてのみ税率10％で、税抜処理を行うこととし、仮払消費税等と仮受消費税等を相殺し、中間納付額を控除して未払消費税等を計上する。

2　税効果会計については、適用する旨の記載のある項目についてのみ適用し、記載のない項目については考慮する必要はない。なお、その適用に当たっては、回収可能性に問題はないものとし、法定実効税率は30％として計算する。また、繰延税金資産と繰延税金負債は相殺せずに解答すること。

3　法人税等及び法人税等調整額の合計額は、税引前当期純利益に法定実効税率（30％）を乗じて算出した金額とし、法人税等の金額は逆算で計算する。未払法人税等は受取利息配当金に係る源泉所得税額及び法人税等の中間納付額を控除して計算する。

【資料1】甲社の決算整理前残高試算表

(単位：円)

借	方		貸	方	
科　　　目	金　額		科　　　目	金　額	
現　　　金	4,065,800		支　払　手　形	34,200,000	
預　　　金	67,036,600		買　掛　金	73,520,000	
受　取　手　形	82,636,000		仮　受　消　費　税　等	139,800,000	
売　掛　金	132,575,400		貸　倒　引　当　金	1,925,000	
繰　越　商　品	105,260,000		賞　与　引　当　金	11,000,000	
仮　払　金	35,042,000		退　職　給　付　引　当　金	77,600,000	
仮　払　消　費　税　等	118,595,600		資　本　金	160,000,000	
建　　　物	116,400,000		利　益　準　備　金	40,000,000	
車　　　両	23,180,000		別　途　積　立　金	80,000,000	
土　　　地	90,000,000		繰　越　利　益　剰　余　金	143,435,860	
投　資　有　価　証　券	47,640,000		売　上　高	1,398,000,000	
繰　延　税　金　資　産	27,900,000		受　取　利　息　配　当　金	1,352,000	
仕　　　入	998,680,000				
営　業　費	311,646,660				
手　形　売　却　損	174,800				
合　　　計	2,160,832,860		合　　　計	2,160,832,860	

【資料2】甲社の決算整理事項等

1　現金預金

(1) 現金の帳簿残高は4,065,800円であり、実際有高との差額は雑損失に振り替えることとする。なお、決算日当日の金庫の中には以下のものが保管されていた。

① 通貨　3,049,800円

② 甲社振出の小切手　940,000円

③ B社振出の小切手　444,000円

　　振出日がx22年4月3日のものであり、現金で処理している。

④ 配当金領収証　192,000円

　　源泉所得税48,000円控除後の金額であり、甲社は当該金額をもって受取利息配当金に計上している。

－120－

⑤　仮払のメモ　300,000円

　　3月26日に営業担当者が出張するために支出した金額であり、支出時に仕訳が行われていない。4月1日に以下の出張報告書が提出されたため、精算し、不足額を現金で支払った。この出張報告書については当期の費用として処理する。

出張報告書	
出張日	x22年3月30日
営業費（税込み）	374,000円
仮払金受領額	300,000円
差引　不足額	74,000円

(2) 預金の帳簿残高のうち当座預金は56,880,400円であり、期末に銀行から取り寄せた当座預金残高証明書の金額は50,370,860円であった。帳簿残高と残高証明書の差異の原因は以下のとおりである。

　　①　K社に対する買掛金の支払いのために振り出した小切手3,150,000円が未取付であった。

　　②　A社振出の約束手形4,920,000円（決済日：x22年4月5日）を銀行に取立依頼し、入金記帳していた。

　　③　期末日に現金6,000,000円を預け入れたが、銀行の営業時間外であったため、翌日の入金とされた。

　　④　D社からの掛代金736,000円が当座預金口座に振り込まれていたが、銀行からの通知が未達であった。

　　⑤　3月分の企業年金掛金の自動引落額400,000円が未記帳であった。

　　⑥　割引した手形8,920,000円について、割引料15,540円が差し引かれて入金されていたが、額面金額で入金記帳していた。

　　⑦　仕入先L社に対する買掛金の決済のため、小切手940,000円を振り出し記帳していたが、金庫の中に保管されていた。

(3) 預金のうち、当座預金以外は普通預金である。

2　売上取引

売掛金について得意先に問い合わせたところ、甲社の帳簿残高と次の乖離があった。

なお、販売については税込みで行っている。

得意先	甲社帳簿残高	得意先回答金額
D　社	21,000,600円	20,264,600円
F　社	18,450,680円	17,863,280円
J　社	11,346,400円	9,894,400円

(1) D社から振り込まれていた掛代金について未記帳であった。

(2) F社に対して期中に販売単価を改定したが、改定前の販売単価で計算し記帳していた。なお、消費税等を考慮する。

(3) J社から決算日直前販売した商品（原価42,000円／個）について、数量を誤って計算し記帳していた。なお、販売単価は66,000円（税込み）である。

3　商品

決算日に商品の棚卸をしたところ、次の結果となった。

帳簿棚卸数量	実地棚卸数量	原　　価	売　　価
3,650個	3,624個	42,000円／個	60,000円／個

(1) 棚卸資産の評価については、「棚卸資産の評価に関する会計基準」を適用し、商品評価損及び棚卸減耗は原価外処理する。

(2) 帳簿棚卸数量と実地棚卸数量との差額の一部については、J社販売分の誤記帳と、見本品として提供した商品30個（42,000円／個）によるものであることが判明している。なお、それ以外の差額については棚卸減耗とする。

(3) 実地棚卸数量のうち50個は陳腐化品であり、正味売却価額は41,120円／個である。それ以外の商品（良品）の正味売却価額は、売価から見積販売直接経費2,100円／個を差し引いた価額とする。

4　有価証券

甲社が保有する有価証券は、次のとおりである。

銘　　柄	数　　量	取　得　価　額	取得時の時価	前期末の時価	当期末の時価
M社株式	2,500株	15,000,000円	6,000円	6,400円	5,800円
N社株式	800株	28,800,000円	36,000円	17,400円	17,000円
O社株式	12,000株	18,720,000円	1,560円	1,980円	1,720円

（注）上記における時価は1株当たりのものである。

(1) 甲社が保有する有価証券はすべてその他有価証券に該当する。有価証券の期末評価は、「金融商品に関する会計基準」及び「金融商品会計に関する実務指針」に基づき処理を行い、評価差額は、全部純資産直入法（税効果会計を適用する。）により処理を行う。

(2) N社株式は前期末において減損処理（強制評価減）を行っており、当該評価損は税務上も認められた。

5 有形固定資産

甲社が保有する有形固定資産は、次のとおりである。

	使用開始年月	取得価額	償却方法	残存割合	償却率
建　物	x 1年4月	300,000,000円	定額法	10%	0.034
車両a	x 17年4月	18,000,000円	定額法	ゼロ	0.200
車両b	x 21年10月	（　　　　　）	定額法	ゼロ	0.200
土　地	x 1年4月	90,000,000円	―	―	―

(1) x 21年10月に車両 a を1,980,000円（税込み）で下取りに出して定価21,560,000円（税込み）の車両 b を購入した。甲社は車両 a の下取り代金と車両 b の購入代金の差額を小切手を振り出して支払ったが、支払金額をもって車両に計上しているのみである。

(2) 減価償却費は、使用期間分を月割計算する。

6 貸倒引当金

一般債権（売掛金及び受取手形）の期末残高に対して、1％の貸倒引当金を差額補充法により設定する。

7 賞与引当金

甲社は賞与を6月と12月の年2回支給している。賞与の支給対象期間は毎年6月から11月と12月から5月である。x 22年6月の賞与支給予定額は18,360,000円の見込みであり、当期負担分を月割で計算し、賞与引当金として計上する。なお、甲社は当期の賞与支給時に賞与の支給額を営業費に計上している。また、税務上、賞与引当金の全額が損金として認められないため、税効果会計を適用する。

8 退職給付引当金

退職給付については、以前から「退職給付に関する会計基準」を導入し、退職一時金制度及び企業年金制度を採用している。なお、退職給付に関する資料は以下のとおりであるが、期首における退職給付費用の計上を失念している。

(1) 退職給付債務及び年金資産

	前期末実績	計算利子率
退 職 給 付 債 務	214,000,000円	年1.8%
年 　 金 　 資 　 産	128,000,000円	年1.2%

(2) 期首における未認識差異は、数理計算上の差異4,000,000円（退職給付引当金の積立不足）のみである。なお、数理計算上の差異の償却については、発生した期の翌年度から10年の定率法（償却率0.2）により行う。

(3) 定年退職者に対する支給として、甲社から直接支給5,520,000円を行ったが、仮払金に計上している。

(4) 当期における勤務費用は9,000,000円である。

(5) 年金掛金は自動引落により毎月400,000円を拠出している。

(6) 税務上は退職給付引当金の全額が損金として認められないため、税効果会計を適用する。

9 税金

仮払金には消費税等の中間納付額9,570,000円と、法人税等の中間納付額19,952,000円が含まれている。

【資料３】甲社の決算整理後残高試算表

（単位：円）

借	方	貸	方
科　　　　目	金　　額	科　　　　目	金　　額
現　　　　　　　金		支　払　手　形	
預　　　　　　　金	1	買　　掛　　金	10
受　取　手　形	2	未　　払　　金	11
売　　掛　　金		未　払　消　費　税　等	
繰　越　商　品		未　払　法　人　税　等	12
建　　　　　　　物		貸　倒　引　当　金	
車　　　　　　　両		賞　与　引　当　金	
土　　　　　　　地		退　職　給　付　引　当　金	13
投　資　有　価　証　券		繰　延　税　金　負　債	
繰　延　税　金　資　産		資　　本　　金	
仕　　　　　　　入	3	利　益　準　備　金	
収　益　性　低　下　評　価　損		別　途　積　立　金	
営　　業　　費	4	繰　越　利　益　剰　余　金	
見　　本　　品　　費		その他有価証券評価差額金	14
賞　与　引　当　金　繰　入	5	売　　上　　高	15
退　職　給　付　費　用		受　取　利　息　配　当　金	
減　価　償　却　費	6	固　定　資　産　売　却　益	16
貸　倒　引　当　金　繰　入	7	法　人　税　等　調　整　額	17
棚　卸　減　耗　費			
手　形　売　却　損	8		
雑　　損　　失	9		
法　人　税　等			
合　　　　計		合　　　　計	

問題

【資料4】乙社のx22年1月1日における繰越試算表

(単位：円)

借	方		貸	方	
科　目	金　額		科　目	金　額	
現　　　　　金	2,665,360		支　払　手　形	12,810,000	
預　　　　　金	18,807,300		買　　掛　　金	18,043,300	
受　取　手　形	31,595,200		未　払　消　費　税　等	3,612,500	
売　　掛　　金	35,488,000		未　払　法　人　税　等	5,000,000	
繰　越　商　品	9,370,000		貸　倒　引　当　金	723,820	
建　　　　　物	22,842,500		賞　与　引　当　金	1,146,000	
構　　築　　物	7,280,000		退　職　給　付　引　当　金	11,308,000	
車　　　　　両	5,100,000		資　　本　　金	80,000,000	
土　　　　　地	40,000,000		利　益　準　備　金	14,000,000	
ソ　フ　ト　ウ　ェ　ア	2,880,000		繰　越　利　益　剰　余　金	33,120,940	
繰　延　税　金　資　産	3,736,200				
合　　　計	179,764,560		合　　　計	179,764,560	

【資料5】乙社のx22年1月1日からx22年3月31日までの取引

1　退職給付引当金

　　退職給付については、以前から「退職給付に関する会計基準」を導入し、退職一時金制度及び企業年金制度を採用している。なお、退職給付に関する資料は以下のとおりである。

(1) 当期における退職給付費用の金額は1,942,000円である。

(2) 年金掛金拠出額は毎月150,000円であり、当座預金から引き落とされる。

(3) 税務上は退職給付引当金の全額が損金として認められないため、税効果会計を適用する。

2　売上取引

　　3ヶ月間の売上合計は119,790,000円（税込み）であり、その内訳は現金売上が3,025,000円（税込み）、掛売上が116,765,000円（税込み）である。売掛金の現金による回収は9,361,500円、当座預金による回収は57,015,800円（【資料6】2 (1)を除く）、手形による回収は31,350,000円である。受取手形の決済額は28,600,000円である。なお、前期に計上した売掛金114,400円（税込み）が回収不能となり、貸倒引当金を取り崩した。

3 仕入取引

　3ヶ月間の仕入合計は68,904,000円（税込み）であり、すべて掛により仕入れている。買掛金の現金による決済は5,496,000円、当座預金による決済は30,030,000円（【資料6】2（2）の130,000円を含む）、手形の振り出しによる決済は15,780,000円である。支払手形の決済額は9,600,000円である。

4 営業費の支払

(1) 営業費の現金による支払額は5,277,800円（税込み）であり（【資料6】1を除く）、当座預金からの引き落しは24,993,520円である。

(2) (1)の営業費以外の少額経費（税込み）の支払いとして、小口現金を設定している。毎月初に設定額200,000円になるように小切手を振り出している。3ヶ月間の小切手振出の合計は591,600円である。なお、前期末の小口現金の残高は6,800円であり、当期末の小口現金の残高は11,000円である。小口現金は設定時に仮払金に計上し、期末に残高を現金に振り替えている。

5 税金

(1) 前期分の消費税等の確定納付額が当座預金から引き落とされた。

(2) 前期分の法人税等の確定納付額が当座預金から引き落とされた。

【資料6】乙社の決算整理事項等

1 現金

　現金の実際有高について調査したところ、小口現金を含む現金の実際有高は4,199,700円であった。帳簿残高との差額については営業費の支払額70,400円（税込み）が未記帳であることが判明したが、これ以外については不明である。

2 預金

　預金はすべて当座預金であり、丙銀行の期末預金残高を調べたところ当座預金の帳簿残高は909,500円の借方残高であるが、丙銀行における残高証明書の金額と差異があった。この差異の原因を調査した結果、以下のことが判明した。なお、取引銀行とは当座借越契約を結んでおり、貸方残高となる場合には短期借入金に振り替えることとする。また、丙銀行以外の銀行との当座預金残高は一致していた。

(1) x22年3月31日に得意先から掛代金192,500円の振り込みがあったが、乙社では未記帳であった。

(2) 仕入先丁商事に掛代金支払いのために振り出した小切手は1,300,000円であったが、その際、乙社では誤って130,000円と記帳していた。

3 商品

帳簿棚卸数量	実地棚卸数量	原　価	売　価
285個	280個	26,000円／個	37,000円／個

(1) 棚卸資産の評価については、「棚卸資産の評価に関する会計基準」を適用し、商品評価損及び棚卸減耗は原価外処理する。

(2) 正味売却価額は、売価から見積販売直接経費1,890円／個を差し引いた価額とする。

4　固定資産

(1) 乙社が保有する有形固定資産は、次のとおりである。

	使用開始年月	取得価額	償却方法	残存割合	償却率
建　物	x 4年4月	50,000,000円	定額法	10%	0.034
構築物	x 14年1月	36,400,000円	定額法	ゼロ	0.100
車　両	x 21年4月	6,000,000円	定額法	ゼロ	0.200
土　地	x 4年4月	40,000,000円	―	―	―

(2) ソフトウェアは x 21年7月に3,200,000円で取得したものである。当該ソフトウェアは耐用年数5年の定額法（償却率0.200）により償却している。なお、ソフトウェアの償却額は減価償却費に含めるものとする。

(3) 減価償却費は、使用期間分を月割計算する。

5　貸倒引当金

一般債権（売掛金及び受取手形）の期末残高に対して、1％の貸倒引当金を差額補充法により設定する。

6　賞与引当金

x 22年6月の賞与の支給に備え当期負担分を月割で計算し、賞与引当金として計上する。賞与の支給対象期間は毎年6月から11月と12月から5月である。x 22年6月の賞与支給予定額は6,876,000円である。なお、税務上、賞与引当金の全額が損金として認められないため、税効果会計を適用する。

【資料7】乙社の決算整理後残高試算表

(単位：円)

借	方		貸	方	
科　　目	金　額		科　　目	金　額	
現　　　　　　金			支　払　手　形		
預　　　　　　金			買　　掛　　金	9	
受　取　手　形	1		短　期　借　入　金	10	
売　　掛　　金	2		未　払　消　費　税　等	11	
繰　越　商　品	3		未　払　法　人　税　等		
建　　　　　　物			貸　倒　引　当　金		
構　　築　　物	4		賞　与　引　当　金	12	
車　　　　　　両			退　職　給　付　引　当　金		
土　　　　　　地			資　　本　　金		
ソ　フ　ト　ウ　ェ　ア			利　益　準　備　金		
繰　延　税　金　資　産			繰　越　利　益　剰　余　金		
仕　　　　　　入	5		売　　上　　高		
営　　業　　費	6		法　人　税　等　調　整　額		
賞　与　引　当　金　繰　入					
退　職　給　付　費　用					
減　価　償　却　費	7				
貸　倒　引　当　金　繰　入					
棚　卸　減　耗　費					
雑　　損　　失	8				
法　人　税　等					
合　　　計			合　　　計		

【資料8】企業結合に関する事項

1　当該企業結合（吸収合併）は、甲社を取得企業、乙社を被取得企業とする。

2　吸収合併により甲社が取得する資産及び負債は識別可能なものとし、資産の受入額及び負債の引受額は、企業結合日時点の時価とする。

3　吸収合併にあたり、対価として甲社の株式を乙社の株主に交付する。なお、交換比率は過去5年の平均利益に基づく収益還元価値法と、合併基準日における株価基準法の折衷法により算定した企業評価額を基準として計算する。

(1) 過去5年間の平均利益は以下のとおりであり、資本還元率は6.2%である。

	平 均 利 益
甲 社	47,120,000円
乙 社	8,246,000円

(2) 合併基準日における発行済株式数及び株価は以下のとおりである。

	発行済株式数	1株当たりの時価
甲 社	80,000株	9,000円
乙 社	35,000株	3,600円

4 企業結合日における諸資産及び諸負債の時価は以下のとおりである。

	諸 資 産	諸 負 債
甲 社	761,124,000円	243,394,000円
乙 社	211,018,000円	76,218,000円

5 企業結合日における発行済株式数及び株価は以下のとおりである。

	発行済株式数	1株当たりの時価
甲 社	80,000株	10,000円
乙 社	35,000株	3,400円

6 吸収合併に伴い増加する資本については、資本金を40,000,000円、資本準備金を40,000,000円とし、残額はその他資本剰余金とする。

7 合併仕訳

借 方 科 目	金 額	貸 方 科 目	金 額
諸 資 産		諸 負 債	
の れ ん	1	資 本 金	
		資 本 準 備 金	
		その他資本剰余金	2

⇨解答：293ページ

解答編

問 題 1　一般総合(1)　　解 答

※　□で囲まれた数字は配点を示す。

決算整理後残高試算表　　　　　（単位：千円）

借　方　科　目		金　　　額	貸　方　科　目		金　　　額
現　金　預　金	2	58,065	支　払　手　形		46,800
受　取　手　形	2	95,800	買　　掛　　金	2	52,800
売　　掛　　金	2	166,200	短　期　借　入　金	2	8,600
有　価　証　券	2	2,200	未　払　法　人　税　等	2	7,500
繰　越　商　品	1	25,240	未　払　消　費　税　等	1	15,198
貯　　蔵　　品	1	20	未　払　費　用	1	160
建　　　　　物	1	57,250	賞　与　引　当　金	1	27,500
器　具　備　品	1	6,670	貸　倒　引　当　金	1	8,570
リ　ー　ス　資　産	1	4,920	長　期　借　入　金		30,000
土　　　　　地		120,000	社　　　　　債	1	79,104
投　資　有　価　証　券	1	18,508	リ　ー　ス　債　務	1	5,248
破　産　更　生　債　権　等	1	4,000	退　職　給　付　引　当　金	1	186,000
繰　延　税　金　資　産	1	65,295	繰　延　税　金　負　債	1	222
仕　　　　　入	1	1,177,400	資　　本　　金		90,000
営　　業　　費	1	545,199	資　本　準　備　金		15,000
見　本　品　費	1	400	利　益　準　備　金		5,000
減　価　償　却　費	1	6,700	別　途　積　立　金		5,280
退　職　給　付　費　用	1	41,400	繰　越　利　益　剰　余　金		22,363
賞　与　引　当　金　繰　入　額	1	27,500	その他有価証券評価差額金	1	378
貸　倒　引　当　金　繰　入　額	1	8,570	売　　　　　上	1	1,839,000
貸　倒　損　失	1	2,818	受　取　利　息　配　当　金	1	885
棚　卸　減　耗　費	1	160	為　替　差　損　益	1	150
支　払　利　息	1	1,634	法　人　税　等　調　整　額	1	5,595
社　債　利　息	1	1,540			
有　価　証　券　運　用　損　益	1	124			
雑　　損　　失	1	176			
社　債　償　還　損	1	64			
法　人　税　等	1	13,500			
合　　　　　計		2,451,353	合　　　　　計		2,451,353

【配　点】　2 × 7カ所　1 × 36カ所　　合計50点

I　本問のポイント

　本問は60分問題として適度なボリュームで、かつ、難度の高い内容が出題されていないため、慎重かつ丁寧に仕訳を行っていけば高得点が獲得できる問題である。もし、本問で不正解した箇所がある場合は、「解答精度」が欠けてしまっている可能性が高い。本試験は難問・奇問の正解率ではなく、平易な箇所の正解率で合否が決まるため、不正解の部分については、ケアレスミスあるいは知識の勘違い等の原因を分析して、正解率を上昇させるための対策を行ってほしい。

II　具体的解説（単位：千円）

1　現金預金

(1)　現金

① 営業費の未処理

（営　　業　　費）※1	200	（現　金　預　金）	220
（仮 払 消 費 税 等）※2	20		

　　※1　$220 \times \dfrac{1}{1.1} = 200$

　　※2　$220 \times \dfrac{0.1}{1.1} = 20$

② 期末換算替

（現　金　預　金）※	40	（為　替　差　損　益）	40

　　※　(a)　CR換算額：10千ドル×CR132円＝1,320

　　　　(b)　帳簿価額：10千ドル×HR128円＝1,280

　　　　(c)　(a)－(b)＝40

③ 収入印紙及び切手

（貯　　蔵　　品）	20	（営　　業　　費）	20

④ クーポン利息

（現　金　預　金）	75	（受 取 利 息 配 当 金）※	75

　　※　5,000×1.5％＝75

⑤ 原因不明分

（雑　　損　　失）	10	（現　金　預　金）※	10

　　※　(a)　実際有高：通貨（円）120＋通貨（外貨）1,320＋クーポン75＝1,515

　　　　(b)　帳簿残高：前T/B 1,630－220＋40＋75＝1,525

　　　　(c)　(a)－(b)＝△10

(2) 当座預金

① 売掛金振込未記帳（甲銀行）

（現　金　預　金）※1	5,478	（売　　掛　　金）	5,500
（営　　業　　費）※2	20		
（仮 払 消 費 税 等）※3	2		

※1　$5,500 - 22 = 5,478$

※2　$22 \times \dfrac{1}{1.1} = 20$

※3　$22 \times \dfrac{0.1}{1.1} = 2$

② 未渡小切手（甲銀行）

（現　金　預　金）	500	（買　　掛　　金）	500

③ 不渡手形（乙銀行）

（不　渡　手　形）	2,000	（現　金　預　金）	2,000

④ 買掛金の支払いのための小切手（誤処理）

（現　金　預　金）	1,000	（現　金　預　金）	1,000
（甲　　銀　　行）		（乙　　銀　　行）	

⑤ 時間外預入（乙銀行）

　　仕　訳　不　要

⑥ 銀行勘定調整表

(a) 甲銀行

銀 行 勘 定 調 整 表

当座預金出納帳残高		34,572	銀行残高証明書の金額		41,550
① 振 込 未 記 帳	+	5,478			
② 未 渡 小 切 手	+	500			
④ 誤 処 理	+	1,000			
		41,550			41,550

(b) 乙銀行

銀 行 勘 定 調 整 表

当座預金出納帳残高		2,400	銀行残高証明書の金額	△	1,200
③ 不 渡 手 形	△	2,000	⑤ 時 間 外 預 入	+	600
④ 誤 処 理	△	1,000			
	△	600		△	600

⑦　短期借入金への振替（当座借越）

（現　金　預　金）※　　　　600　　　　（短　期　借　入　金）　　　　600

※　上記⑥(b)より

2　売掛金

(1)　A社（返品）

（仮　受　消　費　税　等）※2　　　100　　　　（売　　　　掛　　　　金）※1　1,100

（売　　　　　　　　上）※3　　1,000

※1　当社帳簿残高5,500－A社回答額4,400＝1,100

※2　$1,100 \times \dfrac{0.1}{1.1} = 100$

※3　$1,100 \times \dfrac{1}{1.1} = 1,000$

(2)　B社（貸倒処理）

（仮　受　消　費　税　等）※1　　　600　　　　（売　　　　掛　　　　金）　　6,600

（貸　倒　引　当　金）※2　　3,182

（貸　倒　損　失）※3　　2,818

※1　$6,600 \times \dfrac{0.1}{1.1} = 600$

※2　前T/Bより

※3　差額

3　商品

(1)　見本品の提供

（見　本　品　費）　　　　400　　　　（仕　　　　　　　　入）　　　　400

(2)　売上原価の算定

（仕　　　　　　　　入）　　22,400　　　　（繰　越　商　品）　　22,400

（繰　越　商　品）※　　25,840　　　　（仕　　　　　　　　入）　　25,840

※　帳簿棚卸高：25,600－見本品400＋返品640＝25,840

(3)　減耗

（棚　卸　減　耗　費）　　　　160　　　　（繰　越　商　品）※　　　　160

※　帳簿棚卸高25,840－実地棚卸高25,680＝160

(4)　評価損

（仕　　　　　　　　入）　　　　440　　　　（繰　越　商　品）※　　　　440

※　原価640－正味売却価額200＝440

4 貸倒引当金

(1) 破産更生債権等（X社債権）

① 破産更生債権等への振替処理

（破産更生債権等）	4,000	（受　取　手　形）	1,000
		（売　　掛　　金）	1,000
		（不　渡　手　形）	2,000

② 貸倒引当金の計上

| （貸倒引当金繰入額）※ | 4,000 | （貸　倒　引　当　金） | 4,000 |

　※　4,000×100％＝4,000

(2) 貸倒懸念債権（J社債権）

| （貸倒引当金繰入額）※ | 2,000 | （貸　倒　引　当　金） | 2,000 |

　※　｛（受取手形3,000＋売掛金2,000）－担保1,000｝×50％＝2,000

(3) 一般債権

| （貸倒引当金繰入額）※ | 2,570 | （貸　倒　引　当　金） | 2,570 |

　※　｛受取手形(96,800－1,000)＋売掛(180,400－5,500－1,100－6,600－1,000)

　　　－懸念5,000｝×1％＝2,570

(4) 税効果会計

| （繰　延　税　金　資　産）※ | 1,185 | （法　人　税　等　調　整　額） | 1,185 |

　※　｛(4,000＋2,000＋2,570)－限度4,620｝×30％＝1,185

5 有価証券

(1) C社株式（売買目的有価証券）

| （有　価　証　券）※ | 200 | （有価証券運用損益） | 200 |

　※　当期末時価2,200－帳簿価額2,000＝200

(2) D社株式（その他有価証券）

| （投　資　有　価　証　券）※1 | 500 | （繰　延　税　金　負　債）※2 | 150 |
| | | （その他有価証券評価差額金）※3 | 350 |

　※1　当期末時価3,500－帳簿価額3,000＝500

　※2　500×30％＝150

　※3　差額

(3) E社株式（その他有価証券）

| （投　資　有　価　証　券）※1 | 180 | （繰　延　税　金　負　債）※2 | 54 |
| | | （その他有価証券評価差額金）※3 | 126 |

　※1　①　当期末時価：＠95ドル×200株×CR132円＝2,508

　　　　②　当期末時価2,508－帳簿価額2,328＝180

— 137 —

※2　180×30％＝54

※3　差額

(4)　F社社債（その他有価証券）

①　取得時の修正

(a)　適正な仕訳

| （投 資 有 価 証 券）※2 | 4,580 | （現　金　預　金） | 4,630 |
| （受 取 利 息 配 当 金）※1 | 50 | | |

※1　$5,000×1.5％×\dfrac{8月}{12月}＝50$

※2　差額

(b)　当社が行った仕訳

| （投 資 有 価 証 券） | 4,630 | （現　金　預　金） | 4,630 |

(c)　修正仕訳（(a)－(b)）

| （受 取 利 息 配 当 金） | 50 | （投 資 有 価 証 券） | 50 |

②　償却原価法

| （投 資 有 価 証 券）※ | 60 | （受 取 利 息 配 当 金） | 60 |

※　$(5,000－4,580)×\dfrac{4月}{28月}＝60$

③　時価評価

| （投 資 有 価 証 券）※1 | 60 | （繰 延 税 金 負 債）※2 | 18 |
| | | （その他有価証券評価差額金）※3 | 42 |

※1　当期末時価4,700－帳簿価額（4,580＋60）＝60

※2　60×30％＝18

※3　差額

(5)　G社株式（売買目的有価証券からその他有価証券への変更）

①　追加取得

| （投 資 有 価 証 券） | 6,000 | （仮　　払　　金） | 6,000 |

②　保有目的区分の変更

| （投 資 有 価 証 券）※1 | 2,000 | （有　価　証　券） | 2,200 |
| （有 価 証 券 運 用 損 益）※2 | 200 | | |

※1　$（800株－600株）×\dfrac{6,000}{600株}＝2,000$

※2　差額

③ 時価評価

（繰 延 税 金 資 産）※2　　　　60　　　　（投 資 有 価 証 券）※1　　　200

（その他有価証券評価差額金）※3　　　140

※1　当期末時価7,800－帳簿価額(2,000＋6,000)＝△200

※2　200×30％＝60

※3　差額

6　有形固定資産

(1) 建物

（減 価 償 却 費）※　　　2,250　　　　（建　　　　　　物）　　　2,250

※　$100,000 \times 0.9 \times \dfrac{1 \text{年}}{40 \text{年}} = 2,250$

(2) 器具備品

① 器具備品1

（減 価 償 却 費）※　　　1,045　　　　（器　具　備　品）　　　1,045

※　(6,080－1,900)×0.250＝1,045

② 器具備品2

（減 価 償 却 費）※　　　1,765　　　　（器　具　備　品）　　　1,765

※　｛前T/B 9,480－器具備品1 (6,080－1,900)｝×0.333＝1,765（千円未満四捨五入）

(3) リース資産

① 前期の処理

(a) リース契約時

（リ ー ス 資 産）※　　　8,200　　　　（リ ー ス 債 務）　　　8,200

※　見積現金購入価額8,244 ＞ 8,200（＊）　　∴　リース料総額の現在価値8,200

＊　リース料総額の現在価値：$2,000 \div 1.07 + 2,000 \div (1.07)^2 + 2,000 \div (1.07)^3$

$+ 2,000 \div (1.07)^4 + 2,000 \div (1.07)^5$

$= 8,200$（千円未満四捨五入）

(b) リース料の支払

（支 払 利 息）※1　　　574　　　　（現 金 預 金）　　　2,000

（リ ー ス 債 務）※2　　　1,426

※1　8,200× 7 ％＝574

※2　差額

(c) 減価償却

（減 価 償 却 費）※　　　1,640　　　　（リ ー ス 資 産）　　　1,640

※　$8,200 \times \dfrac{1 \text{年}}{5 \text{年}} = 1,640$

∴ 前T/Bの金額

　リース資産：8,200−1,640＝6,560

　リース債務：8,200−1,426＝6,774

② 当期の処理

　(a) リース料の支払に関する修正

（支　払　利　息）※1　　　474　　　（営　　業　　費）　　2,000

（リ　ー　ス　債　務）※2　　1,526

　※1　6,774×7％＝474（千円未満四捨五入）

　※2　差額

　(b) 減価償却

（減　価　償　却　費）※　　1,640　　　（リ　ー　ス　資　産）　　1,640

　※　$8,200×\dfrac{1年}{5年}＝1,640$

7　賞与引当金

(1) 当期支給額の修正

（賞　与　引　当　金）※　　24,200　　　（営　　業　　費）　　24,200

　※　前T/Bより

(2) 賞与引当金の計上

（賞与引当金繰入額）※　　27,500　　　（賞　与　引　当　金）　　27,500

　※　① $37,500×\dfrac{4月}{6月}＝25,000$

　　　② 25,000×10％＝2,500

　　　③ ①＋②＝27,500

(3) 税効果会計

（繰　延　税　金　資　産）※　　990　　　（法　人　税　等　調　整　額）　　990

　※　27,500×30％−24,200×30％＝990

8　退職給付引当金

(1) 前T/B退職給付引当金

① 期首退職給付債務：300,000

② 期首年金資産：120,000

③ 期首未認識数理計算上の差異：3,000（不利差異）−1,200（有利差異）＋3,600（不利差異）
　　　　　　　　　　　　　　　　　　＝5,400（不利差異）

④ ①−②−③＝174,600

(2) 退職給付費用の計上

| (退 職 給 付 費 用) ※ | 41,400 | (退 職 給 付 引 当 金) | 41,400 |

※ ① 勤務費用：33,000

② 利息費用：$300,000 \times 2\% = 6,000$

③ 期待運用収益：$120,000 \times 1\% = 1,200$

④ 数理計算上の差異の償却額

イ　前々々期分：$3,000 \times \dfrac{1 \text{年}}{3 \text{年} - 2 \text{年}} = 3,000$（不利差異）

ロ　前々期分：$1,200 \times \dfrac{1 \text{年}}{3 \text{年} - 1 \text{年}} = 600$（有利差異）

ハ　前期分：$3,600 \times \dfrac{1 \text{年}}{3 \text{年}} = 1,200$（不利差異）

ニ　イーロ＋ハ＝3,600（不利差異）

⑤ ①＋②－③＋④＝41,400

(3) 支出額の修正

| (退 職 給 付 引 当 金) ※ | 30,000 | (営　　業　　費) | 30,000 |

※ 掛金12,000＋一時金18,000＝30,000

(4) 税効果会計

| (繰 延 税 金 資 産) ※ | 3,420 | (法 人 税 等 調 整 額) | 3,420 |

※ $(174,600 + 41,400 - 30,000) \times 30\% - 174,600 \times 30\% = 3,420$

9　社債

(1) 前T/Bの社債利息

① ×20年4月1日（再振替）

| (未 払 費 用) | 200 | (社 債 利 息) ※ | 200 |

※ $100,000 \times 1.2\% \times \dfrac{2 \text{月}}{12 \text{月}} = 200$

② ×20年7月31日（利払日）

| (社 債 利 息) ※ | 600 | (現 金 預 金) | 600 |

※ $100,000 \times 1.2\% \times \dfrac{6 \text{月}}{12 \text{月}} = 600$

③ ×21年1月31日（利払日）

| (社 債 利 息) ※ | 480 | (現 金 預 金) | 480 |

※ $(100,000 - 20,000) \times 1.2\% \times \dfrac{6 \text{月}}{12 \text{月}} = 480$

∴　前T/B社債利息：①＋②＋③＝880

(2) 前T/B社債：$100,000 \times \dfrac{97.6\,円}{100\,円} + (100,000 - 100,000 \times \dfrac{97.6\,円}{100\,円}) \times \dfrac{20\,月}{60\,月} = 98,400$

(3) 買入消却の修正

（社　　　　　　債）※2	19,680	（仮　　払　　金）※1	19,860
（社　債　利　息）※3	116		
（社　債　償　還　損）※4	64		

※1　$20,000 \times \dfrac{@99\,円}{@100\,円} + 20,000 \times 1.2\% \times \dfrac{3\,月}{12\,月} = 19,860$

※2　前T/B $98,400 \times \dfrac{20,000}{100,000} = 19,680$

※3　$(20,000 - 19,680) \times \dfrac{7\,月}{60\,月 - 20\,月} + 20,000 \times 1.2\% \times \dfrac{3\,月}{12\,月} = 116$

※4　差額

(4) 社債利息の見越計上

（社　債　利　息）※	160	（未　払　費　用）	160

※　$(100,000 - 20,000) \times 1.2\% \times \dfrac{2\,月}{12\,月} = 160$

(5) 償却原価法

（社　債　利　息）※	384	（社　　　　　　債）	384

※　$\{額面金額(100,000 - 20,000) - 帳簿価額(98,400 - 19,680)\} \times \dfrac{12\,月}{60\,月 - 20\,月} = 384$

10　税金

(1) 消費税等

（仮　受　消　費　税　等）※1	183,300	（仮　払　消　費　税　等）※2	150,102
		（仮　　払　　金）	18,000
		（未　払　消　費　税　等）※3	15,198

※1　前T/B $184,000 - 100 - 600 = 183,300$

※2　前T/B $150,080 + 20 + 2 = 150,102$

※3　差額

(2) 法人税等

（法　人　税　等）※1	13,500	（仮　　払　　金）	6,000
		（未　払　法　人　税　等）※2	7,500

※1　(1)　税引前当期純利益：収益 $1,840,035 -$ 費用 $1,813,685 = 26,350$

　　　(2)　$26,350 \times 30\% +$ 法調 $5,595 = 13,500$

※2　差額

※　□で囲まれた数字は配点を示す。

（単位：千円）

①	2	760	②	1	61,860	③	1	10,000
④	2	55,300	⑤	1	10,400	⑥	1	23,820
⑦	2	126	⑧	1	200	⑨	1	55,800
⑩	2	7,200	⑪	1	4,212	⑫	1	9,650
⑬	2	2,760	⑭	1	192,264	⑮	1	63,449
⑯	2	9,000	⑰	1	730	⑱	1	6,353
⑲	2	396	⑳	1	285	㉑	1	729
㉒	2	14,700	㉓	1	11,938	㉔	1	30,730
㉕	2	745	㉖	1	7,200	㉗	1	4,065
㉘	2	15,176	㉙	1	165	㉚	1	22,750
㉛	2	105	㉜	1	140	㉝	1	320,000
㉞	2	1,030	㉟	1	51	㊱	1	11
㊲	2	300						

【配　点】　2×13カ所　1×24カ所　　合計50点

解答への道

I 本問のポイント

本問は決算整理型の総合問題である。基本的な決算整理事項に加え、収益認識に関する会計基準に従って返品（返金負債及び返品資産）に関する処理ができたかがポイントである。

II 具体的解説（単位：千円）

1 現金及び当座預金

(1) A社株式の配当金領収証

（現　　　　　金）	250	（有価証券運用損益）※	250

※　A社株式は売買目的有価証券であるため、有価証券運用損益で処理する。

(2) 当社振出小切手

（当　座　預　金）	800	（現　　　　　金）	800

(3) 小切手及び約束手形の未渡し

（当　座　預　金）※1	1,000	（買　　掛　　金）	3,000
（支　払　手　形）※2	2,000		

※1　当社振出小切手

※2　当社振出約束手形

2 保証債務

（保　証　債　務）※	13	（保証債務取崩益）	13

※　650×2％＝13

3 受取手形

（支　払　手　形）	2,500	（受　取　手　形）	2,500

4 売掛金

（売　　掛　　金）	350	（貸　倒　引　当　金）※1	200
		（貸　倒　損　失）※2	150

※1　前期発生分

※2　当期発生分

5 商品売買及び期末商品

(1) 返金負債及び返品資産

① 返金負債

（返　金　負　債）	20,000	（売　　掛　　金）※1	14,000
		（売　　　　上）※2	6,000

※1　20,000×70％＝14,000

※2　20,000×(1−70％)＝6,000

② 返品資産

（仕 入）	12,000		（返 品 資 産）		12,000

(2) 売上原価の算定等

① 売上原価の算定

（仕 入）	26,100		（繰 越 商 品）		26,100
（繰 越 商 品）※	24,480		（仕 入）		24,480

※ 16,080＋返品8,400（＊）＝24,480

＊ 12,000×70%＝8,400

② 棚卸減耗

（仕 入）※2	264		（繰 越 商 品）※1		660
（棚 卸 減 耗 費）※3	396				

※1 帳簿24,480－実地23,820＝660

※2 660×40%＝264

※3 差額

6 貸倒引当金

（貸倒引当金繰入額）※	730		（貸 倒 引 当 金）		730

※ (1) 貸倒懸念債権（X社に対する売掛金）

350×50%＝175

(2) 一般債権

① 受取手形：前T/B 12,500－2,500＝10,000

② 売掛金：前T/B 68,950＋350－14,000＝55,300

③ （①＋②－懸念350）×2%＝1,299

(3) 繰入額

（(1)＋(2)）－（前T/B貸引544＋200）＝730

7 有形固定資産

(1) 建物

① 前T/B残高

$$90,000-90,000×0.9×\frac{140月}{360月}=58,500$$

② 減価償却

（減 価 償 却 費）※	2,700		（建 物）		2,700

※ $90,000×0.9×\dfrac{1年}{30年}=2,700$

(2) 備品

① 前T/B残高

$$14,400-(14,400×\frac{8}{36}+14,400×\frac{7}{36}×\frac{6月}{12月})=9,800$$

② 減価償却

（減 価 償 却 費）※	2,600		（備　　　　　品）	2,600

※　$14,400 \times \dfrac{7}{36} \times \dfrac{6月}{12月} + 14,400 \times \dfrac{6}{36} \times \dfrac{6月}{12月} = 2,600$

(3) リース資産

① リース取引開始日の修正

（リ ー ス 資 産）※	5,265		（リ ー ス 債 務）	5,265

※　$1,200 + 1,200 \times (0.9346 + 0.8734 + 0.8163 + 0.7629) = 5,265$（千円未満四捨五入）

② リース料支払時の修正

（リ ー ス 債 務）	1,200		（販 売 管 理 費）	1,200

③ 支払利息の見越計上

（支 払 利 息）※	285		（未 払 費 用）	285

※　$(5,265 - 1,200) \times 7\% = 285$（千円未満四捨五入）

④ 減価償却

（減 価 償 却 費）※	1,053		（リ ー ス 資 産）	1,053

※　$5,265 \times \dfrac{1年}{5年} = 1,053$

8　有価証券

(1) A社株式（売買目的）

（有 価 証 券）※	400		（有価証券運用損益）	400

※　当期末時価10,400 - 取得原価10,000 = 400

(2) B社株式（その他）

（投 資 有 価 証 券）※1	350		（繰 延 税 金 負 債）※2	105
			（その他有価証券評価差額金）※3	245

※1　当期末時価5,350 - 取得原価5,000 = 350

※2　$350 \times 30\% = 105$

※3　差額

(3) C社株式（その他）

（繰 延 税 金 資 産）※2	60		（投 資 有 価 証 券）※1	200
（その他有価証券評価差額金）※3	140			

※1　当期末時価4,300 - 取得原価4,500 = △200

※2　$200 \times 30\% = 60$

※3　差額

9 賞与引当金

(1) 賞与支給時の修正

（賞 与 引 当 金）　　　8,000　　　（販 売 管 理 費）　　　8,000

(2) 賞与引当金の計上

（賞与引当金繰入額）※　　9,000　　　（賞 与 引 当 金）　　　9,000

　　※　$13,500 \times \dfrac{4月}{6月} = 9,000$

(3) 税効果会計

（繰 延 税 金 資 産）※　　300　　　（法人税等調整額）　　　300

　　※　$9,000 \times 30\% - 前T/B\ 2,400 = 300$

10 社債

(1) 期首残高

① ×21年4月1日（発行時、収支は当座預金と仮定する。）

（当 座 預 金）　　　18,615　　　（社　　　　　債）　　　18,615

② ×21年9月30日（利払日）

（社 債 利 息）※1　　386　　　（現　　　　　金）※2　　　300

　　　　　　　　　　　　　　　　（社　　　　　債）※3　　　86

　　※1　$18,615 \times 4.15\% \times \dfrac{6月}{12月} = 386$（千円未満四捨五入）

　　※2　$20,000 \times 3\% \times \dfrac{6月}{12月} = 300$

　　※3　差額

③ ×22年3月31日（利払日）

（社 債 利 息）※1　　388　　　（現　　　　　金）※2　　　300

　　　　　　　　　　　　　　　　（社　　　　　債）※3　　　88

　　※1　$(18,615 + 86) \times 4.15\% \times \dfrac{6月}{12月} = 388$（千円未満四捨五入）

　　※2　$20,000 \times 3\% \times \dfrac{6月}{12月} = 300$

　　※3　差額

④ 期首残高：$18,615 + 86 + 88 = 18,789$

(2) 社債利息の前T/B残高

9/30計上分300（下記10(3)①(b)参照）＋3/31計上分240（下記10(3)③(b)参照）＝540

　　∴　前T/B繰越利益剰余金：貸借差額により22,750

(3) 期中処理の修正

① ×22年9月30日（利払日）

(a) 適正な仕訳

（社　債　利　息）※1	390	（現　　　　　　金）※2	300
		（社　　　　　債）※3	90

※1　$(18,615＋86＋88)×4.15\%×\dfrac{6月}{12月}＝390$（千円未満四捨五入）

※2　$20,000×3\%×\dfrac{6月}{12月}＝300$

※3　差額

(b) 当社が行った仕訳

（社　債　利　息）	300	（現　　　　　　金）	300

(c) 修正仕訳（(a)－(b)）

（社　債　利　息）	90	（社　　　　　債）	90

② ×22年11月30日（買入消却）

(a) 適正な仕訳（収支は当座預金と仮定する。）

（社　　　　　債）※1	3,776	（当　座　預　金）※2	3,791
（社　債　利　息）※3	26	（社債買入消却損益）※4	11

※1　$(18,615＋86＋88＋90)×\dfrac{4,000}{20,000}＝3,776$（千円未満四捨五入）

※2　期首残高18,789（上記10(1)④参照）－前T/B 14,998＝3,791

※3　$3,776×4.15\%×\dfrac{2月}{12月}＝26$（千円未満四捨五入）

※4　差額

(b) 当社が行った仕訳（収支は当座預金と仮定する。）

（社　　　　　債）	3,791	（当　座　預　金）	3,791

(c) 修正仕訳（(a)－(b)）

（社　債　利　息）	26	（社　　　　　債）	15
		（社債買入消却損益）	11

③　×23年３月30日（利払日）

(a) 適正な仕訳

（社 債 利 息）※1	313	（現　　　　金）※2	240
		（社　　　債）※3	73

※1　$(18,615+86+88+90-3,776)\times 4.15\% \times \dfrac{6月}{12月}=313$（千円未満四捨五入）

※2　$(20,000-4,000)\times 3\% \times \dfrac{6月}{12月}=240$

※3　差額

(b) 当社が行った仕訳

（社 債 利 息）	240	（現　　　　金）	240

(c) 修正仕訳（(a)−(b)）

（社 債 利 息）	73	（社　　　債）	73

11　外貨建取引

（為 替 予 約）※1	200	（繰 延 税 金 負 債）※2	60
		（繰 延 ヘ ッ ジ 損 益）※3	140

※1　200千ドル×（予約日ＦＲ107円−決算日ＦＲ106円）＝200

※2　200×30％＝60

※3　差額

12　販売管理費の見越・繰延

（販 売 管 理 費）	460	（未 払 費 用）	460
（前 払 費 用）	126	（販 売 管 理 費）	126

13　法人税等

（法 人 税 等）※1	14,700	（仮 払 法 人 税 等）	7,500
		（未 払 法 人 税 等）※2	7,200

※1　(1) 税引前利益：収益321,242−費用273,242＝48,000

(2) 年税額：税引前利益48,000×30％＋法調300＝14,700

※2　差額

14 決算整理後残高試算表

決算整理後残高試算表

借 方 科 目		金　額	貸 方 科 目		金　額
現　　　　　金	①	760	支　払　手　形	㉓	11,938
当　座　預　金	②	61,860	買　　掛　　金	㉔	30,730
受　取　手　形	③	10,000	未　払　費　用	㉕	745
売　　掛　　金	④	55,300	未 払 法 人 税 等	㉖	7,200
有　価　証　券	⑤	10,400	賞　与　引　当　金		9,000
繰　越　商　品	⑥	23,820	貸　倒　引　当　金		1,474
前　払　費　用	⑦	126	リ　ー　ス　債　務	㉗	4,065
為　替　予　約	⑧	200	社　　　　　債	㉘	15,176
建　　　　　物	⑨	55,800	繰　延　税　金　負　債	㉙	165
備　　　　　品	⑩	7,200	資　　本　　金		90,000
リ　ー　ス　資　産	⑪	4,212	資　本　準　備　金		12,000
投　資　有　価　証　券	⑫	9,650	利　益　準　備　金		3,000
繰　延　税　金　資　産	⑬	2,760	繰　越　利　益　剰　余　金	㉚	22,750
仕　　　　　入	⑭	192,264	その他有価証券評価差額金	㉛	105
販　売　管　理　費	⑮	63,449	繰　延　ヘ　ッ　ジ　損　益	㉜	140
賞 与 引 当 金 繰 入 額	⑯	9,000	売　　　　　上	㉝	320,000
貸 倒 引 当 金 繰 入 額	⑰	730	有　価　証　券　運　用　損　益	㉞	1,030
減　価　償　却　費	⑱	6,353	受　取　配　当　金		150
保　証　債　務　費　用		36	保　証　債　務　取　崩　益	㉟	51
棚　卸　減　耗　費	⑲	396	社　債　買　入　消　却　損　益	㊱	11
支　払　利　息	⑳	285	法　人　税　等　調　整　額	㊲	300
社　債　利　息	㉑	729			
法　人　税　等	㉒	14,700			
合　　　　計		530,030	合　　　　計		530,030

※　□で囲まれた数字は配点を示す。

決算整理後残高試算表　　　　　　（単位：円）

借　方　科　目		金　額	貸　方　科　目		金　額
現　　　　　　金	2	700,000	支　払　手　形	2	770,000
当　座　預　金	2	23,623,080	買　　掛　　金		3,520,000
受　取　手　形		3,100,500	契　約　負　債	1	110,000
売　　掛　　金	1	6,699,000	短　期　借　入　金	1	4,295,000
繰　越　商　品	1	176,600	未　払　法　人　税　等	1	528,000
貯　　蔵　　品	1	2,000	未　払　消　費　税　等	1	1,250,400
未　収　収　益	1	27,000	未　払　費　用	1	70,703
建　　　　　　物	1	20,925,000	前　受　収　益	1	36,000
車　　　　　　両	1	3,575,000	賞　与　引　当　金	1	6,325,000
リ　ー　ス　資　産	1	2,335,000	貸　倒　引　当　金	1	1,411,395
土　　　　　　地		10,000,000	長　期　借　入　金		8,000,000
投　資　有　価　証　券	1	3,160,000	リ　ー　ス　債　務	1	2,100,540
破　産　更　生　債　権　等	1	990,000	退　職　給　付　引　当　金	1	30,218,000
長　期　定　期　預　金		6,000,000	繰　延　税　金　負　債	1	21,000
繰　延　税　金　資　産	1	11,208,420	資　　本　　金		18,000,000
仕　　　　　　入	1	40,177,000	資　本　準　備　金		3,000,000
見　本　品　費	1	13,000	利　益　準　備　金		300,000
人　　件　　費	1	12,598,000	別　途　積　立　金		1,000,000
賞　与　引　当　金　繰　入　額	1	6,325,000	繰　越　利　益　剰　余　金		9,273,272
退　職　給　付　費　用	1	5,038,000	その他有価証券評価差額金	1	49,000
減　価　償　却　費	1	1,980,250	売　　上　　高	1	74,042,500
修　　繕　　費	1	2,000,000	受　取　利　息　配　当　金	1	70,800
貸　倒　引　当　金　繰　入　額	1	834,795	有　価　証　券　利　息	1	28,000
租　税　公　課	1	128,200	雑　　収　　入		11,000
そ　の　他　営　業　費	1	1,103,192			
棚　卸　減　耗　損	1	2,600			
支　払　利　息	1	255,063			
為　替　差　損　益	1	90,000			
雑　　損　　失	1	14,700			
商　品　廃　棄　損	1	7,800			
車　両　売　却　損	2	60,000			
投　資　有　価　証　券　評　価　損	1	320,000			
法　人　税　等	1	960,000			
法　人　税　等　調　整　額	1	1,410			
合　　　　　計		164,430,010	合　　　　　計		164,430,010

【配　点】　2 ×3カ所　1 ×44カ所　　合計50点

解答への道

I 本問のポイント

本問は、ボリュームはやや多いが、基本的な内容が多く出題されているため、慎重かつ丁寧に解答を行っていけば高得点が獲得できる問題である。本試験では基本的な内容の正解しやすい問題をミスなく正解することが重要であるため、本問のような難易度の問題では高得点を取らなければならない。

II 具体的解説 （単位：円）

1 現金等

(1) その他営業費の誤処理

① 適正な仕訳

（その他営業費）※1	10,000	（現　　　　　金）	11,000
（仮払消費税等）※2	1,000		

$$※1 \quad 11,000 \times \frac{1}{1.1} = 10,000$$

$$※2 \quad 11,000 \times \frac{0.1}{1.1} = 1,000$$

② 甲社が行った仕訳

（その他営業費）※1	1,000	（現　　　　　金）	1,100
（仮払消費税等）※2	100		

$$※1 \quad 1,100 \times \frac{1}{1.1} = 1,000$$

$$※2 \quad 1,100 \times \frac{0.1}{1.1} = 100$$

③ 修正仕訳（①－②）

（その他営業費）	9,000	（現　　　　　金）	9,900
（仮払消費税等）	900		

(2) Z社振出小切手

（売　　掛　　金）	110,000	（契　約　負　債）	110,000

(3) X社振出小切手

（現　　　　　金）	550,000	（当　座　預　金）	550,000

(4) 収入印紙

（租　税　公　課）	2,200	（貯　　蔵　　品）	2,200
（貯　　蔵　　品）	2,000	（租　税　公　課）	2,000

(5) クーポン利息

(現　　　　　　　金)　　18,000　　　(有 価 証 券 利 息)　　18,000

(6) 仮払金精算書

(その 他 営 業 費)※1　52,000　　　(仮　　　払　　　金)　　60,000

(仮 払 消 費 税 等)※2　　5,200

(現　　　　　　　金)※3　　2,800

※1　$57,200 \times \dfrac{1}{1.1} = 52,000$

※2　$57,200 \times \dfrac{0.1}{1.1} = 5,200$

※3　差額

(7) 原因不明分

(雑　　損　　失)　　1,200　　　(現　　　　　　　金)※　　1,200

※　① 実際有高：通貨22,000＋Z社小切手110,000＋X社小切手550,000

　　　　　　　　＋クーポン18,000＝700,000

　　② 帳簿残高：前T/B 140,300－9,900＋550,000＋18,000＋2,800＝701,200

　　③ ①－②＝△1,200

2　当座預金

(1) A銀行

① 時間外預入 ⇨ 仕訳不要

② 売掛金の振込未記帳

(当 座 預 金)※1　1,976,700　　　(売　　掛　　金)　　1,980,000

(そ の 他 営 業 費)※2　　3,000

(仮 払 消 費 税 等)※3　　　300

※1　1,980,000－3,300＝1,976,700

※2　$3,300 \times \dfrac{1}{1.1} = 3,000$

※3　$3,300 \times \dfrac{0.1}{1.1} = 300$

③ 支払手形の決済

(支　払　手　形)　　880,000　　　(当　座　預　金)　　880,000

(2) B銀行

① その他営業費の引落未記帳

(そ の 他 営 業 費)※1　300,000　　　(当　座　預　金)　　330,000

(仮 払 消 費 税 等)※2　30,000

※1　$330,000 \times \dfrac{1}{1.1} = 300,000$

※2　$330,000 \times \dfrac{0.1}{1.1} = 30,000$

②　X社振出小切手の未預入　⇨　上記1(3)参照

③　未取付小切手　⇨　仕訳不要

④　売掛金の振込未記帳

（当　座　預　金）　　　　605,000　　　（売　　掛　　金）　　　　605,000

⑤　短期借入金への振替

（当　座　預　金）　　　　95,000　　　（短　期　借　入　金）※　　95,000

　　※　帳簿180,000－330,000－550,000＋605,000＝△95,000

3　長期定期預金

（未　収　収　益）※　　27,000　　　（受取利息配当金）　　　27,000

　　※　$6,000,000 \times 1.8\% \times \dfrac{3月}{12月} = 27,000$

4　売掛金

(1) W社

（売　　上　　高）※2　　50,000　　　（売　　掛　　金）※1　　55,000

（仮受消費税等）※3　　5,000

　　※1　2,585,000－605,000－1,925,000＝55,000

　　※2　$55,000 \times \dfrac{1}{1.1} = 50,000$

　　※3　$55,000 \times \dfrac{0.1}{1.1} = 5,000$

(2) X社

（売　　上　　高）※2　　45,000　　　（売　　掛　　金）※1　　49,500

（仮受消費税等）※3　　4,500

　　※1　1,386,000－1,336,500＝49,500

　　※2　$49,500 \times \dfrac{1}{1.1} = 45,000$

　　※3　$49,500 \times \dfrac{0.1}{1.1} = 4,500$

(3) Y社

（売　　上　　高）※2　　90,000　　　（売　　掛　　金）※1　　99,000

（仮受消費税等）※3　　9,000

$$※1 \quad 3,811,500-1,980,000-1,732,500=99,000$$

$$※2 \quad 99,000 \times \frac{1}{1.1}=90,000$$

$$※3 \quad 99,000 \times \frac{0.1}{1.1}=9,000$$

(4) Z社

(売　上　高)※2	22,500		(売　掛　金)※1	24,750		
(仮受消費税等)※3	2,250					
(見　本　品　費)※4	13,000		(仕　入)	13,000		

$$※1 \quad 1,399,750+110,000-1,485,000=24,750$$

$$※2 \quad 24,750 \times \frac{1}{1.1}=22,500$$

$$※3 \quad 24,750 \times \frac{0.1}{1.1}=2,250$$

※4　@260（下記5(1)参照）×50個=13,000

5　商品

(1) 平均単価：$\dfrac{1,600個 \times @240+5,000個 \times @250+2,400個 \times @260+2,000個 \times @271+3,000個 \times @280}{1,600個+5,000個+2,400個+2,000個+3,000個}=@260$

(2) 廃棄

(商　品　廃　棄　損)※	7,800		(仕　入)	7,800	

※　@260×30個=7,800

(3) 売上原価の算定等

(仕　入)	92,000		(繰　越　商　品)	92,000
(繰　越　商　品)※1	187,200		(仕　入)	187,200
(棚　卸　減　耗　損)※2	2,600		(繰　越　商　品)	2,600
(仕　入)※3	8,000		(繰　越　商　品)	8,000

※1　① 期末帳簿数量：受入(1,600個+5,000個+2,400個+2,000個+3,000個)

　　　　　　－払出(4,000個+50個+3,000個+3,700個－200個+2,800個－100個)

　　　　　　－廃棄30個=720個

　　　② 期末帳簿棚卸高：@260×720個=187,200

※2　@260×(720個－710個)=2,600

※3　① 甲社販売価格（単価）：45,000÷100個=@450

　　　② 評価損：(@260－@450×40%)×100個=8,000

6 貸倒引当金

(1) 破産更生債権等への振替処理（V社債権）

（破 産 更 生 債 権 等）	990,000	（売 掛 金）	990,000

(2) 貸倒れ（U社債権）

（仮 受 消 費 税 等）※1	72,000	（破 産 更 生 債 権 等）	792,000
（貸 倒 引 当 金）※2	720,000		

※1　$792,000 \times \dfrac{0.1}{1.1} = 72,000$

※2　差額

(3) 貸倒引当金の計上

（貸倒引当金繰入額）	834,795	（貸 倒 引 当 金）※	834,795

※　① 破産更生債権等：$990,000 \times 100\% = 990,000$

② 貸倒懸念債権：$(440,000 + 220,000) \times 50\% = 330,000$

③ 一般債権

(a) 受取手形：3,100,500

(b) 売掛金：$10,392,250 + 110,000 - 1,980,000 - 605,000 - 55,000 - 49,500 - 99,000$
$- 24,750 - 990,000 = 6,699,000$

(c) $\{(a) + (b) - 懸念(440,000 + 220,000)\} \times 1\% = 91,395$

④ ① + ② + ③ - $(1,296,600 - 720,000) = 834,795$

(4) 税効果会計

（法 人 税 等 調 整 額）	18,810	（繰 延 税 金 資 産）※	18,810

※　① 当期末一時差異

(a) 貸倒懸念債権：$330,000 - (440,000 + 220,000) \times 1\% = 323,400$

(b) 破産更生債権等：$990,000 - 990,000 \times 50\% = 495,000$

(c) (a) + (b) = 818,400

② 前期末一時差異

(a) 貸倒懸念債権：$990,000 \times 50\% - 990,000 \times 1\% = 485,100$

(b) 破産更生債権等：$792,000 \times 100\% - 792,000 \times 50\% = 396,000$

(c) (a) + (b) = 881,100

③ $818,400 \times 30\% - 881,100 \times 30\% = \triangle 18,810$

7 有形固定資産

(1) 建物

① 改修費の修正

(a) 適正な仕訳

(建 物) ※1	6,000,000	(当 座 預 金)	8,800,000
(修 繕 費) ※2	2,000,000		
(仮 払 消 費 税 等) ※3	800,000		

※1　$6,600,000 \times \dfrac{1}{1.1} = 6,000,000$

※2　$(8,800,000 - 6,600,000) \times \dfrac{1}{1.1} = 2,000,000$

※3　$8,800,000 \times \dfrac{0.1}{1.1} = 800,000$

(b) 甲社が行った仕訳

| (建 物) ※1 | 8,000,000 | (当 座 預 金) | 8,800,000 |
| (仮 払 消 費 税 等) ※2 | 800,000 | | |

※1　$8,800,000 \times \dfrac{1}{1.1} = 8,000,000$

※2　$8,800,000 \times \dfrac{0.1}{1.1} = 800,000$

(c) 修正仕訳（(a)−(b)）

| (修 繕 費) | 2,000,000 | (建 物) | 2,000,000 |

② 減価償却費の計上

| (減 価 償 却 費) ※ | 825,000 | (建 物) | 825,000 |

※　(a) 既存分

　　イ　期首帳簿価額：$23,750,000 - 8,000,000 = 15,750,000$

　　ロ　取得価額（ x とおく。）：$x - x \times \dfrac{19\,年}{40\,年} = 15,750,000$

　　　　　　　　　　　　　　　$x = 30,000,000$

　　ハ　減価償却費：$30,000,000 \times \dfrac{1\,年}{40\,年} = 750,000$

　　(b) 資本的支出分：$6,000,000 \times \dfrac{1\,年}{40\,年} \times \dfrac{6\,月}{12\,月} = 75,000$

　　(c) (a) + (b) = 825,000

(2) 車両

① 買換の修正

(a) 適正な仕訳

（減 価 償 却 費）※2	480,000		（車　　　　　両）※1	840,000
（車 両 売 却 損）※3	60,000		（仮 受 消 費 税 等）※4	30,000
（車　　　　　両）※6	3,900,000		（当 座 預 金）※5	3,960,000
（仮 払 消 費 税 等）※7	390,000			

※1　$4,440,000 - (4,290,000 - 330,000) \times \dfrac{1}{1.1} = 840,000$

※2　イ　取得価額（ｘとおく。）：$x - x \times \dfrac{46 月}{60 月} = 840,000$

$x = 3,600,000$

ロ　$3,600,000 \times \dfrac{1 年}{5 年} \times \dfrac{8 月}{12 月} = 480,000$

※3　$330,000 \times \dfrac{1}{1.1} - (840,000 - 480,000) = \triangle 60,000$

※4　$330,000 \times \dfrac{0.1}{1.1} = 30,000$

※5　$4,290,000 - 330,000 = 3,960,000$

※6　$4,290,000 \times \dfrac{1}{1.1} = 3,900,000$

※7　$4,290,000 \times \dfrac{0.1}{1.1} = 390,000$

(b) 甲社が行った仕訳

（車　　　　　両）※2	3,600,000		（当 座 預 金）※1	3,960,000
（仮 払 消 費 税 等）※3	360,000			

※1　$4,290,000 - 330,000 = 3,960,000$

※2　$3,960,000 \times \dfrac{1}{1.1} = 3,600,000$

※3　$3,960,000 \times \dfrac{0.1}{1.1} = 360,000$

(c) 修正仕訳（(a)−(b)）

（減 価 償 却 費）	480,000		（車　　　　　両）	540,000
（車 両 売 却 損）	60,000		（仮 受 消 費 税 等）	30,000
（仮 払 消 費 税 等）	30,000			

② 減価償却費の計上

（減 価 償 却 費）※	325,000		（車　　　　　両）	325,000

$$※ \quad 3,900,000 \times \frac{1 \, 年}{5 \, 年} \times \frac{5 \, 月}{12 \, 月} = 325,000$$

(3) リース資産

① リース資産の取得価額：$375,000 \times 7.4720 = 2,802,000$

② 前T/B残高

(a) リース資産：$2,802,000 - 2,802,000 \times \dfrac{1 \, 年}{8 \, 年} \times \dfrac{4 \, 月}{12 \, 月} = 2,685,250$

(b) リース債務：$2,802,000 - 375,000 = 2,427,000$

(c) 未払費用：$2,427,000 \times 2 \, \% \times \dfrac{4 \, 月}{12 \, 月} = 16,180$

③ 期首再振替

（未　払　費　用）	16,180	（支　払　利　息）	16,180

④ リース料支払時の修正

（支　払　利　息）※1	48,540	（そ の 他 営 業 費）	375,000
（リ　ー　ス　債　務）※2	326,460		

※1　$2,427,000 \times 2 \, \% = 48,540$

※2　差額

⑤ 減価償却費の計上

（減 価 償 却 費）※	350,250	（リ　ー　ス　資　産）	350,250

※　$2,802,000 \times \dfrac{1 \, 年}{8 \, 年} = 350,250$

⑥ 支払利息の見越計上

（支　払　利　息）※	14,003	（未　払　費　用）	14,003

※　$(2,427,000 - 326,460) \times 2 \, \% \times \dfrac{4 \, 月}{12 \, 月} = 14,003$（円未満切捨）

8　有価証券

(1) K社社債

① 債券金額：クーポン利息$18,000 \div$クーポン利子率$1 \, \% = 1,800,000$

② 前T/B残高：$1,740,000 + (1,800,000 - 1,740,000) \times \dfrac{24 \, 月}{72 \, 月} = 1,760,000$

∴　前T/B投資有価証券：K債$1,760,000 +$L株$240,000 +$M株$800,000 +$N株$600,000$

$$= 3,400,000$$

③ 償却原価法

（投 資 有 価 証 券）※	10,000	（有 価 証 券 利 息）	10,000

※　$(1,800,000-1,740,000) \times \dfrac{1\text{年}}{6\text{年}} = 10,000$

(2)　L社株式（前期末に減損処理を行っている。）

| （投 資 有 価 証 券）※1 | 20,000 | （繰 延 税 金 負 債）※2 | 6,000 |
| | | （その他有価証券評価差額金）※3 | 14,000 |

　※1　当期末時価260,000－帳簿価額240,000＝20,000

　※2　20,000×30％＝6,000

　※3　差額

(3)　M社株式

| （投 資 有 価 証 券）※1 | 50,000 | （繰 延 税 金 負 債）※2 | 15,000 |
| | | （その他有価証券評価差額金）※3 | 35,000 |

　※1　当期末時価850,000－帳簿価額800,000＝50,000

　※2　50,000×30％＝15,000

　※3　差額

(4)　N社株式

| （投資有価証券評価損） | 320,000 | （投 資 有 価 証 券）※ | 320,000 |

　※　当期末時価280,000－帳簿価額600,000＝△320,000　50％以上下落しているため減損
　　　処理を行う。

9　賞与引当金

(1)　賞与支給時の修正

| （賞 与 引 当 金） | 5,665,000 | （人　　件　　費） | 5,665,000 |

(2)　賞与引当金の計上

| （賞与引当金繰入額） | 6,325,000 | （賞 与 引 当 金）※ | 6,325,000 |

　※　①　$6,900,000 \times \dfrac{5\text{月}}{6\text{月}} = 5,750,000$

　　　②　法定福利費：5,750,000×10％＝575,000

　　　③　①＋②＝6,325,000

(3)　税効果会計

| （繰 延 税 金 資 産）※ | 198,000 | （法 人 税 等 調 整 額） | 198,000 |

　※　6,325,000×30％－5,665,000×30％＝198,000

10　退職給付引当金

(1)　期首（前T/B）退職給付引当金残高：債務75,000,000－年資44,000,000－数差(450,000
　　　　　　　　　　　　　　　　　　　　－270,000)＝30,820,000

(2) 退職給付費用の計上（期首分）

（退 職 給 付 費 用）※　　5,022,500　　　　　（退 職 給 付 引 当 金）　　5,022,500

※　①　勤務費用：4,800,000

②　利息費用：75,000,000×1.5％＝1,125,000

③　期待運用収益：44,000,000×2％＝880,000

④　数理計算上の差異の償却額

(a)　X17年度発生分：$270,000 \times \dfrac{1\text{年}}{5\text{年}-3\text{年}} = 135,000$

(b)　X19年度発生分：$450,000 \times \dfrac{1\text{年}}{5\text{年}-1\text{年}} = 112,500$

(c)　(a)－(b)＝22,500（有利差異）

⑤　①＋②－③－④＝5,022,500

(3) 当期支出額の修正

（退 職 給 付 引 当 金）　　5,640,000　　　　（退 職 給 付 費 用）　　5,640,000

(4) 当期発生数理計算上の差異の償却

（退 職 給 付 費 用）※　　15,500　　　　　　（退 職 給 付 引 当 金）　　15,500

※　①　退職給付債務

(a)　期末見込額：期首75,000,000＋勤務4,800,000＋利息1,125,000

　　　　　　　　　－給付4,200,000＝76,725,000

(b)　数理差異発生額：実際76,780,500－見込76,725,000＝55,500（不利差異）

②　年金資産

(a)　期末見込額：期首44,000,000＋期待880,000＋掛金2,640,000－給付{4,200,000

　　　　　　　　　－(5,640,000－2,640,000)}＝46,320,000

(b)　数理差異発生額：見込46,320,000－実際46,298,000＝22,000（不利差異）

③　当期発生額：①＋②＝77,500（不利差異）

④　当期償却額：$77,500 \times \dfrac{1\text{年}}{5\text{年}} = 15,500$

(5) 税効果会計

（法 人 税 等 調 整 額）　　180,600　　　　　（繰 延 税 金 資 産）※　　180,600

※　①　期末退引：30,820,000＋5,022,500－5,640,000＋15,500＝30,218,000

②　30,218,000×30％－30,820,000×30％＝△180,600

11　借入金

(1) 直々差額

（為 替 差 損 益）　　90,000　　　　　　　　（短 期 借 入 金）※　　90,000

※　30,000ドル×予約日ＳＲ142－帳簿価額4,170,000＝90,000

(2) 直先差額

（短　期　借　入　金）※1　　60,000　　　（支　払　利　息）※2　　24,000

　　　　　　　　　　　　　　　　　　　　　（前　受　収　益）※3　　36,000

※1　30,000ドル×予約日ＦＲ140－30,000ドル×予約日ＳＲ142＝△60,000

※2　$60,000 \times \dfrac{2月}{5月} = 24,000$

※3　差額

(3) 支払利息の見越計上

（支　払　利　息）　　56,700　　　（未　払　費　用）※　　56,700

※　$30,000ドル \times 1.8\% \times \dfrac{9月}{12月} \times ＦＲ140 = 56,700$

12　消費税等及び法人税等

(1) 消費税等

（仮 受 消 費 税 等）※1　7,359,250　　（仮 払 消 費 税 等）※2　5,508,850

　　　　　　　　　　　　　　　　　　　　　　（仮　　　払　　　金）　　600,000

　　　　　　　　　　　　　　　　　　　　　　（未 払 消 費 税 等）※3　1,250,400

※1　前T/B 7,422,000－5,000－4,500－9,000－2,250－72,000＋30,000＝7,359,250

※2　前T/B 5,442,450＋900＋5,200＋300＋30,000＋30,000＝5,508,850

※3　差額

(2) 法人税等

（法　人　税　等）※1　960,000　　　（仮　　　払　　　金）　　432,000

　　　　　　　　　　　　　　　　　　　　（未 払 法 人 税 等）※2　528,000

※1　(1) 税引前当期純利益：収益74,152,300－費用70,947,600＝3,204,700

　　　(2) 年税額：3,204,700×30％－法調1,410＝960,000

※2　差額

※　□で囲まれた数字は配点を示す。

決算整理後残高試算表　　　　　　　　（単位：千円）

借　方　科　目	金　額		貸　方　科　目	金　額	
現　金　預　金	2	142,379	支　払　手　形	1	65,989
受　取　手　形	1	92,652	買　　掛　　金		149,924
売　　掛　　金	1	277,098	短　期　借　入　金	1	26,950
有　価　証　券	1	1,920	未　払　法　人　税　等	1	33,437
繰　越　商　品	1	65,080	未　払　費　用	1	1,341
未　収　収　益	1	450	賞　与　引　当　金	1	9,000
建　　　　　物		120,000	貸　倒　引　当　金	1	10,918
器　具　備　品		32,000	長　期　借　入　金		35,000
リ　ー　ス　資　産	1	45,460	社　　　　　債	1	77,164
土　　　　　地		200,000	リ　ー　ス　債　務	1	27,233
投　資　有　価　証　券	1	47,825	減　価　償　却　累　計　額	1	68,011
破　産　更　生　債　権　等	1	8,000	退　職　給　付　引　当　金	1	166,480
繰　延　税　金　資　産	1	54,312	繰　延　税　金　負　債	1	720
自　己　株　式	1	400	資　　本　　金	1	139,000
仕　　　　　入	1	1,019,523	資　本　準　備　金	1	29,000
商　品　評　価　損	1	342	その他資本剰余金	1	370
営　　業　　費	1	584,399	利　益　準　備　金	1	10,000
賞　与　引　当　金　繰　入　額	1	9,000	別　途　積　立　金	1	42,880
退　職　給　付　費　用	1	17,880	繰　越　利　益　剰　余　金	1	65,534
減　価　償　却　費	1	16,442	その他有価証券評価差額金	1	1,260
貸　倒　引　当　金　繰　入　額	1	9,518	売　　　　　上	1	1,840,632
貸　倒　損　失	1	2,200	受　取　利　息　・　配　当　金	1	2,123
支　払　利　息	1	3,390	有　価　証　券　運　用　損　益	1	2,220
社　債　利　息	1	3,496	為　替　差　損　益	1	1,950
棚　卸　減　耗　費	1	210	社　債　償　還　損　益	1	372
雑　　損　　失	1	147	投　資　有　価　証　券　売　却　損　益	1	1,200
法　人　税　等	1	57,537	法　人　税　等　調　整　額	1	2,952
合　　　　　計		2,811,660	合　　　　　計		2,811,660

【配　点】　2×1カ所　　1×48カ所　　合計50点

解答への道

Ⅰ 本問のポイント

本問は社債や退職給付会計など難易度の高いものが含まれているため、まずは難易度の低い論点を優先的に解答し、残った時間で難易度の高いものを解答することができたか、取捨選択と時間配分がポイントであった。本試験では難易度の低いものを確実に得点することが最も重要であるため、取捨選択と時間配分は重要な要素となる。

Ⅱ 具体的解説 （単位：千円）

1 現金預金

(1) 現金

① 営業費の未記帳

| （営　業　費） | 162 | （現　金　預　金） | 162 |

② 利息の受取

| （現　金　預　金） | 400 | （受取利息・配当金） | 500 |
| （仮　払　金） | 100 | | |

③ 原因不明分

| （雑　　損　　失） | 12 | （現　金　預　金）※ | 12 |

※ (a) 実際有高：466

(b) 帳簿残高：240－162＋400＝478

(c) (a)－(b)＝△12

(2) 銀行勘定調整

① 引落未記帳 → 当社側減算

| （支　払　手　形） | 900 | （現　金　預　金） | 900 |

② 時間外預入 → 銀行側加算

③ 未取付小切手 → 銀行側減算

④ 銀行勘定調整表

銀 行 勘 定 調 整 表

当座預金出納帳残高	△	1,050	銀行残高証明書の金額	△	2,180
① 引　落　未　記　帳	△	900	② 時　間　外　預　入	＋	450
			③ 未　取　付　小　切　手	△	220
	△	1,950		△	1,950

⑤ 短期借入金への振替（当座借越）

| （現　金　預　金）※ | 1,950 | （短　期　借　入　金） | 1,950 |

※ 上記④参照

—164—

2 売掛金

(1) M社（返品）

| （売 上) | 1,400 | （売 掛 金)※ | 1,400 |

※ 当社帳簿残高3,600－A社回答額2,200＝1,400

(2) O社（貸倒処理）

| （貸 倒 引 当 金)※2 | 1,800 | （売 掛 金) | 4,000 |
| （貸 倒 損 失)※1 | 2,200 | | |

※1 当期発生分

※2 差額

(3) 期末換算替

| （売 掛 金)※ | 2,100 | （為 替 差 損 益) | 2,100 |

※ 300千ドル×ＣＲ135円－帳簿価額38,400＝2,100

3 商品

(1) 見本品の提供

| （営 業 費) | 532 | （仕 入) | 532 |

(2) 売上原価の算定

| （仕 入) | 86,234 | （繰 越 商 品) | 86,234 |
| （繰 越 商 品)※ | 65,632 | （仕 入) | 65,632 |

※ 帳簿棚卸高：65,164＋返品1,000－見本品532＝65,632

(3) 減耗

| （棚 卸 減 耗 費) | 210 | （繰 越 商 品)※ | 210 |

※ 実地棚卸高：64,422＋返品1,000＝65,422

∴ 帳簿棚卸高65,632－実地棚卸高65,422＝210

(4) 評価損

| （商 品 評 価 損) | 342 | （繰 越 商 品)※ | 342 |

※ 原価1,000－正味売却価額658＝342

4 貸倒引当金

(1) 破産更生債権等

① 破産更生債権等への振替処理

| （破 産 更 生 債 権 等) | 8,000 | （受 取 手 形) | 5,000 |
| | | （売 掛 金) | 3,000 |

② 貸倒引当金の計上

| （貸倒引当金繰入額)※ | 6,000 | （貸 倒 引 当 金) | 6,000 |

※ （8,000－2,000）×100％＝6,000

(2) 貸倒懸念債権

（貸倒引当金繰入額）※	2,000	（貸 倒 引 当 金）	2,000

※　{(受取手形3,000＋売掛金2,000)－担保1,000}×50％＝2,000

(3) 一般債権

（貸倒引当金繰入額）※	1,518	（貸 倒 引 当 金）	1,518

※　{受手(97,652－5,000)＋売掛(283,398－1,400－4,000＋2,100－3,000)－懸念5,000}

　　×0.8％－(前T/B貸引3,200－貸倒1,800)＝1,518

(4) 税効果会計

（繰 延 税 金 資 産）※	1,488	（法 人 税 等 調 整 額）	1,488

※　{(6,000＋2,000＋2,918)－限度5,958}×30％＝1,488

5　有価証券

(1) W社株式（売買目的有価証券）

① 期首振戻処理

（有価証券運用損益）	100	（有 価 証 券）※	100

※　取得価額@20×100株－前期末時価@21×100株＝△100

② 取得時の修正

（有 価 証 券）	15,600	（仮 払 金）	15,600

③ 売却時の修正

（仮 受 金）	18,000	（有 価 証 券）※1	15,840
		（有価証券運用損益）※2	2,160

※1　$(2,000＋15,600) \times \dfrac{720 株}{100 株＋700 株} ＝15,840$

※2　差額

④ 時価評価

（有 価 証 券）※	160	（有価証券運用損益）	160

※　当期末時価@24×(100株＋700株－720株)－帳簿価額(2,100－100＋15,600－15,840)

　　＝160

(2) X社社債（満期保有目的の債券）

① 期首残高（前T/B）：$20,000 \times \dfrac{92.5 円}{100 円} ＋(20,000－20,000 \times \dfrac{92.5 円}{100 円}) \times \dfrac{9 月}{60 月}$

　　　　＝18,725

② 期首未収収益（前T/B）：$20,000 \times 3 ％ \times \dfrac{9 月}{12 月} ＝450$

③ 期首再振替仕訳

（受取利息・配当金）	450	（未 収 収 益）	450

④　償却原価法

（投　資　有　価　証　券）※	300	（受　取　利　息・配　当　金）	300

$$※\quad (20,000-20,000\times\frac{92.5円}{100円})\times\frac{12月}{60月}=300$$

⑤　クーポン利息の見越計上

（未　　収　　収　　益）※	450	（受　取　利　息・配　当　金）	450

$$※\quad 20,000\times3\%\times\frac{9月}{12月}=450$$

(3)　Y社株式

①　期首振戻処理

（繰　延　税　金　負　債）※2	750	（投　資　有　価　証　券）※1	2,500
（その他有価証券評価差額金）※3	1,750		

※1　取得価額@30×500株－前期末時価@35×500株＝△2,500

※2　2,500×30％＝750（前T/B繰延税金負債）

※3　差額　∴　前T/Bその他有価証券評価差額金：1,750

②　売却の修正

（仮　　受　　金）	7,200	（投　資　有　価　証　券）※1	6,000
		（投資有価証券売却損益）※2	1,200

※1　@30×200株＝6,000

※2　差額

③　時価評価

（投　資　有　価　証　券）※1	2,400	（繰　延　税　金　負　債）※2	720
		（その他有価証券評価差額金）※3	1,680

※1　当期末時価@38×（500株－200株）－取得価額@30×（500株－200株）＝2,400

※2　2,400×30％＝720

※3　差額

(4)　Z社株式

①　取得時の修正

（投　資　有　価　証　券）	18,000	（仮　　払　　金）	18,000

②　時価評価

（繰　延　税　金　資　産）※2	180	（投　資　有　価　証　券）※1	600
（その他有価証券評価差額金）※3	420		

※1　当期末時価@58×300株－取得価額@60×300株＝△600

※2　600×30％＝180

※3　差額

(5) 前T/B投資有価証券：X社社債(満期)18,725（上記5(2)①)

$$+ Y社株式（その他）前期末時価@35×500株=36,225$$

6　有形固定資産

(1) 建物

（減 価 償 却 費）※	2,700	（減 価 償 却 累 計 額）	2,700

※　$120,000×0.9×\dfrac{1年}{40年}=2,700$

(2) 器具備品

① 器具備品A

イ　期首減価償却累計額：$20,000×\dfrac{4年}{10年}=8,000$

ロ　減価償却費

（減 価 償 却 費）※	2,400	（減 価 償 却 累 計 額）	2,400

※　$(20,000-8,000)×0.200=2,400$

② 器具備品B

イ　期首減価償却累計額：$12,000×\dfrac{2年}{8年}=3,000$

ロ　減価償却費

（減 価 償 却 費）※	2,250	（減 価 償 却 累 計 額）	2,250

※　$(12,000-3,000)×0.250=2,250$

(3) リース資産

① 前期の処理

(a) x15年7月1日

イ　リース取引開始日

（リ ー ス 資 産）※	45,460	（リ ー ス 債 務）	45,460

※　a　リース料総額の現在価値：$10,000+10,000×3.546=45,460$

b　見積現金購入価額：45,620

c　a＜b　∴　45,460

ロ　リース料の支払い

（リ ー ス 債 務）	10,000	（現 金 預 金）	10,000

(b) x16年3月31日

イ　減価償却

（減 価 償 却 費）※	6,819	（減 価 償 却 累 計 額）	6,819

※　$45,460 \times \dfrac{1\,年}{5\,年} \times \dfrac{9\,月}{12\,月} = 6,819$

ロ　支払利息の見越計上

| （支　払　利　息）※ | 1,330 | （未　払　費　用） | 1,330 |

※　$(45,460 - 10,000) \times 5\,\% \times \dfrac{9\,月}{12\,月} = 1,330$（千円未満四捨五入）

ハ　リース債務前期末残高（前T/B）：$45,460 - 10,000 = 35,460$

② 期首再振替仕訳

| （未　払　費　用） | 1,330 | （支　払　利　息） | 1,330 |

③ リース料の支払時の修正

| （支　払　利　息）※1 | 1,773 | （仮　　払　　金） | 10,000 |
| （リ　ー　ス　債　務）※2 | 8,227 | | |

※1　$35,460 \times 5\,\% = 1,773$

※2　差額

④ 減価償却

| （減　価　償　却　費）※ | 9,092 | （減価償却累計額） | 9,092 |

※　$45,460 \times \dfrac{1\,年}{5\,年} = 9,092$

⑤ 支払利息の見越計上

| （支　払　利　息）※ | 1,021 | （未　払　費　用） | 1,021 |

※　$(35,460 - 8,227) \times 5\,\% \times \dfrac{9\,月}{12\,月} = 1,021$（千円未満四捨五入）

7　賞与引当金

(1) 当期支給額の修正

| （賞　与　引　当　金）※ | 8,400 | （営　　業　　費） | 8,400 |

※　前T/Bより

(2) 賞与引当金の計上

| （賞与引当金繰入額）※ | 9,000 | （賞　与　引　当　金） | 9,000 |

※　$13,500 \times \dfrac{4\,月}{6\,月} = 9,000$

(3) 税効果会計

| （繰　延　税　金　資　産）※ | 180 | （法人税等調整額） | 180 |

※　$9,000 \times 30\,\% - 8,400 \times 30\,\% = 180$

8　退職給付引当金

(1)　退職給付費用の計上（期首分）

（退 職 給 付 費 用）※　　　17,680　　　　（退 職 給 付 引 当 金）　　　17,680

　　※　①　勤務費用：12,000

　　　　②　利息費用及び期待運用収益：164,000（＊）×2％＝3,280

　　　　　＊　期首未積立退職給付債務：期首退引162,200＋期首未認識数理差異1,800

　　　　　　　　　　　　　　　　　　　＝164,000

　　　　　　期首退職給付債務及び期首年金資産が不明であるが、割引率と長期期待運用収
　　　　　益率が同率であるため、期首未積立退職給付債務に割引率及び長期期待運用収益
　　　　　率（2％）を乗じることにより、利息費用と期待運用収益をまとめて算定する。

　　　　③　数理計算上の差異の償却額

　　　　　(a)　前々期分：$3,000×\dfrac{1年}{3年-2年}＝3,000$

　　　　　(b)　前期分：$1,200×\dfrac{1年}{3年-1年}＝600$

　　　　　(c)　(a)－(b)＝2,400

　　　　④　①＋②＋③＝17,680

(2)　当期支出額の修正

（退 職 給 付 引 当 金）※　　　13,600　　　　（営　　業　　費）　　　13,600

　　※　掛金3,600＋一時金10,000＝13,600

(3)　当期発生数理計算上の差異の償却

（退 職 給 付 費 用）※　　　200　　　　（退 職 給 付 引 当 金）　　　200

　　※　①　数理計算上の差異の当期発生額

　　　　　(a)　期末未積立退職給付債務：期末債務257,400－期末資産91,120＝166,280

　　　　　(b)　退職給付引当金：162,200＋17,680－13,600＝166,280

　　　　　(c)　未認識数理計算上の差異（前期分）＝1,200－600＝600（貸方差異）

　　　　　(d)　当期発生額：(a)＋(c)－(b)＝600（借方差異）

　　　　②　当期償却額：$600×\dfrac{1年}{3年}＝200$

(4)　税効果会計

（繰 延 税 金 資 産）※　　　1,284　　　　（法 人 税 等 調 整 額）　　　1,284

　　※　当期末退引(166,280＋200)×30％－162,200×30％＝1,284

9 社債

(1) 社債簿価（償却原価）の計算表

日　　付	利息配分額	クーポン利息	償却額	帳簿価額
x14年8月1日	－	－	－	92,800
x15年1月31日	1,856	1,200	656	93,456
x15年7月31日	1,869	1,200	669	94,125
x16年1月31日	1,883	1,200	683	94,808

(2) x16年3月31日（前期末見越計上）

（社　債　利　息）※1	632	（未　払　費　用）※2	400
		（社　　　　　債）※3	232

※1　$94,808 \times 4.0\% \times \dfrac{2月}{12月} = 632$（千円未満四捨五入）

※2　$100,000 \times 2.4\% \times \dfrac{2月}{12月} = 400$

※3　差額

(3) 期首再振替仕訳

（未　払　費　用）	400	（社　債　利　息）	632
（社　　　　　債）	232		

(4) 利払日（x16年7月31日）の修正

① 適正な仕訳

（社　債　利　息）※1	1,896	（現　金　預　金）※2	1,200
		（社　　　　　債）※3	696

※1　$94,808 \times 4.0\% \times \dfrac{6月}{12月} = 1,896$（千円未満四捨五入）

※2　$100,000 \times 2.4\% \times \dfrac{6月}{12月} = 1,200$

※3　差額

② 当社が行った仕訳

（社　債　利　息）	1,200	（現　金　預　金）	1,200

③ 修正仕訳（①－②）

（社　債　利　息）	696	（社　　　　　債）	696

(5) 買入消却の修正

（社　　　　　債）※1	19,101	（仮　　払　　金）※3	18,920
（社　債　利　息）※2	191	（社債償還損益）※4	372

※1　$(94,808＋696)×\dfrac{20,000}{100,000}＝19,101$（千円未満四捨五入）

※2　$19,101×4.0％×\dfrac{3月}{12月}＝191$（千円未満四捨五入）

※3　$20,000×\dfrac{@94円}{@100円}＋20,000×2.4％×\dfrac{3月}{12月}＝18,920$

※4　差額

(6) 利払日（ｘ17年1月31日）の修正

① 適正な仕訳

（社　債　利　息）※1	1,528	（現　金　預　金）※2	960
		（社　　　　　債）※3	568

※1　$(94,808＋696－19,101)×4.0％×\dfrac{6月}{12月}＝1,528$（千円未満四捨五入）

※2　$(100,000－20,000)×2.4％×\dfrac{6月}{12月}＝960$

※3　差額

② 当社が行った仕訳

（社　債　利　息）	960	（現　金　預　金）	960

③ 修正仕訳（①－②）

（社　債　利　息）	568	（社　　　　　債）	568

(7) 社債利息の見越計上

（社　債　利　息）※1	513	（未　払　費　用）※2	320
		（社　　　　　債）※3	193

※1　$(94,808＋696－19,101＋568)×4.0％×\dfrac{2月}{12月}＝513$（千円未満四捨五入）

※2　$(100,000－20,000)×2.4％×\dfrac{2月}{12月}＝320$

※3　差額

10　株主資本等

(1) 増資

（新株式申込証拠金）	18,000	（資　　本　　金）※	9,000
		（資　本　準　備　金）※	9,000

※　$18,000×\dfrac{1}{2}＝9,000$

(2) 配当及び別途積立金の取り崩し（ｘ16年6月）

| (繰越利益剰余金) ※ | 5,000 | (仮　　払　　金) | 5,000 |
| (別 途 積 立 金) | 10,000 | (繰越利益剰余金) | 10,000 |

　　※　@10円×500,000株＝5,000

　　　（注）利益準備金積立額

　　　　　　資本金(130,000＋9,000)×$\frac{1}{4}$－{資準(20,000＋9,000)＋利準10,000}

　　　　　　＝△4,250

　　　　　　∴　利益準備金の積立なし

(3) 自己株式の取得（ｘ16年7月）

| (自 己 株 式) ※ | 800 | (仮　　払　　金) | 800 |

　　※　@400円×2,000株＝800

(4) 配当（ｘ16年11月）

| (繰越利益剰余金) ※ | 5,480 | (仮　　払　　金) | 5,480 |

　　※　@10円×(500,000株＋50,000株－2,000株)＝5,480

　　　（注）利益準備金積立額

　　　　　　資本金(130,000＋9,000)×$\frac{1}{4}$－{資準(20,000＋9,000)＋利準10,000}

　　　　　　＝△4,250

　　　　　　∴　利益準備金の積立なし

(5) 自己株式の処分（ｘ16年12月）

| (仮　　受　　金) ※1 | 420 | (自 己 株 式) ※2 | 400 |
| | | (その他資本剰余金) ※3 | 20 |

　　※1　@420円×1,000株＝420

　　※2　@400円×1,000株＝400

　　※3　差額

11　法人税等

| (法 人 税 等) ※1 | 57,537 | (仮　　払　　金) ※2 | 24,100 |
| | | (未 払 法 人 税 等) ※3 | 33,437 |

　　※1　(1) 税引前当期純利益：収益1,848,497－費用1,666,547＝181,950

　　　　　(2) 181,950×30％＋法調2,952＝57,537

　　※2　中間納付24,000＋源泉100＝24,100

　　※3　差額

※ □で囲まれた数字は配点を示す。

修正後の決算整理後残高試算表 （単位：千円）

借 方			貸 方		
勘 定 科 目		金 額	勘 定 科 目		金 額
現 金 預 金	2	16,298	支 払 手 形		87,500
受 取 手 形		98,000	買 掛 金	1	42,750
売 掛 金	2	51,100	未 払 金	1	1,315
商 品	2	26,140	未 払 費 用	1	1,215
貯 蔵 品	2	30	未 払 法 人 税 等	1	9,500
有 価 証 券	2	29,800	貸 倒 引 当 金	1	2,491
未 収 収 益	1	150	賞 与 引 当 金	2	9,600
建 物		232,500	リ ー ス 債 務	2	48,600
車 両		4,500	社 債	2	18,980
備 品	1	1,700	退 職 給 付 引 当 金	2	21,500
リ ー ス 資 産	1	43,740	繰 延 税 金 負 債	2	600
土 地		100,000	資 本 金		165,000
ソ フ ト ウ ェ ア	1	560	資 本 準 備 金		48,750
投 資 有 価 証 券	1	42,000	繰 越 利 益 剰 余 金		161,117
破 産 更 生 債 権 等	1	1,500	その他有価証券評価差額金	2	△ 700
繰 延 税 金 資 産	1	10,380	売 上 高	2	799,280
売 上 原 価	1	454,780	受 取 利 息 配 当 金		650
棚 卸 減 耗 損	1	1,200	有 価 証 券 利 息	1	700
営 業 費	1	63,806			
減 価 償 却 費	1	13,410			
ソ フ ト ウ ェ ア 償 却	1	40			
貸 倒 引 当 金 繰 入	1	1,307			
人 件 費	1	205,819			
手 形 売 却 損	1	479			
支 払 利 息	1	1,215			
社 債 利 息	1	780			
為 替 差 損 益	1	394			
法 人 税 等	1	15,000			
法 人 税 等 調 整 額	1	2,220			
合 計		1,418,848	合 計		1,418,848

【配 点】 2×12カ所 1×26カ所 合計50点

解答への道

I 本問のポイント

　本問は、決算修正型の総合問題である。特殊な構造ではあるが、誤った試算表に修正仕訳を加え、適正な試算表等を作っていく問題であるため、基本的に必要となる解法は「誤処理の修正」の手順である。具体的には、①当社の行った仕訳を把握し、②①の反対仕訳で取り消し、その上で③適正な仕訳を起こす、という手順である。この手順を円滑に進めるためには、各処理に対する適正な仕訳をきちんと押さえていることが大前提となる。それは通常の決算整理型の総合問題を解答するのに必要な手順となんら変わらない。よって、今回の問題を通して、円滑にできなかった仕訳がなかったかどうか、あるのであれば、その論点について復習が必要であることを確認していただきたい。

II 具体的解説（単位：千円）

1 現金預金

(1) 現金（期末換算替）

（為　替　差　損　益）　　4　　（現　金　預　金）※　　4

　※　ＣＲ換算額（2,000ドル×ＣＲ108円）－帳簿残高（800－国内通貨580）＝△4

(2) 当座預金

① 雑収入振替分の取消

（雑　収　入）※　　222　　（現　金　預　金）　　222

　※　修正前T/Bより

② 手形割引（手形No.555）

(a) 適正な仕訳

（現　金　預　金）　　585　　（受　取　手　形）　　600
（手　形　売　却　損）※　　15

　※　差額

(b) 当社が行った仕訳

（現　金　預　金）　　600　　（受　取　手　形）　　600

(c) 修正仕訳（(a)－(b)）

（手　形　売　却　損）　　15　　（現　金　預　金）　　15

③ 未渡小切手（小切手No.301）

（現　金　預　金）※　　420　　（買　掛　金）　　420

　※　当社の金庫の中に保管されていることから、未渡小切手に該当する。

④ 電話料金引落未記帳

（営　業　費）　　183　　（現　金　預　金）　　183

2　貯蔵品

　　（営　　業　　費）　　　　　70　　　　（貯　　蔵　　品）※　　　　70

　　　※　前期末未使用（【資料2】勘定内訳より）

3　売上

　（1）得意先A社からの売上返品

　　（売　　　上　　　高）　　　400　　　　（売　　掛　　金）　　　　400

　（2）得意先B社に対する販売（3月30日出荷分）

　　①　適正な仕訳

　　┌─────────────────────────────────────┐
　　　仕　　訳　　な　　し※
　　└─────────────────────────────────────┘

　　　※　当社は出荷基準により売上を認識しているため、売上を取消す必要はない。

　　②　当社が行った仕訳

　　┌─────────────────────────────────────┐
　　（雑　　損　　失）※　　3,000　　　　（売　　掛　　金）　　3,000
　　└─────────────────────────────────────┘

　　　※　修正前T/Bより

　　③　修正仕訳（①－②）

　　（売　　掛　　金）　　3,000　　　　（雑　　損　　失）　　3,000

4　商品

　（1）売上返品に係る売上原価の修正

　　（商　　　　　品）※　　240　　　　（売　　上　　原　　価）　　240

　　　※　商品原価@2,400円×返品数量100個＝240

　（2）商品評価損

　　（売　　上　　原　　価）　　20　　　　（商　　　　　品）※　　20

　　　※（商品原価@2,400円－正味売却価額@2,300円）×200個＝20

5　貸倒引当金

　（1）破産更生債権等への振替

　　（破 産 更 生 債 権 等）　　1,500　　　　（売　　掛　　金）※　　1,500

　　　※【資料2】勘定内訳より

　（2）貸倒引当金の設定

　　①　破産更生債権等

　　（貸 倒 引 当 金 繰 入）　　1,000　　　　（貸 倒 引 当 金）※　　1,000

　　　※　1,500－担保500＝1,000

　　②　一般債権

　　（貸 倒 引 当 金 繰 入）　　11　　　　（貸 倒 引 当 金）※　　11

　　　※　(a)　一般債権：イ　受取手形：修正前T/B 98,000

　　　　　　　　　　　　　ロ　売掛金：修正前T/B 50,000－400＋3,000－1,500＝51,100

ハ　イ＋ロ＝149,100

(b) 一般債権に対する設定額：(a)×1％＝1,491

(c) 繰入額：(b)－修正前T/B貸引1,480＝11

6　有形固定資産

(1) 建物　⇨　修正不要

(2) 車両　⇨　修正不要

(3) 備品　⇨　減価償却費の修正

① 適正な仕訳

| （減 価 償 却 費） | 300 | （備　　　　　品）※ | 300 |

※　$2,000 \times \dfrac{1年}{5年} \times \dfrac{9月}{12月} = 300$

② 当社が行った仕訳

| （減 価 償 却 費） | 400 | （備　　　　　品）※ | 400 |

※　【資料2】勘定内訳より

③ 修正仕訳（①－②）

| （備　　　　　品） | 100 | （減 価 償 却 費） | 100 |

7　リース取引

(1) 未払費用の取消

| （未 払 費 用）※ | 5,625 | （営　業　費） | 5,625 |

※　修正前T/Bより

(2) リース資産の計上

| （リ ー ス 資 産）※ | 48,600 | （リ ー ス 債 務） | 48,600 |

※　① リース料総額の現在価値：11,250×年金現価係数4.32＝48,600

② 見積現金購入価額：49,200

③ ①＜② ∴　48,600

(3) 減価償却

| （減 価 償 却 費）※ | 4,860 | （リ ー ス 資 産） | 4,860 |

※　$48,600 \times \dfrac{1年}{5年} \times \dfrac{6月}{12月} = 4,860$

(4) 支払利息の見越計上

| （支 払 利 息） | 1,215 | （未 払 費 用）※ | 1,215 |

※　リース債務48,600×5.0％×$\dfrac{6月}{12月}$＝1,215

8　ソフトウェア

(1) 取得時の修正

①　適正な仕訳

| （ソフトウェア）※1 | 600 | （現　金　預　金）※3 | 825 |
| （営　　業　　費）※2 | 225 | | |

※1　購入代価500＋設定作業100＝600

※2　移替作業

※3　借方合計

②　当社が行った仕訳

| （営　　業　　費）※ | 825 | （現　金　預　金） | 825 |

※【資料2】勘定内訳より

③　修正仕訳（①－②）

| （ソフトウェア） | 600 | （営　　業　　費） | 600 |

(2) 減価償却

| （ソフトウェア償却）※ | 40 | （ソフトウェア） | 40 |

※　$600 \times \dfrac{1年}{5年} \times \dfrac{4月}{12月} = 40$

9　投資有価証券

(1) X株式

①　適正な仕訳

| （繰　延　税　金　資　産）※2 | 900 | （投　資　有　価　証　券）※1 | 3,000 |
| （その他有価証券評価差額金）※3 | 2,100 | | |

※1　期末時価16,000－取得価額19,000＝△3,000

※2　3,000×30％＝900

※3　差額

②　当社が行った仕訳

| （投資有価証券評価損益）※ | 3,000 | （投　資　有　価　証　券） | 3,000 |

※【資料2】勘定内訳より

③　修正仕訳（①－②）

| （繰　延　税　金　資　産） | 900 | （投資有価証券評価損益） | 3,000 |
| （その他有価証券評価差額金） | 2,100 | | |

(2) Y株式

① 適正な仕訳

| （投 資 有 価 証 券）※1 | 2,000 | （繰 延 税 金 負 債）※2 | 600 |
| | | （その他有価証券評価差額金）※3 | 1,400 |

　　※1　期末時価26,000－取得価額24,000＝2,000

　　※2　2,000×30％＝600

　　※3　差額

② 当社が行った仕訳

| （投 資 有 価 証 券） | 2,000 | （投資有価証券評価損益）※ | 2,000 |

　　※【資料2】勘定内訳より

③ 修正仕訳（①－②）

| （投資有価証券評価損益） | 2,000 | （繰 延 税 金 負 債） | 600 |
| | | （その他有価証券評価差額金） | 1,400 |

(3) Z社債

① 期末評価

　　償還期日が翌期であり、有価証券勘定への振替処理は適正に行われているため、必要となる修正仕訳は有価証券勘定により示す。

　　(a) 適正な仕訳

| （有 価 証 券）※ | 400 | （有 価 証 券 利 息） | 400 |

　　※（額面30,000－期首簿価29,400）×$\dfrac{12月}{残18月}$＝400

　　(b) 当社が行った仕訳

| （有 価 証 券） | 600 | （投資有価証券評価損益）※ | 600 |

　　※【資料2】勘定内訳より

　　(c) 修正仕訳（(a)－(b)）

| （投資有価証券評価損益） | 600 | （有 価 証 券） | 200 |
| | | （有 価 証 券 利 息） | 400 |

② クーポン利息の見越計上

| （未 収 収 益）※ | 150 | （有 価 証 券 利 息） | 150 |

　　※　30,000×1.0％×$\dfrac{6月}{12月}$＝150

10 社債

(1) 適正な仕訳

| （社　債　利　息）※1 | 780 | （現　金　預　金）※2 | 600 |
| | | （社　　　　　　債）※3 | 180 |

※1　18,800×4.15％＝780（千円未満四捨五入）

※2　修正前T/B社債利息（支払額）より

※3　差額

(2) 当社が行った仕訳

| （社　債　利　息） | 600 | （現　金　預　金） | 600 |

(3) 修正仕訳（(1)－(2)）

| （社　債　利　息） | 180 | （社　　　　　　債） | 180 |

11　賞与引当金（前期計上額の修正）

| （賞　与　引　当　金）※ | 8,400 | （人　　件　　費） | 8,400 |

※　前期計上額【資料2】勘定内訳より）

12　退職給付引当金

(1) 3月31日退職者分

| （退 職 給 付 引 当 金） | 1,000 | （未　　払　　金） | 1,000 |

(2) 企業年金拠出額及び一時金支払額

| （退 職 給 付 引 当 金）※ | 16,500 | （人　　件　　費） | 16,500 |

※　年金拠出4,500＋一時金12,000＝16,500（【資料2】勘定内訳より）

13　税効果会計

(1) 貸倒引当金（破産更生債権等）

| （繰 延 税 金 資 産）※ | 150 | （法 人 税 等 調 整 額） | 150 |

※　①　(1,500－担保500)×50％＝500

　　②　(貸引1,000－①)×30％＝150

(2) 賞与引当金

| （繰 延 税 金 資 産）※ | 360 | （法 人 税 等 調 整 額） | 360 |

※　当期計上額9,600×30％－2,520（【資料2】勘定内訳より）＝360

(3) 退職給付引当金

| （法 人 税 等 調 整 額） | 2,730 | （繰 延 税 金 資 産）※ | 2,730 |

※　（修正前T/B 39,000－1,000－16,500）×30％－9,180（【資料2】勘定内訳より）

　　＝△2,730

14 法人税等

(法　人　税　等)※　　　6,000　　　(未 払 法 人 税 等)　　　6,000

※　(1)（収益800,630－費用743,230）×30％－法調2,220＝15,000

　　(2)　15,000－修正前T/B 9,000＝6,000

解 答

※ □で囲まれた数字は配点を示す。

決算整理後残高試算表　　　　　　　（単位：円）

借　方　科　目		金　　額	貸　方　科　目		金　　額
現　金　預　金	1	20,299,300	支　払　手　形	1	12,540,000
受　取　手　形	1	16,830,000	買　　掛　　金	1	5,688,320
売　　掛　　金	1	25,820,000	預　　り　　金	1	276,000
繰　越　商　品	1	1,681,520	未　払　消　費　税　等	1	6,067,700
未　収　収　益	1	55,000	未　払　法　人　税　等	1	492,000
建　　　　　物	1	75,960,000	未　払　費　用	1	875,558
建　物　附　属　設　備	1	17,550,590	賞　与　引　当　金	1	4,800,000
車　　　　　両	1	3,680,000	貸　倒　引　当　金	1	3,484,500
リ　ー　ス　資　産	1	2,815,359	借　　入　　金	1	18,000,000
土　　　　　地		80,000,000	リ　ー　ス　債　務	1	2,779,308
の　　れ　　ん		800,000	社　　　　　債	1	4,417,500
投　資　有　価　証　券	1	25,516,100	資　産　除　去　債　務	1	1,935,150
破　産　更　生　債　権　等	1	1,980,000	退　職　給　付　引　当　金	1	65,445,000
繰　延　税　金　資　産	1	22,418,445	繰　延　税　金　負　債	1	526,377
仕　　　　　入	1	151,815,720	資　　本　　金		90,000,000
見　本　品　費	1	53,000	資　本　準　備　金		5,000,000
商　品　評　価　損	1	20,080	利　益　準　備　金		1,280,000
営　　業　　費	1	4,905,563	別　途　積　立　金		6,000,000
給　料　手　当	1	36,116,000	繰　越　利　益　剰　余　金		62,501,621
賞　与　手　当	1	8,640,000	その他有価証券評価差額金	1	142,800
法　定　福　利　費	1	3,938,000	売　　　　　上	1	240,150,000
賞　与　引　当　金　繰　入　額	1	4,800,000	受　取　利　息　・　配　当　金		83,000
退　職　給　付　費　用	1	9,845,000	有　価　証　券　利　息	1	291,100
減　価　償　却　費	1	9,431,868			
利　息　費　用	1	32,633			
の　れ　ん　償　却　額	1	200,000			
貸　倒　引　当　金　繰　入　額	1	3,127,000			
棚　卸　減　耗　費	1	62,880			
支　払　利　息	1	697,456			
社　債　利　息	1	158,125			
手　形　売　却　損	1	130,000			
社　債　買　入　消　却　損	1	44,375			
投　資　有　価　証　券　評　価　損	1	2,000,000			
法　人　税　等	1	942,000			
法　人　税　等　調　整　額	1	409,920			
合　　　　　計		532,775,934	合　　　　　計		532,755,934

【配　点】　　1×50カ所　　合計50点

I　本問のポイント

　　本問は２月末日現在の残高試算表をスタートに３月取引と決算整理を行って決算整理後試算表を作成する問題であった。３月取引＋決算整理を行う問題はボリュームが多く、時間配分が重要な要素となる。難易度の高いものは少ないが、時間を要するものがあるため、これらに時間を使いすぎてしまうと他の論点に使う時間がなくなり、得点が伸びないことが多くなる。よって、取捨選択と時間配分がきちんとできたかがポイントであった。

II　具体的解説（単位：円）

1　３月中の取引

(1)　現金預金

①　リース料の支払

（支　払　利　息）※１	5,648	（現　金　預　金）	50,800
（リ　ー　ス　債　務）※２	45,152		

※１　$2,824,460$（下記 2 (4)④(a)参照）$\times 2.4\% \times \dfrac{1 月}{12 月} = 5,648$（円未満切捨）

※２　差額

②　商品の売上

（現　金　預　金）	2,640,000	（売　　　　　上）※１	2,400,000
		（仮　受　消　費　税　等）※２	240,000

※１　$2,640,000 \times \dfrac{1}{1.1} = 2,400,000$

※２　$2,640,000 \times \dfrac{0.1}{1.1} = 240,000$

③　商品の仕入

（仕　　　　　　　入）※１	600,000	（現　金　預　金）	660,000
（仮　払　消　費　税　等）※２	60,000		

※１　$660,000 \times \dfrac{1}{1.1} = 600,000$

※２　$660,000 \times \dfrac{0.1}{1.1} = 60,000$

④　売掛金の回収

（現　金　預　金）	4,950,000	（売　　掛　　金）	4,950,000

⑤　受取手形の期日取立

（現　金　預　金）	6,600,000	（受　取　手　形）	6,600,000

⑥　手形の割引

（現　金　預　金）　2,156,000　　　（受　取　手　形）　2,200,000

（手　形　売　却　損）※　44,000

　　※　差額

⑦　買掛金の支払

（買　　　掛　　　金）　3,850,000　　　（現　金　預　金）　3,850,000

⑧　支払手形の期日決済

（支　払　手　形）　3,300,000　　　（現　金　預　金）　3,300,000

⑨　給料の支払

（給　料　手　当）　3,300,000　　　（預　　　り　　　金）※1　626,000

　　　　　　　　　　　　　　　　　　　　（現　金　預　金）※2　2,674,000

　　※1　所得税185,000＋住民税91,000＋社会保険料350,000＝626,000

　　※2　差額

⑩　営業費の支払

（営　　　業　　　費）※1　1,850,000　　　（現　金　預　金）　2,035,000

（仮　払　消　費　税　等）※2　185,000

　　※1　$2,035,000 \times \dfrac{1}{1.1} = 1,850,000$

　　※2　$2,035,000 \times \dfrac{0.1}{1.1} = 185,000$

⑪　源泉所得税等（2月分）の納付

（預　　　り　　　金）　175,000　　　（現　金　預　金）　175,000

⑫　社会保険料（2月分）の納付

（預　　　り　　　金）　350,000　　　（現　金　預　金）　700,000

（法　定　福　利　費）　350,000

⑬　企業年金掛金の支払

（退　職　給　付　引　当　金）　500,000　　　（現　金　預　金）　500,000

⑭　退職一時金の支払

（退　職　給　付　引　当　金）　6,000,000　　　（現　金　預　金）　6,000,000

⑮　借入金の元本及び利息の支払

（a）【資料1】の金額

　　イ　借入金：27,000,000－750,000×11回＝18,750,000

　　ロ　支払利息

　　　　X25年4月末日：$27,000,000 \times 3\% \times \dfrac{1月}{12月} = 67,500$

X25年5月末日：67,500－1,875（注）＝65,625

（注）元本が750,000ずつ返済されていくため、支払利息も1,875（750,000×3％

$\times \dfrac{1 月}{12 月} = 1,875$）ずつ減額していく。

X25年6月末日：65,625－1,875＝63,750

X25年7月末日：63,750－1,875＝61,875

X25年8月末日：61,875－1,875＝60,000

X25年9月末日：60,000－1,875＝58,125

X25年10月末日：58,125－1,875＝56,250

X25年11月末日：56,250－1,875＝54,375

X25年12月末日：54,375－1,875＝52,500

X26年1月末日：52,500－1,875＝50,625

X26年2月末日：50,625－1,875＝48,750

∴ 【資料1】支払利息：639,375

(b) 3月末日の支払

（借　　入　　金）※1	750,000	（現　金　預　金）※3	796,875
（支　払　利　息）※2	46,875		

※1　27,000,000÷36回＝750,000

※2　$18,750,000 \times 3\％ \times \dfrac{1 月}{12 月} = 46,875$

※3　借方合計

⑯ 社債のクーポン利息の支払

（社　債　利　息）	45,000	（現　金　預　金）	45,000

(2) 商品売買

① 商品の売上

（売　　掛　　金）	16,500,000	（売　　　　　上）※1	21,000,000
（受　取　手　形）	6,600,000	（仮　受　消　費　税　等）※2	2,100,000

※1　$(16,500,000 + 6,600,000) \times \dfrac{1}{1.1} = 21,000,000$

※2　$(16,500,000 + 6,600,000) \times \dfrac{0.1}{1.1} = 2,100,000$

② 売掛金の手形回収

（受　取　手　形）	8,800,000	（売　　掛　　金）	8,800,000

③ 受取手形の裏書譲渡

| （買　　　掛　　　金） | 1,100,000 | （受　取　手　形） | 1,100,000 |

④ 商品の仕入

| （仕　　　　　入）※1 | 13,900,000 | （買　　　掛　　　金） | 8,800,000 |
| （仮 払 消 費 税 等）※2 | 1,390,000 | （支　払　手　形） | 6,490,000 |

$$※1\quad (8,800,000+6,490,000)\times\frac{1}{1.1}=13,900,000$$

$$※2\quad (8,800,000+6,490,000)\times\frac{0.1}{1.1}=1,390,000$$

⑤ 買掛金の手形決済

| （買　　　掛　　　金） | 5,500,000 | （支　払　手　形） | 5,500,000 |

⑥ 見本品の提供

| （見　本　品　費） | 53,000 | （仕　　　　　入） | 53,000 |

2　修正及び決算整理事項

(1) 現金預金に関する事項

① 営業費支払の誤記帳

| （営　　　業　　　費）※2 | 55,800 | （現　金　預　金）※1 | 61,380 |
| （仮 払 消 費 税 等）※3 | 5,580 | | |

$$※1\quad 68,200-6,820=61,380$$

$$※2\quad 61,380\times\frac{1}{1.1}=55,800$$

$$※3\quad 61,380\times\frac{0.1}{1.1}=5,580$$

② 売掛金回収の誤記帳

| （現　金　預　金）※ | 2,970,000 | （売　　　掛　　　金） | 2,970,000 |

※　3,300,000−330,000＝2,970,000

③ 買掛金支払のための小切手の未決済 ⇨ 仕訳不要

(2) 売上債権及び仕入債務に関する事項

① 売上返品の未処理

| （売　　　　　上）※1 | 350,000 | （売　　　掛　　　金） | 385,000 |
| （仮 受 消 費 税 等）※2 | 35,000 | | |

$$※1\quad 385,000\times\frac{1}{1.1}=350,000$$

$$※2\quad 385,000\times\frac{0.1}{1.1}=35,000$$

② 売上値引の未処理

（売 上）※1	300,000	（売 掛 金）	330,000
（仮 受 消 費 税 等）※2	30,000		

※1　$330,000 \times \dfrac{1}{1.1} = 300,000$

※2　$330,000 \times \dfrac{0.1}{1.1} = 30,000$

③ 仕入に係る運送費の未処理

（仕 入）※1	691,200	（買 掛 金）	760,320
（仮 払 消 費 税 等）※2	69,120		

※1　$760,320 \times \dfrac{1}{1.1} = 691,200$

※2　$760,320 \times \dfrac{0.1}{1.1} = 69,120$

④ 仕入値引の未処理

（買 掛 金）	110,000	（仕 入）※1	100,000
		（仮 払 消 費 税 等）※2	10,000

※1　$110,000 \times \dfrac{1}{1.1} = 100,000$

※2　$110,000 \times \dfrac{0.1}{1.1} = 10,000$

⑤ 振込手数料の誤処理

（営 業 費）※1	80,000	（買 掛 金）	88,000
（仮 払 消 費 税 等）※2	8,000		

※1　$88,000 \times \dfrac{1}{1.1} = 80,000$

※2　$88,000 \times \dfrac{0.1}{1.1} = 8,000$

(3) 商品に関する事項

① 前期末商品評価損の振戻処理

（繰 越 商 品）	80,000	（商 品 評 価 損）	80,000

② 売上原価の算定等

（仕 入）	9,272,000	（繰 越 商 品）※1	9,272,000
（繰 越 商 品）※2	1,844,480	（仕 入）	1,844,480
（棚 卸 減 耗 費）※3	62,880	（繰 越 商 品）	62,880
（商 品 評 価 損）※4	100,080	（繰 越 商 品）	100,080

※1　9,192,000＋80,000＝9,272,000

※2　(a)　修正後送状価額：1,550,000＋210,000＝1,760,000

　　　(b)　期末帳簿棚卸高：$1,760,000＋691,200 \times \dfrac{1,760,000}{600,000＋13,900,000－100,000}$

　　　　　　＝1,844,480

※3　$1,844,480－(1,700,000＋691,200 \times \dfrac{1,700,000}{600,000＋13,900,000－100,000})＝62,880$

※4　$210,000＋691,200 \times \dfrac{210,000}{600,000＋13,900,000－100,000}－120,000＝100,080$

(4) 有形固定資産に関する事項

① 建物1

(a) 前期末残高：120,000,000－120,000,000×0.9×0.034×24年＝31,872,000

(b) 減価償却費の計上

（減　価　償　却　費）※　　3,672,000　　　（建　　　　　　物）　　3,672,000

※　120,000,000×0.9×0.034＝3,672,000

② 建物2

(a) 前期末残高：60,000,000－60,000,000×0.034×5年＝49,800,000

　∴　【資料1】建物：31,872,000＋49,800,000＝81,672,000

(b) 減価償却費の計上

（減　価　償　却　費）※　　2,040,000　　　（建　　　　　　物）　　2,040,000

※　60,000,000×0.034＝2,040,000

③ 建物附属設備

(a) 取得時（X24年4月1日）

（建 物 附 属 設 備）　　21,599,678　　　（現　金　預　金）　　20,000,000
　　　　　　　　　　　　　　　　　　　　　　　（資 産 除 去 債 務）※　1,599,678

※　1,950,000×0.820348＝1,599,678（円未満切捨）

(b) 利息費用の計上（X25年3月31日）

（利　息　費　用）　　31,993　　　（資 産 除 去 債 務）※　　31,993

※　1,599,678×2％＝31,993（円未満切捨）

　∴　【資料1】資産除去債務：1,599,678＋31,993＝1,631,671

(c) 減価償却費の計上(X25年3月31日)

（減　価　償　却　費）※　　2,159,967　　　（建 物 附 属 設 備）　　2,159,967

※　イ　建物附属設備：20,000,000×0.100＝2,000,000

　　ロ　資産除去債務：1,599,678×0.100＝159,967（円未満切捨）

　　ハ　イ＋ロ＝2,159,967

∴ 【資料１】建物附属設備：21,599,678－2,159,967＝19,439,711

(d) 税効果会計（X25年３月31日）

| （繰 延 税 金 資 産）※１ | 489,501 | （法 人 税 等 調 整 額） | 489,501 |
| （法 人 税 等 調 整 額） | 431,913 | （繰 延 税 金 負 債）※２ | 431,913 |

※１　資産除去債務1,631,671×30％＝489,501（円未満切捨）

※２　建物附属設備（資産除去債務分）(1,599,678－159,967)×30％
　　　＝431,913（円未満切捨）

∴　【資料１】繰延税金負債：431,913

(e) 利息費用の計上（X26年３月31日）

| （利　　息　　費　　用） | 32,633 | （資 産 除 去 債 務）※ | 32,633 |

※　1,631,671×２％＝32,633（円未満切捨）

(f) 減価償却費の計上（X26年３月31日）

| （減 価 償 却 費）※ | 2,159,967 | （建 物 附 属 設 備） | 2,159,967 |

※　イ　建物附属設備：20,000,000×0.100＝2,000,000

　　ロ　資産除去債務：1,599,678×0.100＝159,967（円未満切捨）

　　ハ　イ＋ロ＝2,159,967

(g) 除去費用の見積額の変更（X26年３月31日）

| （建 物 附 属 設 備） | 270,846 | （資 産 除 去 債 務）※ | 270,846 |

※　(2,280,000－1,950,000)×0.820747＝270,846（円未満切捨）

(h) 税効果会計（X26年３月31日）

| （繰 延 税 金 資 産）※１ | 91,044 | （法 人 税 等 調 整 額） | 91,044 |
| （法 人 税 等 調 整 額） | 33,264 | （繰 延 税 金 負 債）※２ | 33,264 |

※１　資産除去債務(1,631,671＋32,633＋270,846)×30％－489,501＝91,044

※２　建物附属設備（資産除去債務分）(1,439,711－159,967＋270,846)×30％－431,913
　　　＝33,264

④　リース資産

(a) リース取引開始時（X26年２月１日）

| （リ ー ス 資 産）※ | 2,875,260 | （リ ー ス 債 務） | 2,875,260 |
| （リ ー ス 債 務） | 50,800 | （現 金 預 金） | 50,800 |

※　イ　現在価値：50,800＋50,800×55.599607＝2,875,260（円未満切捨）

　　ロ　現在価値2,875,260＜見積現金購入価額2,900,000　∴　2,875,260（低い方）

∴　【資料１】リース資産：2,875,260

　　　【資料１】リース債務：2,824,460

(注) 割安購入選択権が付されているため、所有権移転ファイナンス・リース取引と

なる。

 (b) 減価償却費の計上（X26年3月31日）

（減 価 償 却 費）※ 59,901   （リ ー ス 資 産） 59,901

 ※ $2,875,260 \times 0.125 \times \dfrac{2月}{12月} = 59,901$（円未満切捨）

 (c) 支払利息の見越計上（X26年3月31日）

（支 払 利 息） 5,558   （未 払 費 用）※ 5,558

 ※ $(2,824,460 - 45,152) \times 2.4\% \times \dfrac{1月}{12月} = 5,558$（円未満切捨）

(5) 貸倒引当金に関する事項

 ① 破産更生債権等

（破 産 更 生 債 権 等） 1,980,000   （受 取 手 形） 770,000
                       （売 掛 金） 1,210,000

（貸 倒 引 当 金 繰 入 額） 1,980,000   （貸 倒 引 当 金）※1 1,980,000

（繰 延 税 金 資 産）※2 297,000   （法 人 税 等 調 整 額） 297,000

 ※1 $1,980,000 \times 100\% = 1,980,000$

 ※2 $(1,980,000 - 1,980,000 \times 50\%) \times 30\% = 297,000$

 ② 貸倒懸念債権

（貸 倒 引 当 金 繰 入 額） 1,100,000   （貸 倒 引 当 金）※1 1,100,000

（繰 延 税 金 資 産）※2 323,400   （法 人 税 等 調 整 額） 323,400

 ※1 $(660,000 + 1,540,000) \times 50\% = 1,100,000$

 ※2 $\{1,100,000 - (660,000 + 1,540,000) \times 1\%\} \times 30\% = 323,400$

 ③ 一般債権

（貸 倒 引 当 金 繰 入 額） 47,000   （貸 倒 引 当 金）※ 47,000

 ※ (a) 受取手形：$12,100,000 - 6,600,000 - 2,200,000 + 6,600,000 + 8,800,000$
      $- 1,100,000 - 770,000 = 16,830,000$

  (b) 売掛金：$27,965,000 - 4,950,000 + 16,500,000 - 8,800,000 - 2,970,000 - 385,000$
     $- 330,000 - 1,210,000 = 25,820,000$

  (c) $\{(a) + (b) - 懸念(660,000 + 1,540,000)\} \times 1\% - 357,500 = 47,000$

(6) 有価証券に関する事項

 ① O社社債

 (a) 償却原価法

（投 資 有 価 証 券） 44,100   （有 価 証 券 利 息）※ 44,100

※　$(10,000,000 - 9,622,000) \times \dfrac{7\text{月}}{60\text{月}} = 44,100$

(b) クーポン利息の見越計上

| （未　収　収　益）※ | 10,000 | （有 価 証 券 利 息） | 10,000 |

※　$10,000,000 \times 1.2\% \times \dfrac{1\text{月}}{12\text{月}} = 10,000$

②　P社株式

| （投 資 有 価 証 券）※1 | 200,000 | （繰 延 税 金 負 債）※2 | 60,000 |
| | | （その他有価証券評価差額金）※3 | 140,000 |

※1　当期末時価5,200,000 − 取得価額5,000,000 = 200,000

※2　200,000 × 30% = 60,000

※3　差額

③　Q社株式

| （投資有価証券評価損） | 2,000,000 | （投 資 有 価 証 券）※ | 2,000,000 |

※　当期末時価1,800,000 − 取得価額3,800,000 = △2,000,000

④　R社社債

(a) 前期末残高：$8,748,000 + (9,000,000 - 8,748,000) \times \dfrac{16\text{月}}{72\text{月}} = 8,804,000$

∴　【資料1】投資有価証券：O債9,622,000 + P株5,000,000 + Q株3,800,000
　　　　　　　　　　　　　+ R債8,804,000 = 27,226,000

(b) 【資料1】未収収益：$9,000,000 \times 1.5\% \times \dfrac{4\text{月}}{12\text{月}} = 45,000$

(c) 期首再振替仕訳

| （有 価 証 券 利 息） | 45,000 | （未　収　収　益） | 45,000 |

(d) 償却原価法

| （投 資 有 価 証 券）※ | 42,000 | （有 価 証 券 利 息） | 42,000 |

※　$(9,000,000 - 8,748,000) \times \dfrac{12\text{月}}{72\text{月}} = 42,000$

(e) クーポン利息の見越計上

| （未　収　収　益）※ | 45,000 | （有 価 証 券 利 息） | 45,000 |

※　$9,000,000 \times 1.5\% \times \dfrac{4\text{月}}{12\text{月}} = 45,000$

(f) 時価評価

（投資有価証券）※1	4,000	（繰延税金負債）※2	1,200
		（その他有価証券評価差額金）※3	2,800

※1　当期末時価8,850,000－帳簿価額(8,804,000＋42,000)＝4,000

※2　4,000×30%＝1,200

※3　差額

(7) 賞与引当金に関する事項

①　賞与支給額の修正

（賞　与　引　当　金）	4,320,000	（賞　　与　　手　　当）	4,320,000

②　未払費用の再振替仕訳

（未　　払　　費　　用）	432,000	（法　定　福　利　費）	432,000

③　賞与引当金の計上

（賞与引当金繰入額）	4,800,000	（賞　与　引　当　金）※	4,800,000

$$※\quad 7,200,000×\frac{4月}{6月}=4,800,000$$

④　法定福利費の見越計上

（法　定　福　利　費）	480,000	（未　　払　　費　　用）※	480,000

※　4,800,000×10%＝480,000

⑤　税効果会計

（繰　延　税　金　資　産）※	158,400	（法　人　税　等　調　整　額）	158,400

※　(4,800,000＋480,000)×30%－(4,320,000＋432,000)×30%＝158,400

(8) 退職給付引当金に関する事項

①　退職給付費用の計上

（退　職　給　付　費　用）	9,845,000	（退　職　給　付　引　当　金）※	9,845,000

※　(a) 勤務費用：8,000,000

　　(b) 利息費用及び期待運用収益：(69,600,000＋300,000－500,000＋600,000)×2.5%
　　　　　　　　　　　　　　＝1,750,000

　　(注) 期首退職給付債務と期首年金資産の金額が不明であるため、利息費用と期待運用収益をまとめて計算する。

$$(c)\ X23年3月期発生分：300,000×\frac{1年}{5年-2年}=100,000$$

$$(d)\ X24年3月期発生分：500,000×\frac{1年}{5年-1年}=125,000$$

$$(e)\ X25年3月期発生分：600,000×\frac{1年}{5年}=120,000$$

(f) (a)＋(b)＋(c)－(d)＋(e)＝9,845,000

② 当期支出額の修正

（退 職 給 付 引 当 金） 7,500,000 （退 職 給 付 費 用）※ 7,500,000

※ 掛金500,000×11月＋一時金(8,000,000－6,000,000)＝7,500,000（【資料1】退職給付
費用）

③ 税効果会計

（法 人 税 等 調 整 額） 1,246,500 （繰 延 税 金 資 産）※ 1,246,500

※ (a) 期末退引：69,600,000＋9,845,000－500,000－6,000,000－7,500,000

$$＝65,445,000$$

(b) 65,445,000×30%－69,600,000×30%＝△1,246,500

(9) 社債に関する事項

① 買入消却の修正

(a) 適正な仕訳

（社 債）※1	7,293,750	（現 金 預 金）	7,410,000
（社 債 利 息）※2	71,875		
（社 債 買 入 消 却 損）※3	44,375		

※1 $(4,260,000＋7,410,000)×\dfrac{7,500,000}{12,000,000}＝7,293,750$

※2 イ 償却額：$(7,500,000－7,293,750)×\dfrac{6月}{36月}＝34,375$

ロ 経過利息：$7,500,000×1\%×\dfrac{6月}{12月}＝37,500$

ハ イ＋ロ＝71,875

※3 差額

(b) 当社が行った仕訳

| （社 債） | 7,410,000 | （現 金 預 金） | 7,410,000 |

(c) 修正仕訳（(a)－(b)）

| （社 債 利 息） | 71,875 | （社 債） | 116,250 |
| （社 債 買 入 消 却 損） | 44,375 | | |

② 償却原価法

| （社 債 利 息） | 41,250 | （社 債）※ | 41,250 |

※ $\{(12,000,000－7,500,000)－(4,260,000＋116,250)\}×\dfrac{12月}{36月}＝41,250$

(10) 社会保険料（会社負担額）に関する事項

　① 期首再振替仕訳

　（未　払　費　用）　　　330,000　　　　（法 定 福 利 費）　　　330,000

　② 見越計上

　（法 定 福 利 費）　　　390,000　　　　（未　払　費　用）　　　390,000

(11) 事業譲受に関する事項

　① 事業譲受時の仕訳

　（売　　掛　　金）　12,000,000　　　　（買　　掛　　金）　10,000,000

　（繰　越　商　品）　 8,000,000　　　　（現　金　預　金）　11,000,000

　（の　　れ　　ん）※ 1,000,000

　　※　差額

　② のれんの償却

　（の れ ん 償 却 額）※　200,000　　　　（の　　れ　　ん）　　　200,000

　　※　$1,000,000 \times \dfrac{1 年}{5 年} = 200,000$

(12) 税金に関する事項

　① 消費税等

　（仮 受 消 費 税 等）※1 24,015,000　　　　（仮 払 消 費 税 等）※2 14,947,300

　　　　　　　　　　　　　　　　　　　　　　　（仮　　払　　金）　　 3,000,000

　　　　　　　　　　　　　　　　　　　　　　　（未 払 消 費 税 等）※3　6,067,700

　　※1　21,740,000＋240,000＋2,100,000－35,000－30,000＝24,015,000

　　※2　13,239,600＋60,000＋185,000＋1,390,000＋5,580＋69,120－10,000＋8,000

　　　　＝14,947,300

　　※3　差額

　② 法人税等

　（法　人　税　等）※1　942,000　　　　（仮　　払　　金）　　　450,000

　　　　　　　　　　　　　　　　　　　　　　　（未 払 法 人 税 等）※2　492,000

　　※1　(a) 税引前当期純利益：収益240,524,100－費用236,017,700＝4,506,400

　　　　(b) 年税額：4,506,400×30％－法調409,920＝942,000

　　※2　差額

※ □で囲まれた数字は配点を示す。

（単位：円）

1	1	21,085,199	2	1	11,330,000	3	1	22,748,000	4	2	1,470,400
5	1	3,000	6	1	7,380,000	7	1	4,260,576	8	2	13,639,000
9	1	4,400,000	10	1	3,459,900	11	1	124,636,000	12	2	36,987,000
13	1	6,200,000	14	1	4,517,000	15	1	2,456,924	16	2	5,733,000
17	1	31,200	18	1	2,957,987	19	1	46,032	20	2	464,000
21	1	24,320	22	1	12,400	23	1	180,000	24	2	2,145,600
25	1	302,800	26	1	1,395,600	27	1	4,439,300	28	2	898,000
29	1	5,973,000	30	1	6,200,000	31	1	10,687,872	32	2	11,532,000
33	1	617,000	34	1	360,000	35	1	787,500	36	2	188,860,000
37	1	72,000	38	1	82,000	39	1	3,663	40	2	676,200

【配　点】　2×10カ所　　1×30カ所　　合計50点

問題7 解答

I　本問のポイント

　　本問は資料（前T/B、勘定科目内訳書、決算整理事項等）から処理すべき内容を適切に読み取り

　解答できたかがポイントであった。具体的なポイントは以下のとおりである。

　1　売掛金について、勘定残高と得意先回答額との差額についての処理

　2　商品について、総平均法及び売価還元法での期末評価

　3　固定資産の減価償却について、改定償却率を使用した減価償却費の算定

　4　社債の買入消却

　5　借入金の利息法による支払利息及び元本返済額の算定

II　具体的解説（単位：円）

　1　現金預金

　（1）現金

　　①　先日付小切手

　　（受　取　手　形）　　　880,000　　　　（現　金　預　金）　　　880,000

　　②　未渡小切手 ⇨ 下記(2)①参照

　　③　M社社債のクーポン利息

　　（現　金　預　金）　　　30,000　　　　（有　価　証　券　利　息）　　　30,000

　　④　収入印紙

　　（その他営業費用）　　　3,800　　　　（貯　　蔵　　品）　　　3,800

　　（貯　　蔵　　品）　　　3,000　　　　（その他営業費用）　　　3,000

　　⑤　仮払金精算書

　　（その他営業費用）※2　　78,000　　　　（仮　　払　　金）※1　　80,000

　　（仮 払 消 費 税 等）※3　　7,800　　　　（未　　払　　金）※4　　5,800

　　　　※1　【資料2】仮払金より

　　　　※2　$85,800 \times \dfrac{1}{1.1} = 78,000$

　　　　※3　$85,800 \times \dfrac{0.1}{1.1} = 7,800$

　　　　※4　差額

　　⑥　原因不明分

　　（雑　　損　　失）　　　2,000　　　　（現　金　預　金）※　　　2,000

　　　　※　（a）実際有高：通貨250,000＋クーポン利息30,000＝280,000

　　　　　　（b）帳簿残高：1,132,000－880,000＋30,000＝282,000

(c) (a)－(b)＝△2,000

(2) 当座預金

① 未渡小切手

（現　金　預　金）　　　　132,000　　　（未　　払　　金）　　　　132,000

② 売掛金の振込未記帳

（現　金　預　金）※1　1,646,700　　　（売　　掛　　金）　　　1,650,000

（その他営業費用）※2　　　3,000

（仮払消費税等）※3　　　　300

　※1　1,650,000－3,300＝1,646,700

　※2　$3,300 \times \dfrac{1}{1.1} = 3,000$

　※3　$3,300 \times \dfrac{0.1}{1.1} = 300$

③ リベートの振込未記帳

（現　金　預　金）　　　　132,000　　　（仕　　　　　　入）※1　120,000

　　　　　　　　　　　　　　　　　　　（仮払消費税等）※2　　12,000

　※1　$132,000 \times \dfrac{1}{1.1} = 120,000$

　※2　$132,000 \times \dfrac{0.1}{1.1} = 12,000$

④ 受取手形の取立未記帳

（現　金　預　金）　　　3,300,000　　　（受　取　手　形）　　　3,300,000

⑤ 未取付小切手 ⇨ 仕訳不要（銀行側減算）

⑥ 借入金の元本及び利息の引落未記帳

（注）【資料3】10に「支払額の全額を借入金から減額する処理を行っていた」とあるため、ここでは、一旦全額借入金を減額する処理を行い、下記10において利息分の修正をまとめて行うこととする。

（借　　入　　金）　　　　339,540　　　（現　金　預　金）　　　　339,540

⑦ 未取立小切手 ⇨ 仕訳不要（銀行側加算）

2 売掛金

(1) A社（直送品）

（売　　掛　　金）※1　748,000　　　（売　　上　　高）※2　680,000

　　　　　　　　　　　　　　　　　　　（仮受消費税等）※3　68,000

　※1　5,720,000－4,972,000＝748,000

$$※2 \quad 748,000 \times \frac{1}{1.1} = 680,000$$

$$※3 \quad 748,000 \times \frac{0.1}{1.1} = 68,000$$

(2) B社

① 振込 ⇨ 上記1(2)②参照

② 運送料 ⇨ 仕訳不要（B社側修正）

(3) C社（返品）

（売　　　上　　　高）※2	50,000	（売　　掛　　金）※1	55,000
（仮　受　消　費　税　等）※3	5,000		

※1　6,655,000 − 6,600,000 = 55,000

$$※2 \quad 55,000 \times \frac{1}{1.1} = 50,000$$

$$※3 \quad 55,000 \times \frac{0.1}{1.1} = 5,000$$

(4) D社（破産更生債権等への振替）

（破　産　更　生　債　権　等）	4,400,000	（受　　取　　手　　形）	2,200,000
		（売　　掛　　金）	2,200,000

3 商品

(1) 商品α

① 平均単価： $\dfrac{1,440,000 + 76,180,000 − 120,000}{2,400 \text{個} + 122,600 \text{個}} = @620$

② 商品の廃棄

（商　品　廃　棄　損）※	12,400	（仕　　　　　入）	12,400

※　@620 × 20個 = 12,400

③ 売上原価の算定等

（仕　　　　　入）	1,440,000	（繰　越　商　品）	1,440,000
（繰　越　商　品）※1	762,600	（仕　　　　　入）	762,600
（棚　卸　減　耗　損）※2	6,200	（繰　越　商　品）	6,200

※1　@620 × (1,200個 + 返品50個 − 廃棄20個) = 762,600

※2　@620 × {帳簿(1,200個 + 返品50個 − 廃棄20個) − 実地(1,170個 + 返品50個)} = 6,200

(2) 商品β

① 原価率（原価法）： $\dfrac{650,000 + 48,000,000}{897,000 + 48,000,000 \times 1.4 + (2,253,000 − 850,000) − (3,576,000 − 240,000)} = \dfrac{1}{1.36}$

② 原価率（低価法）： $\dfrac{650,000 + 48,000,000}{897,000 + 48,000,000 \times 1.4 + (2,253,000 − 850,000)} = 0.7$

③ 売上原価の算定等

(仕　　　　　　　　入)	650,000	(繰　越　商　品)	650,000
(繰　越　商　品)※1	775,000	(仕　　　　　　　　入)	775,000
(棚　卸　減　耗　損)※2	25,000	(繰　越　商　品)	25,000
(仕　　　　　　　　入)※3	36,000	(繰　越　商　品)	36,000

※1　(a) 期末帳簿売価：売価合計66,164,000−売上(64,430,000+680,000)=1,054,000

　　(b) 期末帳簿棚卸高：$1,054,000 \times \dfrac{1}{1.36} = 775,000$

※2　$(1,054,000-1,020,000) \times \dfrac{1}{1.36} = 25,000$

※3　$1,020,000 \times \dfrac{1}{1.36} - 1,020,000 \times 0.7 = 36,000$

4　貸倒引当金

(1) 貸倒懸念債権（F社）

(貸倒引当金繰入額)	1,573,000	(貸　倒　引　当　金)※1	1,573,000
(繰　延　税　金　資　産)※2	471,900	(法　人　税　等　調　整　額)	471,900

※1　(受手1,650,000+売掛1,496,000)×50%=1,573,000

※2　1,573,000×30%=471,900

(2) 破産更生債権等

① 貸倒処理（E社）

(仮　受　消　費　税　等)※1	240,000	(破　産　更　生　債　権　等)	2,640,000
(貸　倒　引　当　金)※2	2,400,000		

※1　$2,640,000 \times \dfrac{0.1}{1.1} = 240,000$

※2　差額

② 貸倒引当金の計上及び税効果会計

(貸倒引当金繰入額)	4,160,000	(貸　倒　引　当　金)※1	4,160,000
(繰　延　税　金　資　産)※2	264,000	(法　人　税　等　調　整　額)	264,000

※1　4,400,000×100%−(2,640,000−2,400,000)=4,160,000

※2　4,400,000×50%×30%−396,000=264,000

5　有形固定資産

(1) 車両運搬具1

(減　価　償　却　費)※	760,000	(車　両　運　搬　具)	760,000

※　$3,800,000 \times \dfrac{1年}{5年} = 760,000$

解答

(2) 車両運搬具2

| （減 価 償 却 費）※ | 900,000 | （車 両 運 搬 具） | 900,000 |

$$※　6,000,000 \times \frac{1年}{5年} \times \frac{9月}{12月} = 900,000$$

(3) 器具備品1及び器具備品3

① 買換の修正

（減 価 償 却 費）※1	108,700	（器 具 備 品）	355,037
（器 具 備 品）※4	3,300,000	（仮 受 消 費 税 等）※2	45,000
（仮 払 消 費 税 等）※5	350,000	（器 具 備 品 売 却 益）※3	3,663
		（仮 払 金）	3,355,000

※1　(a)　$355,037 \times 0.313 < 2,320,000 \times 0.05111$　∴　改定償却率を使用

　　　(b)　$355,037 \times 0.334 \times \frac{11月}{12月} = 108,700$（円未満切捨）

※2　$495,000 \times \frac{0.1}{1.1} = 45,000$

※3　$495,000 \times \frac{1}{1.1} - (355,037 - 108,700 + 220,000 \times \frac{1}{1.1}) = 3,663$

※4　$(3,300,000 + 330,000) \times \frac{1}{1.1} = 3,300,000$

※5　$(3,300,000 + 330,000 + 220,000) \times \frac{0.1}{1.1} = 350,000$

② 減価償却（器具備品3）

| （減 価 償 却 費）※ | 172,150 | （器 具 備 品） | 172,150 |

※　(a)　$3,300,000 \times 0.313 > 3,300,000 \times 0.05111$　∴　償却率を使用

　　(b)　$3,300,000 \times 0.313 \times \frac{2月}{12月} = 172,150$

(2) 器具備品2

| （減 価 償 却 費）※ | 516,074 | （器 具 備 品） | 516,074 |

※　(a)　$1,648,800 \times 0.313 > 2,400,000 \times 0.05111$　∴　償却率を使用

　　(b)　$1,648,800 \times 0.313 = 516,074$（円未満切捨）

6　有価証券

(1) M社社債（満期保有目的の債券）

① 期首帳簿価額：$@1,940 \times 1,000口 + (@2,000 - @1,940) \times 1,000口 \times \frac{12月}{60月} = 1,952,000$

② 償却原価法

| （投 資 有 価 証 券）※ | 12,000 | （有 価 証 券 利 息） | 12,000 |

※　$(@2,000-@1,940)\times1,000口\times\dfrac{12月}{60月}=12,000$

(2)　O社株式（その他有価証券）

①　当期首の振戻処理

（投 資 有 価 証 券）※1	160,000	（繰 延 税 金 資 産）※2	48,000
		（その他有価証券評価差額金）※3	112,000

※1　取得価額@2,500×2,000株－前期末時価@2,420×2,000株＝160,000

※2　160,000×30％＝48,000

※3　差額

②　売却の修正

（仮　　　受　　　金）	3,570,000	（投 資 有 価 証 券）※1	3,750,000
（投資有価証券売却損）※2	180,000		

※1　取得価額@2,500×（前期末2,000株－当期末500株）＝3,750,000

※2　差額

③　時価評価

（繰 延 税 金 資 産）※2	22,500	（投 資 有 価 証 券）※1	75,000
（その他有価証券評価差額金）※3	52,500		

※1　当期末時価@2,350×500株－取得価額@2,500×500株＝△75,000

※2　75,000×30％＝22,500

※3　差額

(3)　P社株式（その他有価証券）

①　期首振戻処理

（繰 延 税 金 負 債）※2	90,000	（投 資 有 価 証 券）※1	300,000
（その他有価証券評価差額金）※3	210,000		

※1　取得価額@1,800×3,000株－前期末時価@1,900×3,000株＝△300,000

※2　300,000×30％＝90,000

※3　差額

②　追加取得の修正

（投 資 有 価 証 券）	3,900,000	（仮　　　払　　　金）	3,900,000

③　時価評価

（投 資 有 価 証 券）※1	1,200,000	（繰 延 税 金 負 債）※2	360,000
		（その他有価証券評価差額金）※3	840,000

※1　当期末時価@2,100×5,000株－取得価額@1,800×3,000株＋3,900,000＝1,200,000

※2　1,200,000×30％＝360,000

※3　差額

(4)　【資料1】残高

　　①　投資有価証券：M債1,952,000＋O株＠2,420×2,000株＋P株＠1,900×3,000株

　　　　　　　　　　　　＝12,492,000

　　②　繰延税金負債：P株90,000

　　③　その他有価証券評価差額金：P株210,000－O株112,000＝98,000

7　賞与引当金

(1)　賞与支給時の修正

　　（賞　与　引　当　金）※　　5,600,000　　　　　（人　　件　　費）　　　5,600,000

　　※　$8,400,000 \times \dfrac{4月}{6月} = 5,600,000$（【資料1】賞与引当金）

(2)　期首再振替仕訳

　　（未　払　費　用）※　　784,000　　　　　（人　　件　　費）　　　784,000

　　※　5,600,000×14％＝784,000

(3)　賞与引当金の計上

　　（賞与引当金繰入額）　　6,200,000　　　　　（賞　与　引　当　金）※　　6,200,000

　　※　$9,300,000 \times \dfrac{4月}{6月} = 6,200,000$

(4)　法定福利費の会社負担額の見越計上

　　（人　　件　　費）　　868,000　　　　　（未　払　費　用）※　　868,000

　　※　6,200,000×14％＝868,000

(5)　税効果会計

　　（繰　延　税　金　資　産）※　　205,200　　　　　（法　人　税　等　調　整　額）　　　205,200

　　※　(6,200,000＋868,000)×30％－(5,600,000＋784,000)×30％＝205,200

8　退職給付

(1)　期首未認識数理計算上の差異：債務60,000,000－年資58,000,000－退引1,500,000

　　　　　　　　　　　　　　　　＝500,000（損失）

(2)　退職給付費用の計上（期首）

　　（退　職　給　付　費　用）　　4,565,000　　　　　（退　職　給　付　引　当　金）※　　4,565,000

　　※　①　勤務費用：5,000,000

　　　　②　利息費用：60,000,000×1％＝600,000

　　　　③　期待運用収益：58,000,000×2％＝1,160,000

　　　　④　$500,000 \times \dfrac{1年}{4年} = 125,000$

⑤　①＋②−③＋④＝4,565,000

(3) 掛金拠出額の修正

| （退職給付引当金） | 5,400,000 | （人　件　費） | 5,400,000 |

(4) 当期発生数理計算上の差異の費用処理

| （退職給付引当金） | 48,000 | （退職給付費用）※ | 48,000 |

※　①　退引残高：1,500,000＋4,565,000−5,400,000＝665,000

②　当期発生額：62,050,000−61,250,000−665,000−（500,000−125,000）

$$＝△240,000（利得）$$

③　当期費用処理額：$240,000×\dfrac{1年}{5年}＝48,000$

(5) 税効果会計

| （法人税等調整額） | 264,900 | （繰延税金資産）※ | 264,900 |

※　（665,000−48,000）×30％−1,500,000×30％＝△264,900

9　社債

(1) 期首再振替仕訳

| （未　払　費　用） | 50,000 | （社　債　利　息）※ | 50,000 |

※　$20,000,000×1.5％×\dfrac{2月}{12月}＝50,000$

∴　【資料1】未払費用：法定福利費784,000＋社債利息50,000＝834,000

(2) 買入消却の修正

| （社　　　　　債）※1 | 7,616,000 | （仮　　払　　金） | 7,610,000 |
| （社　債　利　息）※2 | 76,000 | （社　債　償　還　益）※3 | 82,000 |

※1　$19,040,000×\dfrac{8,000,000}{20,000,000}＝7,616,000$

※2　①　償却額：$(8,000,000−7,616,000)×\dfrac{11月}{64月}＝66,000$

②　経過利息：$8,000,000×1.5％×\dfrac{1月}{12月}＝10,000$

③　①＋②＝76,000

※3　差額

(3) 償却原価法

| （社　債　利　息） | 108,000 | （社　　　　　債）※ | 108,000 |

※　$\{(20,000,000−8,000,000)−(19,040,000−7,616,000)\}×\dfrac{12月}{64月}＝108,000$

(4) クーポン利息の見越計上

（社 債 利 息）※	30,000	（未 払 費 用）	30,000

※ $(20,000,000-8,000,000)\times1.5\%\times\dfrac{2月}{12月}=30,000$

10 借入金

(1) 【資料1】借入金：$12,000,000-339,540\times3回=10,981,380$

(2) 返済日の修正（上記1(2)を含め、まとめて示す。）

① 適正な仕訳

(a) x24年12月末日

（支 払 利 息）※1	12,000	（現 金 預 金）	339,540
（借 入 金）※2	327,540		

※1 $12,000,000\times1.2\%\times\dfrac{1月}{12月}=12,000$

※2 差額

(b) x25年1月末日

（支 払 利 息）※1	11,672	（現 金 預 金）	339,540
（借 入 金）※2	327,868		

※1 $(12,000,000-327,540)\times1.2\%\times\dfrac{1月}{12月}=11,672$（円未満切捨）

※2 差額

(c) x25年2月末日

（支 払 利 息）※1	11,344	（現 金 預 金）	339,540
（借 入 金）※2	328,196		

※1 $(12,000,000-327,540-327,868)\times1.2\%\times\dfrac{1月}{12月}=11,344$（円未満切捨）

※2 差額

(d) x25年3月末日

（支 払 利 息）※1	11,016	（現 金 預 金）	339,540
（借 入 金）※2	328,524		

※1 $(12,000,000-327,540-327,868-328,196)\times1.2\%\times\dfrac{1月}{12月}=11,016$（円未満切捨）

※2 差額

② 甲社が行った仕訳

（借 入 金）	1,358,160	（現 金 預 金）※	1,358,160

※　339,540×4回＝1,358,160

③　修正仕訳（①－②）

（支　払　利　息）	46,032	（借　　入　　金）	46,032

11　未払金

(1)　前期末計上分の修正

（未　　払　　金）	137,500	（営　業　費）※1	125,000
		（仮 払 消 費 税 等）※2	12,500

※1　$137,500 \times \dfrac{1}{1.1} = 125,000$

※2　$137,500 \times \dfrac{0.1}{1.1} = 12,500$

(2)　当期末請求書受取分

（営　業　費）※1	150,000	（未　　払　　金）	165,000
（仮 払 消 費 税 等）※2	15,000		

※1　$165,000 \times \dfrac{1}{1.1} = 150,000$

※2　$165,000 \times \dfrac{0.1}{1.1} = 15,000$

12　消費税等

（仮 受 消 費 税 等）※1	18,691,000	（仮 払 消 費 税 等）※2	13,051,700
		（仮　　払　　金）	1,200,000
		（未 払 消 費 税 等）※3	4,439,300

※1　前T/B 18,823,000＋68,000－5,000－240,000＋45,000＝18,691,000

※2　前T/B 12,703,100＋7,800＋300－12,000＋350,000－12,500＋15,000＝13,051,700

※3　差額

13　法人税等

(1)　前期分の確定納付

（未 払 法 人 税 等）	450,000	（仮　　払　　金）	450,000

(2)　当期法人税等の計上

（法　人　税　等）※1	2,145,600	（仮　　払　　金）※2	750,000
		（未 払 法 人 税 等）※3	1,395,600

※1　(1)　税引前当期純利益：収益189,143,863－費用184,245,863＝4,898,000

　　　(2)　年税額：税引前4,898,000×30％＋法調676,200＝2,145,600

※2　当期納付1,200,000（【資料２】仮払金より）－前期確定納付450,000＝750,000

※3　差額

14 決算整理後残高試算表

借	方			貸	方		
科　　　目		金　　額		科　　　目		金　　額	
現　金　預　金	1	21,085,199		支　払　手　形		5,500,000	
受　取　手　形	2	11,330,000		買　　掛　　金		9,900,000	
売　　掛　　金	3	22,748,000		未　　払　　金	25	302,800	
繰　越　商　品	4	1,470,400		未　払　法　人　税　等	26	1,395,600	
貯　　蔵　　品	5	3,000		未　払　消　費　税　等	27	4,439,300	
車　両　運　搬　具	6	7,380,000		未　　払　　費　　用	28	898,000	
器　具　備　品	7	4,260,576		貸　倒　引　当　金	29	5,973,000	
土　　　　　地		20,000,000		賞　与　引　当　金	30	6,200,000	
投　資　有　価　証　券	8	13,639,000		借　　入　　金	31	10,687,872	
破　産　更　生　債　権　等	9	4,400,000		社　　　　　債	32	11,532,000	
繰　延　税　金　資　産	10	3,459,900		退　職　給　付　引　当　金	33	617,000	
仕　　　　　入	11	124,636,000		繰　延　税　金　負　債	34	360,000	
人　　件　　費	12	36,987,000		資　　本　　金		35,000,000	
賞　与　引　当　金　繰　入　額	13	6,200,000		利　益　準　備　金		3,000,000	
退　職　給　付　費　用	14	4,517,000		繰　越　利　益　剰　余　金		9,754,403	
減　価　償　却　費	15	2,456,924		その他有価証券評価差額金	35	787,500	
貸　倒　引　当　金　繰　入　額	16	5,733,000		売　　　上　　　高	36	188,860,000	
棚　卸　減　耗　損	17	31,200		受　取　利　息　配　当　金		88,200	
その他営業費用	18	2,957,987		有　価　証　券　利　息	37	72,000	
支　払　利　息	19	46,032		雑　　収　　入		38,000	
社　債　利　息	20	464,000		社　債　償　還　益	38	82,000	
雑　　損　　失	21	24,320		器　具　備　品　売　却　益	39	3,663	
商　品　廃　棄　損	22	12,400		法　人　税　等　調　整　額	40	676,200	
投資有価証券売却損	23	180,000					
法　人　税　等	24	2,145,600					
合　　　　　計		296,167,538		合　　　　　計		296,167,538	

※ □で囲まれた数字は配点を示す。

（単位：円）

1	1	10,800	26	1	64,463,100
2	1	58,956,300	27	1	660,000
3	1	113,883,000	28	1	2,717,261
4	1	38,782,150	29	1	872,151
5	1	58,979,275	30	1	21,832,600
6	1	20,000	31	1	20,061,000
7	1	251,000,000	32	1	15,833,303
8	1	5,100,000	33	1	3,816,990
9	1	4,816,990	34	1	15,744,000
10	1	8,532,000	35	1	135,841,699
11	1	21,670,000	36	1	57,000
12	1	10,513,500	37	1	56,000
13	1	896,844,800	38	1	494,637,849
14	1	165,424,445	39	1	761,896,500
15	1	19,400,000	40	1	600,000
16	1	26,000,000	41	1	78,000
17	1	13,426,784	42	1	3,000
18	1	13,422,949	43	1	2,560,500
19	2	550,800			
20	2	12,000,000			
21	2	403,625			
22	2	609,000			
23	2	36,261			
24	2	437,000			
25	2	35,121,000			

【配　点】　2 ×7カ所　1 ×36カ所　　合計50点

問題 8 解答

解答への道

I 本問のポイント

本問は決算整理型の総合問題である。ボリュームが多いため、難易度の低い論点を優先に解答できたかがポイントである。

II 具体的解説（単位：円）

1 現金

（営　　業　　費）※1　172,000　　　　（現　　　　　金）　189,200

（仮 払 消 費 税 等）※2　17,200

※1　$189,200 \times \dfrac{1}{1.1} = 172,000$

※2　$189,200 \times \dfrac{0.1}{1.1} = 17,200$

2 当座預金

(1) A商品の引取運賃の誤記帳

（仕　　　　　入）※2　162,000　　　　（当　座　預　金）※1　178,200

（仮 払 消 費 税 等）※3　16,200

※1　$198,000 - 19,800 = 178,200$

※2　$178,200 \times \dfrac{1}{1.1} = 162,000$

※3　$178,200 \times \dfrac{0.1}{1.1} = 16,200$

(2) 時間外預入 ⇨ 仕訳不要（銀行側加算）

(3) 未取付小切手 ⇨ 仕訳不要（銀行側減算）

(4) 未渡小切手

（当　座　預　金）　1,650,000　　　　（買　　掛　　金）　1,650,000

(5) 不渡手形の買戻

（破 産 更 生 債 権 等）　6,160,000　　　　（当　座　預　金）　6,160,000

3 受取手形（T社債権の振替）

（破 産 更 生 債 権 等）※　12,870,000　　　　（受　取　手　形）　12,870,000

※　手持9,350,000＋取立3,520,000＝12,870,000

4 売掛金

(1) T社債権の振替

（破 産 更 生 債 権 等）　2,640,000　　　　（売　　掛　　金）　2,640,000

—208—

(2) G社売掛金

（一　般　売　上）※2　13,103,500　　　　（売　　　掛　　　金）※1　14,413,850

（仮 受 消 費 税 等）※3　1,310,350

　　※1　28,182,000－13,768,150＝14,413,850

　　※2　14,413,850×$\dfrac{1}{1.1}$＝13,103,500

　　※3　14,413,850×$\dfrac{0.1}{1.1}$＝1,310,350

5　小売売上

(1) ポイント付与分の修正

（小　売　売　上）　　　1,070,367　　　　（契　約　負　債）※　1,070,367

　　※　①　ポイントの独立販売価格：1,200,000ポイント×0.90＝1,080,000

　　　　②　120,000,000×$\dfrac{1,080,000}{120,000,000＋1,080,000}$＝1,070,367（円未満四捨五入）

(2) ポイント使用分の修正

（契　約　負　債）※　198,216　　　　（小　売　売　上）　　　198,216

　　※　1,070,367×$\dfrac{200,000}{1,080,000}$＝198,216（円未満四捨五入）

6　買掛金

(1) 事務用備品（事務用2）の購入の未処理

（備　　　　　品）※1　600,000　　　　（未　払　金）　　　660,000

（仮 払 消 費 税 等）※2　60,000

　　※1　660,000×$\dfrac{1}{1.1}$＝600,000

　　※2　660,000×$\dfrac{0.1}{1.1}$＝60,000

(2) 誤記帳

（仕　　　　　入）※2　882,000　　　　（買　　　掛　　　金）※1　970,200

（仮 払 消 費 税 等）※3　88,200

　　※1　6,939,900－5,309,700－660,000＝970,200

　　※2　970,200×$\dfrac{1}{1.1}$＝882,000

　　※3　970,200×$\dfrac{0.1}{1.1}$＝88,200

7 商品

(1) 見本品

(見 本 品 費)※　　　550,800　　　　(仕　　　　　　　　入)　　　550,800

　※　　@1,275(＊)×432個＝550,800

　　＊　下記7(2)※2①参照

(2) 売上原価の算定

(売 上 原 価)　　46,783,300　　　　(繰 越 商 品)　　46,783,300

(売 上 原 価)　910,053,400　　　　(仕　　　　　　　　入)※1 910,053,400

(繰 越 商 品)※2 59,991,900　　　　(売 上 原 価)　　59,991,900

　※1　前T/B 909,560,200＋運送費用162,000＋誤記帳882,000－見本品550,800

　　　　　　　　　　　　　　　　　　　　　　　　　　　　　　＝910,053,400

　　※2　①　A商品

　　　　イ　平均単価：$\dfrac{27,102,000＋398,076,000＋162,000}{22,585個＋311,015個}＝@1,275$

　　　　ロ　期末帳簿棚卸高：@1,275×(22,848個－432個)＝28,580,400

　　　　②　B商品

　　　　イ　平均単価：$\dfrac{19,681,300＋511,484,200＋882,000}{2,029個＋52,506個＋(320個－230個)}＝@9,740$

　　　　ロ　期末帳簿棚卸高：@9,740×(2,250個＋90個＋885個)＝31,411,500

　　　　③　①＋②＝59,991,900

(3) 棚卸減耗費及び商品評価損の計上

(棚 卸 減 耗 費)※1　403,625　　　　(繰 越 商 品)※3　1,012,625

(商 品 評 価 損)※2　609,000

　※1　①　A商品：@1,275×{帳簿(22,848個－見本品432個)－実地22,405個}＝14,025

　　　　②　B商品：@9,740×{帳簿(2,250個＋90個＋885個)－実地(2,300個＋885個)}

　　　　　　　　　　　　　　　　　　　　　　　　　　　　　　＝389,600

　　　　③　①＋②＝403,625

　※2　①　A商品：(@1,275－@600)×200個＝135,000

　　　　②　B商品：(@9,740－@5,000)×100個＝474,000

　　　　③　①＋②＝609,000

　※3　借方合計

8　有形固定資産

(1)　建物

①　事務所

（減　価　償　却　費）※　　2,565,000　　　　　（減価償却累計額）　　2,565,000

※　$114,000,000 \times 0.9 \times \dfrac{1\text{年}}{40\text{年}} = 2,565,000$

②　倉庫1

（減　価　償　却　費）※　　4,800,000　　　　　（減価償却累計額）　　4,800,000

※　$80,000,000 \times 0.9 \times \dfrac{1\text{年}}{15\text{年}} = 4,800,000$

③　倉庫2

イ　資本的支出及び収益的支出の修正

（建　　　　　　　物）※1　12,000,000　　　　（建　設　仮　勘　定）　24,000,000

（修　　繕　　費）※2　12,000,000

※1　$24,000,000 \times \dfrac{\text{延長10年}}{\text{当初残存10年＋延長10年}} = 12,000,000$

※2　$24,000,000 - \text{資本的支出}12,000,000 = 12,000,000$

ロ　減価償却

（減　価　償　却　費）※　　3,800,000　　　　　（減価償却累計額）　　3,800,000

※　(a)　既存分：$45,000,000 \times \dfrac{1\text{年}}{15\text{年}} = 3,000,000$

　　(b)　資本的支出分：$12,000,000 \times \dfrac{1\text{年}}{15\text{年}} = 800,000$

　　(c)　(a)＋(b)＝3,800,000

(2)　車両（営業車1）

（減　価　償　却　費）※　　866,250　　　　　　（減価償却累計額）　　866,250

※　$(6,300,000 - 5,118,750) - 6,300,000 \times 5\% = 866,250$

(3)　備品

①　事務用1

（減　価　償　却　費）※　　900,000　　　　　　（減価償却累計額）　　900,000

※　$4,500,000 \times \dfrac{1\text{年}}{5\text{年}} = 900,000$

②　事務用2

（減　価　償　却　費）※　　10,000　　　　　　　（減価償却累計額）　　10,000

※　$600,000 \times \dfrac{1\text{年}}{5\text{年}} \times \dfrac{1\text{月}}{12\text{月}} = 10,000$

問題 **8** 解答

(4) リース資産（営業車2）

① リース取引開始日

（リース資産）※　　4,816,990　　　　　　（リース債務）　　　4,816,990

　　※　イ　現在価値：$1,000,000 + 1,000,000 \times 3.81699 = 4,816,990$

　　　　ロ　見積現金購入価額：4,844,980

　　　　ハ　イ＜ロ　∴　低い方　4,816,990

② リース料支払時の修正

（リース債務）　　　1,000,000　　　　　　（支払リース料）　　1,000,000

③ 減価償却

（減価償却費）※　　481,699　　　　　　（減価償却累計額）　481,699

　　※　$4,816,990 \times \dfrac{1 \text{年}}{5 \text{年}} \times \dfrac{6 \text{月}}{12 \text{月}} = 481,699$

④ 支払利息の見越計上

（支払利息）※　　36,261　　　　　　（未払費用）　　　36,261

　　※　$(4,816,990 - 1,000,000) \times 1.9\% \times \dfrac{6 \text{月}}{12 \text{月}} = 36,261$（円未満四捨五入）

9　社債

(1) 買入消却の修正

（社債）※1　　3,904,000　　　　　　（仮払金）※3　　3,970,000

（社債利息）※2　　69,000　　　　　　（社債買入消却益）※4　　3,000

　　※1　$19,520,000 \times \dfrac{4,000,000}{20,000,000} = 3,904,000$

　　※2　①　経過利息：$4,000,000 \times 1.5\% \times \dfrac{9 \text{月}}{12 \text{月}} = 45,000$

　　　　②　償却額：$(4,000,000 - 3,904,000) \times \dfrac{9 \text{月}}{36 \text{月}} = 24,000$

　　　　③　①＋②＝69,000

　　※3　$4,210,000 - (20,000,000 - 4,000,000) \times 1.5\% = 3,970,000$

　　※4　差額

(2) 利払日の修正

（社債利息）※　　240,000　　　　　　（仮払金）　　　240,000

　　※　$(20,000,000 - 4,000,000) \times 1.5\% = 240,000$

(3) 償却原価法

（社債利息）※　　128,000　　　　　　（社債）　　　128,000

　　※　$(20,000,000 - 4,000,000) - (19,520,000 - 3,904,000) \times \dfrac{12 \text{月}}{36 \text{月}} = 128,000$

10　賞与引当金

(1)　賞与引当金及び未払費用の計上

| (賞与引当金繰入額) | 26,000,000 | (賞 与 引 当 金) ※1 | 26,000,000 |
| (法 定 福 利 費) | 2,600,000 | (未 払 費 用) ※2 | 2,600,000 |

※1　$39,000,000 \times \dfrac{4月}{6月} = 26,000,000$

※2　$26,000,000 \times 10\% = 2,600,000$

(2)　税効果会計

| (繰 延 税 金 資 産) ※ | 660,000 | (法 人 税 等 調 整 額) | 660,000 |

※　$(26,000,000 + 2,600,000) \times 30\% - 前T/B \ 7,920,000 = 660,000$

11　投資有価証券

(1)　P社株式

| (投 資 有 価 証 券) ※1 | 150,000 | (繰 延 税 金 負 債) ※2 | 45,000 |
| | | (その他有価証券評価差額金) ※3 | 105,000 |

※1　期末時価1,650,000 － 帳簿残高1,500,000 = 150,000

※2　$150,000 \times 30\% = 45,000$

※3　差額

(2)　N社株式

| (繰 延 税 金 資 産) ※2 | 33,000 | (投 資 有 価 証 券) ※1 | 110,000 |
| (その他有価証券評価差額金) ※3 | 77,000 | | |

※1　期末時価3,890,000 － 帳簿残高4,000,000 = △110,000

※2　$110,000 \times 30\% = 33,000$

※3　差額

(3)　K社社債

①　償却原価法

| (投 資 有 価 証 券) ※ | 18,000 | (有 価 証 券 利 息) | 18,000 |

※　$(3,000,000 - 2,934,000) \times \dfrac{12月}{44月} = 18,000$

②　時価評価

| (投 資 有 価 証 券) ※1 | 40,000 | (繰 延 税 金 負 債) ※2 | 12,000 |
| | | (その他有価証券評価差額金) ※3 | 28,000 |

※1　期末時価2,992,000 － 帳簿残高(2,934,000 + 18,000) = 40,000

※2　$40,000 \times 30\% = 12,000$

※3　差額

③　クーポン利息の見越計上

（未　収　収　益）※　　　20,000　　　　（有　価　証　券　利　息）　　　20,000

※　$3,000,000 \times 2\% \times \dfrac{4月}{12月} = 20,000$

12　貸倒引当金

(1)　破産更生債権等

①　貸倒引当金の計上

（貸倒引当金繰入額）※　12,670,000　　　（貸　倒　引　当　金）　12,670,000

※　$21,670,000 - 9,000,000 = 12,670,000$

②　税効果会計

（繰　延　税　金　資　産）※　1,900,500　　　（法　人　税　等　調　整　額）　1,900,500

※　$12,670,000 \times 50\% \times 30\% = 1,900,500$

(2)　一般債権

（貸倒引当金繰入額）※　　　756,784　　　（貸　倒　引　当　金）　　　756,784

※　①　受取手形：前T/B　126,753,000 − 12,870,000 = 113,883,000

②　売掛金：前T/B　55,836,000 − 2,640,000 − 14,413,850 = 38,782,150

③　割引手形：5,500,000

④　繰入額：(①＋②＋③) × 2% − 前T/B　2,406,519 = 756,784

13　受取配当金（法人税等の中間納付額と合算するため、一旦仮払金に計上する。）

（仮　　払　　金）　　　60,000　　　（受　取　配　当　金）　　　60,000

14　見越・繰延

（営　　業　　費）　　　81,000　　　（未　払　費　用）　　　81,000

（前　払　費　用）　　　62,500　　　（営　　業　　費）　　　62,500

15　税金

(1)　消費税等

（仮　受　消　費　税　等）※1　125,740,650　　　（仮　払　消　費　税　等）※2　94,908,050

（仮　　払　　金）　9,000,000

（未　払　消　費　税　等）※3　21,832,600

※1　前T/B　127,051,000 − 1,310,350 = 125,740,650

※2　前T/B　94,726,450 + 17,200 + 16,200 + 60,000 + 88,200 = 94,908,050

※3　差額

(2) 法人税等

(法　人　税　等)※1 35,121,000　　　　　(仮　　　払　　　金)※2 15,060,000

　　　　　　　　　　　　　　　　　　　　(未 払 法 人 税 等)※3 20,061,000

　　※1　①　税引前利益：収益1,257,215,349－費用1,148,680,349＝108,535,000

　　　　　②　年税額：108,535,000×30％＋法調2,560,500＝35,121,000

　　※2　中間15,000,000＋源泉60,000＝15,060,000

　　※3　差額

問題 **8**

解答

決算整理後残高試算表

借　方　科　目		金　　額	貸　方　科　目		金　　額
現　　　　　　　金	1	10,800	支　払　手　形		85,482,550
当　座　預　金	2	58,956,300	買　　掛　　金	26	64,463,100
受　取　手　形	3	113,883,000	未　　払　　金	27	660,000
売　　掛　　金	4	38,782,150	未　払　費　用	28	2,717,261
繰　越　商　品	5	58,979,275	契　約　負　債	29	872,151
前　払　費　用		62,500	未　払　消　費　税　等	30	21,832,600
未　収　収　益	6	20,000	未　払　法　人　税　等	31	20,061,000
建　　　　　　　物	7	251,000,000	賞　与　引　当　金		26,000,000
車　　　　　　　両		6,300,000	貸　倒　引　当　金	32	15,833,303
備　　　　　　　品	8	5,100,000	リ　ー　ス　債　務	33	3,816,990
リ　ー　ス　資　産	9	4,816,990	社　　　　　　　債	34	15,744,000
土　　　　　　　地		80,000,000	減　価　償　却　累　計　額	35	135,841,699
投　資　有　価　証　券	10	8,532,000	繰　延　税　金　負　債	36	57,000
破　産　更　生　債　権　等	11	21,670,000	資　　本　　金		90,000,000
繰　延　税　金　資　産	12	10,513,500	資　本　準　備　金		42,000,000
売　上　原　価	13	896,844,800	利　益　準　備　金		2,500,000
営　　業　　費	14	165,424,445	繰　越　利　益　剰　余　金		54,714,361
法　定　福　利　費	15	19,400,000	その他有価証券評価差額金	37	56,000
賞　与　引　当　金　繰　入　額	16	26,000,000	小　　売　　上	38	494,637,849
貸　倒　引　当　金　繰　入　額	17	13,426,784	一　　般　　売　　上	39	761,896,500
減　価　償　却　費	18	13,422,949	受　取　配　当　金	40	600,000
見　本　品　費	19	550,800	有　価　証　券　利　息	41	78,000
修　　繕　　費	20	12,000,000	社　債　買　入　消　却　損　益	42	3,000
棚　卸　減　耗　費	21	403,625	法　人　税　等　調　整　額	43	2,560,500
商　品　評　価　損	22	609,000			
支　払　利　息	23	36,261			
社　債　利　息	24	437,000			
手　形　売　却　損		124,685			
法　人　税　等	25	35,121,000			
合　　　計		1,842,427,864	合　　　計		1,842,427,864

※　□で囲まれた数字は配点を示す。

決算整理後残高試算表　　　　　（単位：円）

借	方		貸	方	
科　　　　　目	金　　額		科　　　　　目	金　　額	
現　金　預　金	②	22,823,720	支　払　手　形	①	71,718,000
受　取　手　形	②	88,151,000	買　　掛　　金	①	28,380,000
売　　掛　　金	②	31,335,000	未　払　費　用	①	151,200
繰　越　商　品	②	5,853,000	未 払 法 人 税 等	①	2,310,900
貯　　蔵　　品	②	100,000	賞　与　引　当　金	①	9,680,000
建　　　　　物	②	66,000,000	貸　倒　引　当　金	①	10,106,636
車　両　運　搬　具	②	4,687,500	社　　　　　債	①	21,204,000
器　具　備　品	②	2,975,000	退 職 給 付 引 当 金	①	41,355,000
土　　　　　地		60,000,000	繰　延　税　金　負　債	①	150,000
投　資　有　価　証　券	①	27,900,000	資　　本　　金		95,000,000
破　産　更　生　債　権　等	①	9,000,000	利　益　準　備　金		1,500,000
繰　延　税　金　資　産	①	16,380,000	繰　越　利　益　剰　余　金		42,844,984
仕　　　　　入	①	385,955,000	その他有価証券評価差額金	①	304,500
棚　卸　減　耗　損	①	32,000	売　　　　　上	①	508,695,000
見　本　品　費	①	160,000	受　取　利　息　配　当　金	①	375,000
人　　件　　費	①	66,932,800	雑　　収　　入	①	140,000
賞 与 引 当 金 繰 入 額	①	9,680,000	社　債　買　入　消　却　益	①	12,000
退　職　給　付　費　用	①	5,303,000			
減　価　償　却　費	①	4,247,500			
貸 倒 引 当 金 繰 入 額	①	9,672,786			
そ　の　他　の　費　用	①	6,329,948			
手　形　売　却　損	①	139,900			
社　債　利　息	①	873,600			
雑　　損　　失	①	45,466			
投　資　有　価　証　券　評　価　損	①	4,000,000			
器　具　備　品　除　却　損	①	650,000			
車　両　運　搬　具　売　却　損	①	200,000			
法　　人　　税　　等	①	3,522,900			
法　人　税　等　調　整　額	①	977,100			
合　　　　　計		833,927,220	合　　　　　計		833,927,220

【配　点】　②×8カ所　①×34カ所　　合計50点

解答への道

I 本問のポイント

本問は資料の読み取りに重点を置いて出題した。本問のような資料構成の場合には、全体像を見ないまま問題文の最初から解き進めても、上手く解答することができない。問題を解き始める前に全体の資料構成を確認し、解答することができたかどうかが、この問題のポイントである。また、その他のポイントは次のとおりである。

1 当座預金出納帳と当座勘定照合表とを見比べながら、差異原因を読み取ることができたかどうか。

2 社債のクーポン利息の利払日と決算日が異なっていたが、買入消却の修正及び決算時の処理ができたかどうか。

3 商品の評価について総平均法を採用していたが、適切に処理できたかどうか。

II 具体的解説（単位：円）

1 現金預金

(1) 現金

① 配当金領収証（未処理）

（現　金　預　金）	108,000	（受取利息配当金）※	120,000
（仮　払　金）	12,000		

※　借方合計

② 得意先振出小切手

（現　金　預　金）	3,000,000	（現　金　預　金）	3,000,000
（現　　　金）		（当　座　預　金）	

③ 営業費の支払（未処理）

（その他の費用）	143,892	（現　金　預　金）	143,892

④ 現金過不足

（雑　損　失）	868	（現　金　預　金）※	868

※　(a) 実際有高：通貨716,190＋配当金領収証108,000＋得意先振出小切手3,000,000
　　　　　　　　＝3,824,190

　　(b) 帳簿残高：29,512,580－28,651,630＋108,000＋3,000,000－143,892＝3,825,058

　　(c) (a)－(b)＝△868

(2) 当座預金

① 売掛代金決済（3月6日）

（その他の費用）※	2,100	（現　金　預　金）	2,100

※　1,995,000－1,992,900＝2,100

② 手形割引（3月9日）

（手 形 売 却 損）※ 14,000 （現 金 預 金） 14,000

※ 4,200,000−4,186,000＝14,000

③ 未取立手形（3月27日）

（受 取 手 形） 3,885,000 （現 金 預 金） 3,885,000

④ 未取立小切手（3月30日）

940,380の小切手は現金実査の資料から手許にはないため、未取立小切手であると判断する。

⇨ 処理なし

⑤ 未預入小切手（3月31日）

3,000,000の小切手は現金実査の資料から手許にあるため、未預入であることとなる。よって、修正仕訳が必要となる。

⇨ 上記(1)②参照

⑥ 未渡小切手（3月31日）

小切手No.634は現金実査の段階で手許にあるため、未渡しであることとなる。しかし、当座預金出納帳において借方に記入されていることから、貸借反対に記帳していることが判明する。

(a) 適正な仕訳

仕 訳 な し

(b) 当社が行った仕訳

（現 金 預 金）	1,260,000	（買 掛 金）	1,260,000

(c) 修正仕訳（(a)−(b)）

（買 掛 金） 1,260,000 （現 金 預 金） 1,260,000

⑦ 手形決済の未処理（3月31日）

（支 払 手 形） 1,491,000 （現 金 預 金） 1,491,000

2 売掛金（売上返品）

（売 上） 80,000 （売 掛 金） 80,000

3 商品

(1) 平均単価の算定：$\dfrac{5,625,000＋386,375,000}{9,000 個＋603,500 個}＝@640$

(2) 見本品費

（見 本 品 費）※ 160,000 （仕 入） 160,000

※ @640×250個＝160,000

(3) 売上原価

(仕 入)	5,625,000	(繰 越 商 品)	5,625,000
(繰 越 商 品)※	5,920,000	(仕 入)	5,920,000

　※　@640×(9,400個＋返品100個−見本250個)＝5,920,000

(4) 棚卸減耗損及び商品評価損

(棚 卸 減 耗 損)※1	32,000	(繰 越 商 品)※3	67,000
(仕 入)※2	35,000		

　※1　5,920,000−@640×(9,100個＋返品100個)＝32,000

　※2　(@640−@290)×100個＝35,000

　※3　借方合計

4　有価証券

(1) A社株式

(繰 延 税 金 資 産)※2	15,000	(投 資 有 価 証 券)※1	50,000
(その他有価証券評価差額金)※3	35,000		

　※1　当期末時価3,700,000−前期末時価3,750,000＝△50,000

　※2　50,000×30%＝15,000

　※3　差額

(2) B社社債

① 前期末残高：$5,525,000+(6,000,000-5,525,000)\times\dfrac{12月}{60月}=5,620,000$

② 償却原価法

(投 資 有 価 証 券)※	95,000	(受 取 利 息 配 当 金)	95,000

　※　$(6,000,000-5,525,000)\times\dfrac{12月}{60月}=95,000$

③ 時価評価

(繰 延 税 金 資 産)※2	4,500	(投 資 有 価 証 券)※1	15,000
(その他有価証券評価差額金)※3	10,500		

　※1　当期末時価5,700,000−帳簿価額(5,620,000＋95,000)＝△15,000

　※2　15,000×30%＝4,500

　※3　差額

(3) C社株式

(投 資 有 価 証 券)※1	500,000	(繰 延 税 金 負 債)※2	150,000
		(その他有価証券評価差額金)※3	350,000

　※1　当期末時価15,500,000−帳簿価額15,000,000＝500,000

※2　500,000×30%＝150,000

　　※3　差額

(4) D社株式

　　(投資有価証券評価損)　　　　4,000,000　　　　(投 資 有 価 証 券)※　　4,000,000

　　※　当期末実質価額3,000,000－帳簿価額7,000,000＝△4,000,000

5　貸倒引当金

(1) Y社債権

　　(貸 倒 引 当 金)　　　　3,000,000　　　　(破 産 更 生 債 権 等)※　　3,000,000

　　※　前T/Bより

(2) Z社債権

　① 破産更生債権等への振替

　　(破 産 更 生 債 権 等)　　　　9,000,000　　　　(仮　　　払　　　金)　　4,000,000

　　　　　　　　　　　　　　　　　　　　　　　　　　　　(受　　取　　手　　形)　　2,000,000

　　　　　　　　　　　　　　　　　　　　　　　　　　　　(売　　　掛　　　金)　　3,000,000

　② 貸倒引当金の設定

　　(貸倒引当金繰入額)※　　7,000,000　　　　(貸 倒 引 当 金)　　7,000,000

　　※　(9,000,000－2,000,000)×100%＝7,000,000

　③ 税効果会計

　　(繰 延 税 金 資 産)※　　600,000　　　　(法 人 税 等 調 整 額)　　600,000

　　※　(7,000,000－7,000,000×50%)×30%－前T/B 450,000＝600,000

(3) 一般債権

　① 貸倒実績率の算定

　　(a) 前々々期：1,795,500÷66,500,000＝0.027

　　(b) 前々期：2,025,660÷72,345,000＝0.028

　　(c) 前期：1,736,500÷75,500,000＝0.023

　　(d) ((a)＋(b)＋(c))÷3年＝0.026

　② 貸倒引当金の設定

　　(貸倒引当金繰入額)※　　2,672,786　　　　(貸 倒 引 当 金)　　2,672,786

　　※　(a) {受取手形(86,266,000＋3,885,000－2,000,000)＋売掛金(34,415,000－80,000

　　　　　　－3,000,000)}×0.026＝3,106,636

　　　　(b) 3,106,636－貸引(前T/B 3,433,850－3,000,000)＝2,672,786

6　有形固定資産

(1) 建物

　　(減 価 償 却 費)※　　2,160,000　　　　(建　　　　　物)　　2,160,000

※　$120,000,000 \times 0.9 \times \dfrac{1\text{年}}{50\text{年}} = 2,160,000$

(2) 車両運搬具

　① 車両運搬具Ａ

　　(a) 適正な仕訳

（減 価 償 却 費）※1	250,000	（車 両 運 搬 具）	2,750,000
（現　金　預　金）	2,300,000		
（車両運搬具売却損）※2	200,000		

※1　$8,000,000 \times \dfrac{1\text{年}}{8\text{年}} \times \dfrac{3\text{月}}{12\text{月}} = 250,000$

※2　差額

　　(b) 当社が行った処理

（現　金　預　金）	2,300,000	（雑　　収　　入）	2,300,000

　　(c) 修正仕訳（(a)－(b)）

（減 価 償 却 費）	250,000	（車 両 運 搬 具）	2,750,000
（雑　　収　　入）	2,300,000		
（車両運搬具売却損）	200,000		

　② 減価償却（車両運搬具Ｂ）

（減 価 償 却 費）※	937,500	（車 両 運 搬 具）	937,500

※　$7,500,000 \times \dfrac{1\text{年}}{8\text{年}} = 937,500$

(3) 器具備品

　① 除却（器具備品Ｃ）

（減 価 償 却 費）※1	375,000	（器　具　備　品）	1,125,000
（貯　　蔵　　品）	100,000		
（器 具 備 品 除 却 損）※2	650,000		

※1　$3,000,000 \times \dfrac{1\text{年}}{8\text{年}} = 375,000$

※2　差額

　② 減価償却（器具備品Ｄ）

（減 価 償 却 費）※	525,000	（器　具　備　品）	525,000

※　$4,200,000 \times \dfrac{1\text{年}}{8\text{年}} = 525,000$

7　賞与引当金

(1) 賞与支給時の修正

（賞　与　引　当　金）※　　9,240,000　　　（人　　件　　費）　　9,240,000

　　※　前T/Bより

(2) 賞与引当金の繰入

（賞与引当金繰入額）※　　9,680,000　　　（賞　与　引　当　金）　　9,680,000

　　※　$14,520,000 \times \dfrac{4 \text{月}}{6 \text{月}} = 9,680,000$

(3) 税効果会計

（繰　延　税　金　資　産）※　　132,000　　　（法　人　税　等　調　整　額）　　132,000

　　※　$9,680,000 \times 30\% -$ 前T/B $2,772,000 = 132,000$

8　退職給付引当金

(1) 退職給付費用の計上（期首分）

（退　職　給　付　費　用）※　　4,890,090　　　（退　職　給　付　引　当　金）　　4,890,090

　　※　①　勤務費用：3,600,000

　　　　②　利息費用：$98,762,000 \times 2.0\% = 1,975,240$

　　　　③　期待運用収益：$51,010,000 \times 1.5\% = 765,150$

　　　　④　数理計算上の差異の償却額

　　　　　　(a) 前々期分：$540,000 \times \dfrac{1 \text{年}}{3 \text{年} - 2 \text{年}} = 540,000$（貸方差異）

　　　　　　(b) 前期分：$1,240,000 \times \dfrac{1 \text{年}}{3 \text{年} - 1 \text{年}} = 620,000$（借方差異）

　　　　　　(c) (b) − (a) = 80,000（借方差異）

　　　　⑤　① + ② − ③ + ④ = 4,890,090

(2) 退職一時金支払額及び年金掛金拠出額の修正

（退　職　給　付　引　当　金）　　11,000,000　　　（人　　件　　費）※　　11,000,000

　　※　【資料3】人件費より一時金6,800,000 + 掛金4,200,000 = 11,000,000

(3) 年金給付支給額

　　仕　　訳　　な　　し

(4) 当期発生数理計算上の差異の償却

（退　職　給　付　費　用）※　　412,910　　　（退　職　給　付　引　当　金）　　412,910

　　※　①　退職給付引当金：期首47,052,000 + 費用4,890,090 − 支出11,000,000 = 40,942,090

　　　　②　当期発生額：債務95,029,000 − 資産52,228,180 − 退引40,942,090 − 未認識620,000

　　　　　　= 1,238,730（借方差異）

問題9　解答

－223－

③ 償却額：$1,238,730 \times \dfrac{1 \, \text{年}}{3 \, \text{年}} = 412,910$

(5) 税効果会計

（法人税等調整額）	1,709,100	（繰延税金資産）※	1,709,100

　　※　$(40,942,090 + 412,910) \times 30\% - 前T/B \, 14,115,600 = \triangle 1,709,100$

9　社債

(1) 買入消却時

① 適正な仕訳

（社　　　　債）※1	14,064,000	（現 金 預 金）※3	14,162,400
（社 債 利 息）※2	110,400	（社債買入消却益）※4	12,000

　　※1　$35,160,000 \times 40\% = 14,064,000$

　　※2　(a)　$(36,000,000 \times 40\% - 14,064,000) \times \dfrac{10 \, \text{月}}{60 \, \text{月} - 4 \, \text{月}} = 60,000$

　　　　　(b)　$36,000,000 \times 40\% \times 2.1\% \times \dfrac{2 \, \text{月}}{12 \, \text{月}} = 50,400$

　　　　　(c)　(a) + (b) = 110,400

　　※3　【資料3】雑損失より

　　※4　差額

② 当社が行った仕訳

（雑　　損　　失）	14,162,400	（現 金 預 金）	14,162,400

③ 修正仕訳（①−②）

（社　　　　債）	14,064,000	（雑　　損　　失）	14,162,400
（社 債 利 息）	110,400	（社債買入消却益）	12,000

(2) 金利調整差額の償却

（社 債 利 息）※	108,000	（社　　　　債）	108,000

　　※　$\{36,000,000 \times (1 - 40\%) - 帳簿価額(35,160,000 - 14,064,000)\} \times \dfrac{12 \, \text{月}}{60 \, \text{月} - 4 \, \text{月}}$
　　　　$= 108,000$

(3) クーポン利息の見越計上

（社 債 利 息）※	151,200	（未 払 費 用）	151,200

　　※　$36,000,000 \times (1 - 40\%) \times 2.1\% \times \dfrac{4 \, \text{月}}{12 \, \text{月}} = 151,200$

10　税金（法人税等）

（法 人 税 等）※1	3,522,900	（仮　　払　　金）※2	1,212,000
		（未 払 法 人 税 等）※3	2,310,900

－224－

※1　(1)　税引前当期純利益：収益509,222,000－費用494,222,000＝15,000,000

　　　(2)　15,000,000×30％－法調977,100＝3,522,900

※2　中間納付1,200,000（【資料3】仮払金より）＋源泉所得税等12,000＝1,212,000

※3　差額

問題
9

解答

※　□で囲まれた数字は配点を示す。

問1　　　　　　　　　　　　　　　　　　　　　　　　　　　（単位：円）

商品名	棚卸資産金額		収益性の低下による評価損	
Λ商品	1	14,564,000	1	331,000
B商品	1	19,271,700	1	48,300

問2

＜貸借対照表＞　　　　　　　　　　　　　　　　　　　　　（単位：円）

1	現　　　　　　　　　　　　　金	2	570,100
2	当　座　預　金	2	33,304,950
3	受　取　手　形	2	100,164,000
4	売　掛　金	2	30,673,000
5	未　収　収　益	2	50,000
6	建　物	2	123,675,000
7	車　両	2	5,600,000
8	器　具　備　品	2	787,500
9	投　資　有　価　証　券	2	13,500,000
10	破　産　更　生　債　権　等	2	20,100,000
11	繰　延　税　金　資　産	2	147,879,000
12	買　掛　金	2	41,456,000
13	未　払　消　費　税　等	2	25,095,000
14	社　債	2	7,923,200
15	退　職　給　付　引　当　金	2	482,520,000
16	その他有価証券評価差額金	2	△　252,000

<損益計算書>   (単位：円)

17	棚　卸　減　耗　損	1	603,000
18	見　本　品　費	1	84,600
19	租　税　公　課	1	1,896,000
20	貸　倒　引　当　金　繰　入　額	1	20,105,500
21	社　債　利　息	1	297,600
22	手　形　売　却　損	1	79,500
23	投　資　有　価　証　券　評　価　損	1	3,900,000
24	法　人　税　等	1	18,771,000
25	法　人　税　等　調　整　額	1	△　15,771,000
26	小　売　売　上　高	1	220,686,000
27	一　般　売　上　高	1	810,782,000
28	有　価　証　券　利　息	1	70,000
29	保　険　差　益	1	3,350,000
30	社　債　買　入　消　却　益	1	26,400

【配　点】　②×16カ所　　①×18カ所　　合計50点

問題
10

解答

解答への道

I　本問のポイント

　本問は過去の本試験問題をベースとした問題である。実際の本試験問題と同様、本問において
も商品売買は処理量が多く手間がかかるため、それ以外の標準的な難易度の他の論点（本問では
現金預金や有形固定資産、有価証券、退職給付引当金などがそれに当たるであろう）を中心に丁
寧に処理し、得点を重ねていくことができたかどうかがポイントとなる。復習においては、会計
処理に留まらず、制限時間を有効に活用する意識をもって解答することについても確認していた
だきたい。

II　具体的解説（単位：円）

1　現金預金

(1) 現金（小口現金の精算）

（その他営業費用）※1	205,000	（現　　　　　金）	225,500
（仮払消費税等）※2	20,500		

$$※1　225,500 \times \frac{1}{1.1} = 205,000$$

$$※2　225,500 \times \frac{0.1}{1.1} = 20,500$$

(2) 当座預金

① 時間外預入 → 仕訳不要

② 誤記帳

(a) 適正な仕訳

（商品仕入高）※1	255,000	（当　座　預　金）	280,500
（仮払消費税等）※2	25,500		

$$※1　280,500 \times \frac{1}{1.1} = 255,000$$

$$※2　280,500 \times \frac{0.1}{1.1} = 25,500$$

(b) 甲社が行った仕訳

（商品仕入高）※1	225,000	（当　座　預　金）	247,500
（仮払消費税等）※2	22,500		

$$※1　247,500 \times \frac{1}{1.1} = 225,000$$

$$※2　247,500 \times \frac{0.1}{1.1} = 22,500$$

(c) 修正仕訳（(a)－(b)）

（商 品 仕 入 高）	30,000	（当 座 預 金）	33,000
（仮 払 消 費 税 等）	3,000		

③ 手形の不渡り

（破 産 更 生 債 権 等）	6,000,000	（当 座 預 金）	6,000,000

（注）使用する勘定科目については、（問題の前提条件）5より判断する。

④ 手形の割引

（当 座 預 金）	811,800	（受 取 手 形）※	820,000
（手 形 売 却 損）	8,200		

※ 借方合計

2 受取手形

（破 産 更 生 債 権 等）※3	11,220,000	（受 取 手 形）※1	10,020,000
		（仮 払 金）※2	1,200,000

※1 N商事手持手形5,220,000＋N商事取立手形4,800,000＝10,020,000

※2 N商事割引手形7,200,000－買戻による引落分6,000,000＝1,200,000

※3 貸方合計。なお、使用する勘定科目については、（問題の前提条件）5より判断する。

3 売掛金

(1) M商事

① 3月販売分の値引

（一 般 売 上 高）※1	38,000	（売 掛 金）	41,800
（仮 受 消 費 税 等）※2	3,800		

$$※1 \quad 41,800 \times \frac{1}{1.1} = 38,000$$

$$※2 \quad 41,800 \times \frac{0.1}{1.1} = 3,800$$

② 3月販売分の返品

（一 般 売 上 高）※1	212,000	（売 掛 金）	233,200
（仮 受 消 費 税 等）※2	21,200		

$$※1 \quad 233,200 \times \frac{1}{1.1} = 212,000$$

$$※2 \quad 233,200 \times \frac{0.1}{1.1} = 21,200$$

(2) N商事

（破 産 更 生 債 権 等）	2,880,000	（売 掛 金）	2,880,000

（注）使用する勘定科目については、（問題の前提条件）5より判断する。

4　棚卸資産

(1)　A商品

①　売上の計上もれ

（現 金）※1	545,600	（小 売 売 上 高）※2	496,000
		（仮 受 消 費 税 等）※3	49,600

※1　686,400－午前中売上分140,800＝545,600

※2　$545,600 \times \dfrac{1}{1.1} = 496,000$

※3　$545,600 \times \dfrac{0.1}{1.1} = 49,600$

②　仕入の計上もれ

（商 品 仕 入 高）	310,000	（買 掛 金）	310,000

③　原価率の算定

(a)　原価

期首15,812,160＋当期仕入（前T/B 197,717,840＋計上もれ310,000）＝213,840,000

(b)　売価

期首17,376,000＋当期仕入（前T/B 197,717,840＋計上もれ310,000）×1.1

＋値上（8,816,000－取消1,022,624）－値下（6,242,000－取消842,000）＝237,600,000

(c)　売価還元法による原価率

$\dfrac{213,840,000}{237,600,000} = 0.9$

④　見本品の処理

（見 本 品 費）※	84,600	（商 品 仕 入 高）	84,600

※　94,000×0.9＝84,600

⑤　売上原価の算定

（売 上 原 価）	15,812,160	（商 品）	15,812,160
（売 上 原 価）	197,943,240	（商 品 仕 入 高）※1	197,943,240
（商 品）※2	15,138,000	（売 上 原 価）	15,138,000

※1　前T/B 197,717,840＋計上もれ310,000－見本品84,600＝197,943,240

※2　(a)　期末商品帳簿棚卸高（売価）の算定

237,600,000－小売売上高（前T/B 220,190,000＋計上もれ496,000）

－見本品94,000＝16,820,000

(b)　16,820,000×0.9＝15,138,000

⑥　棚卸減耗損の算定

（棚　卸　減　耗　損）※　　　243,000　　　（商　　　　　　　品）　　　　243,000

　　※　（帳簿売価16,820,000－実地売価16,550,000）×0.9＝243,000

⑦　収益性の低下に基づく帳簿価額の切下げ

　（a）売価還元低価法における原価率

$$\frac{213,840,000}{237,600,000＋値下(6,242,000－取消842,000)}＝\frac{213,840,000}{243,000,000}＝0.88$$

　　（注）売価還元低価法による原価率は、値下額及び値下取消額を除外して求める。

　（b）会計処理

（収 益 性 低 下 評 価 損）※　　　331,000　　　（商　　　　　　　品）　　　　331,000

　　※　（帳簿15,138,000－減耗243,000）－実地売価16,550,000×0.88＝331,000

(2)　B商品

①　商品単価の算定（年間総平均法）

　（a）原価

　　　期首20,434,500＋当期仕入（前T/B 488,575,500＋諸掛30,000）＝509,040,000

　（b）商品単価

　　　509,040,000÷（期首17,100個＋当期仕入407,100個）＝@1,200

②　売上原価の算定

（売　　上　　原　　価）　　20,434,500　　　（商　　　　　　　品）　　20,434,500

（売　　上　　原　　価）　488,605,500　　　（商 品 仕 入 高）※1 488,605,500

（商　　　　　　　品）※2 19,680,000　　　（売　　上　　原　　価）　19,680,000

　　※1　前T/B 488,575,500＋諸掛30,000＝488,605,500

　　※2　@1,200×（16,300個＋返品100個）＝19,680,000

③　棚卸減耗損の算定

（棚　卸　減　耗　損）※　　　360,000　　　（商　　　　　　　品）　　　　360,000

　　※　@1,200×｛帳簿（16,300個＋返品100個）－実地16,100個｝＝360,000

④　収益性の低下に基づく帳簿価額の切下げ

　（a）平均売価の算定

$$\frac{42,208,000－値引38,000－返品212,000}{33,400個－返品100個}＝@1,260$$

　（b）判定

　　　正味売却価額（単価）：@1,260－@1,260×5％＝@1,197　＜　商品単価：@1,200

　　　∴　収益性の低下あり

(c) 会計処理

(収益性低下評価損) ※	48,300	(商　　　品)	48,300

　　※　正味(@1,197×実地16,100個)−実地(帳簿19,680,000−減耗360,000)＝△48,300

5　仮払金

(仮 払 消 費 税 等)	7,400,000	(仮　　払　　金)	32,600,000
(仮 払 法 人 税 等)	2,200,000		
(退 職 給 付 引 当 金)	23,000,000		

　　(注) N商事の割引手形の買戻し金については上記2を、社債の買入消却に係る支出額については下記9をそれぞれ参照のこと。

6　有形固定資産

　(1)　建物

　　①　焼失

(減 価 償 却 費) ※1	1,350,000	(建　　　物)	27,000,000
(仮　　受　　金)	29,000,000	(保 険 差 益) ※2	3,350,000

　　※1　$54,000,000 \times \dfrac{1年}{10年} \times \dfrac{3月}{12月} = 1,350,000$

　　※2　差額

　　②　建設仮勘定の振替

(建　　　物)	55,800,000	(建 設 仮 勘 定)	55,800,000

　　③　減価償却

(減 価 償 却 費) ※	7,005,000	(建　　　物)	7,005,000

　　※　事務所：$117,000,000 \times \dfrac{1年}{25年} = 4,680,000$

　　　　倉　庫：$55,800,000 \times \dfrac{1年}{10年} \times \dfrac{5月}{12月} = 2,325,000$

　　　∴　4,680,000＋2,325,000＝7,005,000

　(2)　車両

(減 価 償 却 費) ※	3,000,000	(車　　　両)	3,000,000

　　※　役員車：$12,000,000 \times \dfrac{1年}{5年} = 2,400,000$

　　　　営業車：$2,400,000 \times \dfrac{1年}{4年} = 600,000$

　　　∴　2,400,000＋600,000＝3,000,000

(3) 器具備品

(減 価 償 却 費)※　　112,500　　　　（器　具　備　品）　　112,500

　　※　$900,000 \times \dfrac{1年}{4年} \times \dfrac{6月}{12月} = 112,500$

7　投資有価証券

(1) W株式

(繰 延 税 金 資 産)※2　　60,000　　　（投 資 有 価 証 券）※1　　200,000

(その他有価証券評価差額金)※3　　140,000

　　※1　時価1,100,000－簿価1,300,000＝△200,000

　　※2　200,000×30%＝60,000

　　※3　差額

(2) X株式

(投資有価証券評価損)　　3,900,000　　　（投 資 有 価 証 券）※　　3,900,000

　　※　時価2,900,000－簿価6,800,000＝△3,900,000

(3) Y社債

　①　金利調整差額の償却

(投 資 有 価 証 券)※　　20,000　　　（有 価 証 券 利 息）　　20,000

　　※　$(10,000,000 - 9,640,000) \times \dfrac{2月}{36月} = 20,000$

　②　期末評価

(繰 延 税 金 資 産)※2　　48,000　　　（投 資 有 価 証 券）※1　　160,000

(その他有価証券評価差額金)※3　　112,000

　　※1　時価9,500,000－償却原価9,660,000＝△160,000

　　※2　160,000×30%＝48,000

　　※3　差額

　③　クーポン利息の見越

(未 収 収 益)※　　50,000　　　（有 価 証 券 利 息）　　50,000

　　※　$10,000,000 \times 3\% \times \dfrac{2月}{12月} = 50,000$

8　貸倒引当金

(1) 破産更生債権等

　①　貸倒引当金

(貸倒引当金繰入額)※　　20,100,000　　　（貸 倒 引 当 金）　　20,100,000

　　※　(6,000,000＋11,220,000＋2,880,000)×100%＝20,100,000

② 税効果会計

(繰延税金資産)※　3,015,000　　　　(法人税等調整額)　　3,015,000

　　※　(a) 一時差異

　　　　　　設定額20,100,000－限度額20,100,000×50％＝10,050,000

　　　　(b) 10,050,000×30％＝3,015,000

(2) 一般債権

(貸倒引当金繰入額)※　5,500　　　　(貸　倒　引　当　金)　　5,500

　　※　① 売掛金

　　　　　前T/B 33,828,000－値引41,800－返品233,200－破産2,880,000＝30,673,000

　　　② 受取手形

　　　　　前T/B 111,004,000－割引820,000－破産10,020,000＝100,164,000

　　　③ 割引手形

　　　　　M商事11,200,000＋O商事(4,600,000＋820,000)＋その他20,018,000

　　　　　＝36,638,000

　　　④ 合計額

　　　　　①＋②＋③＝167,475,000

　　　⑤ 貸倒引当金設定額

　　　　　167,475,000×2％＝3,349,500

　　　⑥ 貸倒引当金繰入額

　　　　　3,349,500－前T/B 3,344,000＝5,500

9　社債

(1) 買入消却

(社　　　　　債)※1 11,827,200　　　(仮　　払　　金)※3 11,900,000

(社　債　利　息)※2　99,200　　　　(社債買入消却益)※4　26,400

　　※1　$19,712,000 \times \dfrac{12,000,000}{20,000,000} = 11,827,200$

　　※2　① 金利調整差額の償却

　　　　　(額面金額12,000,000－帳簿価額11,827,200)$\times \dfrac{4月}{60月-24月} = 19,200$

　　　② 経過利息

　　　　　$12,000,000 \times 2\% \times \dfrac{4月}{12月} = 80,000$

　　　③ ①＋②＝99,200

　　※3　【資料2】5より

　　※4　差額

(2) 金利調整差額の償却

| （社　債　利　息）※ | 38,400 | （社　　　　　債） | 38,400 |

※　$\{$額面金額8,000,000－帳簿価額(19,712,000－11,827,200)$\} \times \dfrac{12月}{60月－24月} ＝38,400$

10　退職給付引当金

(1) 前T/Bの金額

①　退職給付引当金

期首退職給付債務626,000,000－期首年金資産150,000,000－未認識差異36,000,000※
＝440,000,000

※　X16年3月期16,000,000＋X18年3月期20,000,000＝36,000,000

②　繰延税金資産

退職給付引当金440,000,000×30%＝132,000,000

(2) 退職給付費用の算定

| （退 職 給 付 費 用）※ | 65,520,000 | （退 職 給 付 引 当 金） | 65,520,000 |

※　勤務費用：50,500,000

利息費用：626,000,000×2%＝12,520,000

期待運用収益：150,000,000×1%＝1,500,000（△）

未認識差異の償却：X16年3月期　$16,000,000 \times \dfrac{1年}{8年} ＝2,000,000$

$\qquad\qquad\qquad\qquad$ X18年3月期　$20,000,000 \times \dfrac{1年}{10年} ＝2,000,000$

∴　50,500,000＋12,520,000－1,500,000＋2,000,000＋2,000,000＝65,520,000

(3) 年金掛金拠出→上記5参照

(4) 税効果会計

| （繰 延 税 金 資 産）※ | 12,756,000 | （法 人 税 等 調 整 額） | 12,756,000 |

※　退職給付引当金482,520,000×30%－前T/B 132,000,000＝12,756,000

11　租税公課

(1) 受取利息及び受取配当金の源泉税額

| （仮 払 法 人 税 等） | 130,000 | （租　税　公　課） | 130,000 |

(2) 消費税等

| （仮 受 消 費 税 等）※1 | 103,146,800 | （仮 払 消 費 税 等）※2 | 78,051,800 |
| | | （未 払 消 費 税 等）※3 | 25,095,000 |

※1　前T/B 103,122,200－3,800－21,200＋49,600＝103,146,800

※2　前T/B 70,628,300＋20,500＋3,000＋中間納付7,400,000＝78,051,800

※3　差額

(3) 法人税等

（法　人　税　等）※1 18,771,000　　　　（仮 払 法 人 税 等）※2　2,330,000

（未 払 法 人 税 等）※3 16,441,000

※1　収益合計1,035,564,400－費用合計1,025,564,400＝税引前当期純利益10,000,000

税引前当期純利益10,000,000×30％＋法人税等調整額15,771,000＝18,771,000

※2　中間納付2,200,000＋源泉税額130,000＝2,330,000

※3　差額

12　貸借対照表及び損益計算書

貸　借　対　照　表

X19年3月31日

借		方		貸		方	
科　　　　　　目	金	額		科　　　　　　目	金	額	
現　　　　　　　金	1	570,100		支　払　手　形		70,424,000	
普　通　預　金		66,095,700		買　　掛　　金	12	41,456,000	
当　座　預　金	2	33,304,950		未 払 消 費 税 等	13	25,095,000	
受　取　手　形	3	100,164,000		未 払 法 人 税 等		16,441,000	
売　　掛　　金	4	30,673,000		そ の 他 流 動 負 債		8,227,740	
商　　　　　　品		33,835,700		社　　　　　債	14	7,923,200	
未　収　収　益	5	50,000		退 職 給 付 引 当 金	15	482,520,000	
そ の 他 流 動 資 産		8,280,000		資　　本　　金		10,000,000	
建　　　　　　物	6	123,675,000		繰 越 利 益 剰 余 金		31,786,510	
車　　　　　　両	7	5,600,000		その他有価証券評価差額金	16	△252,000	
器　具　備　品	8	787,500					
土　　　　　　地		132,556,000					
投　資　有　価　証　券	9	13,500,000					
破　産　更　生　債　権　等	10	20,100,000					
繰　延　税　金　資　産	11	147,879,000					
貸　倒　引　当　金		△23,449,500					
合　　　　　計		693,621,450		合　　　　　計		693,621,450	

損　益　計　算　書

自X18年4月1日　至X19年3月31日

借		方	貸		方
科　　　　　目	金	額	科　　　　　目	金	額
売　上　原　価		687,977,400	小　売　売　上　高　26		220,686,000
棚　卸　減　耗　損　17		603,000	一　般　売　上　高　27		810,782,000
収益性低下評価損		379,300	受　取　利　息		50,000
給　与　手　当		190,440,000	有　価　証　券　利　息　28		70,000
法　定　福　利　費		19,044,000	受　取　配　当　金		600,000
退　職　給　付　費　用		65,520,000	保　険　差　益　29		3,350,000
賃　　借　　料		3,200,000	社債買入消却益　30		26,400
見　本　品　費　18		84,600			
減　価　償　却　費		11,467,500			
租　税　公　課　19		1,896,000			
貸倒引当金繰入額　20		20,105,500			
その他営業費用		20,570,000			
社　債　利　息　21		297,600			
手　形　売　却　損　22		79,500			
投資有価証券評価損　23		3,900,000			
法　人　税　等　24		18,771,000			
法人税等調整額　25		△15,771,000			
当　期　純　利　益		7,000,000			
合　　　　　計		1,035,564,400	合　　　　　計		1,035,564,400

問題
10

解答

※　□で囲まれた数字は配点を示す。

(単位：円)

1	現　　　　金	1	536,300	26	支 払 手 形	1	37,412,500
2	当 座 預 金	1	46,589,024	27	買 　 掛 　 金	1	52,512,300
3	受 取 手 形	1	81,720,000	28	預 　 り 　 金	1	2,417,000
4	売 　 掛 　 金	1	79,980,000	29	前 　 受 　 金	2	137,500
5	商 　 　 品	1	4,649,440	30	未 払 費 用	1	1,339,686
6	建 　 　 物	1	22,900,000	31	未 払 消 費 税 等	1	18,866,000
7	構 　 築 　 物	1	5,000,000	32	賞 与 引 当 金	2	28,875,000
8	車 両 運 搬 具	1	3,388,040	33	社 　 　 債	1	2,946,000
9	リ ー ス 資 産	1	824,400	34	リ ー ス 債 務	1	806,220
10	土 　 　 地	1	84,363,000	35	退 職 給 付 引 当 金	1	57,587,200
11	投 資 有 価 証 券	1	17,720,000	36	繰 延 税 金 負 債	1	45,000
12	破 産 更 生 債 権 等	2	2,200,000	37	その他有価証券評価差額金	2	49,000
13	繰 延 税 金 資 産	1	27,704,760	38	売 　 　 上	2	933,281,250
14	売 上 原 価	1	578,333,460	39	受 取 利 息 配 当 金	2	128,000
15	人 　 件 　 費	1	311,979,200	40	有 価 証 券 利 息	1	290,000
16	営 　 業 　 費	1	13,110,534	41	社 債 買 入 消 却 益	1	91,500
17	貸 倒 引 当 金 繰 入	1	4,302,040				
18	減 価 償 却 費	1	3,325,160				
19	棚 卸 減 耗 費	1	79,100				
20	支 払 利 息	1	1,224,186				
21	社 債 利 息	1	214,500				
22	手 形 売 却 損	2	262,990				
23	雑 　 損 　 失	1	32,000				
24	投資有価証券評価損	2	2,180,000				
25	減 　 損 　 損 　 失	2	3,637,000				

【配　点】　2×9カ所　1×32カ所　　合計50点

解答への道

Ⅰ 本問のポイント

　本問は、2月末の試算表から3月取引及び決算整理の処理を行う総合問題である。このような問題構造についてはボリュームが多く、3月取引に時間を使いすぎてしまうと決算整理を処理する時間がなくなってしまうため、3月取引をスピーディーに処理することが必要となる。

Ⅱ 具体的解説（単位：円）

1　3月中取引

(1) 仕入

（商　　　　　品）※1 52,572,500	（現　　　　　金）	748,000
（仮払消費税等）※2 5,257,250	（当 座 預 金）	4,950,000
	（買　　掛　　金）	40,581,750
	（支 払 手 形）	11,550,000

　　※1　$(748,000+4,950,000+40,581,750+11,550,000) \times \dfrac{1}{1.1} = 52,572,500$

　　※2　$(748,000+4,950,000+40,581,750+11,550,000) \times \dfrac{0.1}{1.1} = 5,257,250$

(2) 売上

（現　　　　　金）	2,970,000	（売　　　　　上）※1 80,000,000
（当 座 預 金）	8,800,000	（仮受消費税等）※2 8,000,000
（売　　掛　　金）	61,380,000	
（受 取 手 形）	14,850,000	

　　※1　$(2,970,000+8,800,000+61,380,000+14,850,000) \times \dfrac{1}{1.1} = 80,000,000$

　　※2　$(2,970,000+8,800,000+61,380,000+14,850,000) \times \dfrac{0.1}{1.1} = 8,000,000$

(3) 買掛金の決済等

（買　　掛　　金）※　44,742,500	（当 座 預 金）	24,750,000
	（支 払 手 形）	18,562,500
	（受 取 手 形）	1,430,000

　　※　貸方合計

(4) 支払手形の期日決済

（支 払 手 形）	44,000,000	（当 座 預 金）	44,000,000

(5) 売掛金の決済等

（現　　　　　　　金）　6,600,000　　　　（売　　　掛　　　金）※　78,100,000

（当　座　預　金）　49,500,000

（受　取　手　形）　22,000,000

　※　借方合計

(6) 受取手形の決済等

① 　仕入先への裏書譲渡 ⇒ 上記(3)参照

② 　期日決済

（当　座　預　金）　35,750,000　　　　（受　取　手　形）　35,750,000

③ 　割引

（当　座　預　金）　2,671,360　　　　（受　取　手　形）※　2,750,000

（手　形　売　却　損）　78,640

　※　借方合計

(7) 源泉所得税等及び社会保険料の納付

（預　　　り　　　金）※1　2,355,000　　　　（当　座　預　金）　3,585,000

（人　　　件　　　費）※2　1,230,000

　※1　2月末T/B預り金より

　※2　差額

(8) 3月分の給料の支払

（人　　　件　　　費）　24,880,000　　　　（預　　　り　　　金）※1　2,417,000

　　　　　　　　　　　　　　　　　　　　（当　座　預　金）※2　22,463,000

　※1　源泉所得税等1,142,000＋社会保険料（従業員負担分）1,275,000＝2,417,000

　※2　差額

(9) 企業年金掛金の拠出

（人　　　件　　　費）※　2,000,000　　　　（当　座　預　金）　2,000,000

　※　「期中においては支出額を人件費勘定に計上しており、決算において、まとめて修正す

　　ることとしている」との文章から、人件費に計上することとする。

(10) 退職一時金支給

（人　　　件　　　費）※　18,000,000　　　　（当　座　預　金）　18,000,000

　※　「期中においては支出額を人件費勘定に計上しており、決算において、まとめて修正す

　　ることとしている」との文章から、人件費に計上することとする。

(11) 現金の当座預入

（当　座　預　金）　8,000,000　　　　（現　　　　　　　金）　8,000,000

(12) 出張旅費の仮払

| （仮 払 金） | 100,000 | （現 金） | 100,000 |

(13) 営業費の支払

| （営 業 費）※1 | 2,067,500 | （現 金） | 679,250 |
| （仮 払 消 費 税 等）※2 | 206,750 | （当 座 預 金） | 1,595,000 |

※1　$(679,250+1,595,000) \times \dfrac{1}{1.1} = 2,067,500$

※2　$(679,250+1,595,000) \times \dfrac{0.1}{1.1} = 206,750$

2　決算整理前残高試算表

借	方		貸	方	
科　　目	金　額		科　　目	金　額	
現　　　　　金	261,750		支 払 手 形	37,412,500	
当 座 預 金	45,917,024		買 掛 金	52,539,250	
普 通 預 金	13,151,349		預 り 金	2,417,000	
受 取 手 形	82,720,000		未 払 費 用	32,220	
売 掛 金	81,180,000		仮 受 消 費 税 等	93,161,875	
商　　　　　品	55,572,500		賞 与 引 当 金	27,390,000	
仮 払 金	2,900,000		貸 倒 引 当 金	434,960	
仮 払 消 費 税 等	74,337,825		長 期 借 入 金	50,000,000	
建　　　　　物	23,800,000		社 債	2,917,500	
構 築 物	6,000,000		リ ー ス 債 務	1,074,000	
車 両 運 搬 具	4,538,400		退 職 給 付 引 当 金	60,000,000	
リ ー ス 資 産	1,099,200		資 本 金	80,000,000	
土　　　　　地	88,000,000		資 本 準 備 金	10,000,000	
投 資 有 価 証 券	19,780,000		利 益 準 備 金	10,000,000	
繰 延 税 金 資 産	26,217,000		別 途 積 立 金	10,000,000	
売 上 原 価	528,002,000		繰 越 利 益 剰 余 金	9,211,347	
人 件 費	311,632,000		売 上	933,281,250	
営 業 費	13,317,534		受 取 利 息 配 当 金	93,000	
支 払 利 息	1,200,000		雑 収 入	10,220	
社 債 利 息	54,000				
手 形 売 却 損	262,990				
雑 損 失	31,550				
合　　　計	1,379,975,122		合　　　計	1,379,975,122	

3　決算整理

(1) 現金

① A社社債のクーポン利息

| (現　　　　　金) | 240,000 | (有 価 証 券 利 息) ※ | 240,000 |

※　10,000,000×2.4％＝240,000

② B社株式の配当金領収書

| (現　　　　　金) | 35,000 | (受 取 利 息 配 当 金) | 35,000 |

③ 原因不明分

| (雑　　損　　失) ※ | 450 | (現　　　　　金) | 450 |

※　(a) 帳簿残高：前T/B 261,750＋クーポン240,000＋配当35,000＝536,750

　　(b) 実際有高：261,300＋240,000＋35,000＝536,300

　　(c) 原因不明：(b)－(a)＝△450

(2) 当座預金

① 未渡小切手

| (当 座 預 金) | 550,000 | (買　　掛　　金) | 550,000 |

② 出張旅費

(営　　業　　費) ※1	93,000	(仮　　払　　金)	100,000
(仮 払 消 費 税 等) ※2	9,300	(前　　受　　金)	137,500
(当 座 預 金)	135,200		

※1　$(69,300＋33,000) \times \dfrac{1}{1.1} ＝93,000$

※2　$(69,300＋33,000) \times \dfrac{0.1}{1.1} ＝9,300$

③ 振込手数料

| (買　　掛　　金) | 13,200 | (当 座 預 金) | 13,200 |

(3) 買掛金

① 仕入値引

| (買　　掛　　金) | 132,000 | (商　　　　　品) ※1 | 120,000 |
| | | (仮 払 消 費 税 等) ※2 | 12,000 |

※1　$132,000 \times \dfrac{1}{1.1} ＝120,000$

※2　$132,000 \times \dfrac{0.1}{1.1} ＝12,000$

② 仕入返品

（買　　掛　　金）	431,750	（商　　　　　品）※1	392,500
		（仮払消費税等）※2	39,250

※1　$431,750 \times \dfrac{1}{1.1} = 392,500$

※2　$431,750 \times \dfrac{0.1}{1.1} = 39,250$

(4) 商品

① 売上原価の振替

（売　上　原　価）※	50,314,000	（商　　　　　品）	50,314,000

※　(a) 期末帳簿棚卸高

3/5 平均単価：$\dfrac{3,000,000 + @1,560 \times 10,000個}{2,000個 + 10,000個} = 1,550$

3/10 残高：$@1,550 \times 3,000個（*） = 4,650,000$

＊　$2,000個 + 10,000個 - 9,000個 = 3,000個$

3/12 平均単価：$\dfrac{4,650,000 + @1,589 \times 10,000個}{3,000個 + 10,000個} = 1,580$

3/15 残高：$@1,580 \times 2,000個（*） = 3,160,000$

＊　$3,000個 + 10,000個 - 11,000個 = 2,000個$

3/18 平均単価：$\dfrac{3,160,000 + @1,605 \times 8,000個 - 120,000}{2,000個 + 8,000個} = 1,588$

3/23 平均単価：$\dfrac{3,160,000 + @1,605 \times 8,000個 - 120,000 + @1,570 \times (5,250個 - 250個（*）)}{2,000個 + 8,000個 + 5,000個}$
$= 1,582$

＊　返品数量：$392,500 \div @1,570 = 250個$

3/25 残高（帳簿棚卸高）：$@1,582 \times 3,000個（*） = 4,746,000$

＊　$2,000個 + 8,000個 + (5,250個 - 250個) - 12,000個$
$= 3,000個$

(b)　3月売上原価：前T/B 55,572,500 - 120,000 - 392,500 - 期末帳簿4,746,000
$= 50,314,000$

② 棚卸減耗費及び商品評価損

（棚 卸 減 耗 費）※1	79,100	（商　　　　　品）	79,100
（売　上　原　価）※2	17,460	（商　　　　　品）	17,460

※1　$@1,582 \times (3,000個 - 2,950個) = 79,100$

※2　$(@1,582 - @1,000) \times 30個 = 17,460$

(5) 固定資産

① 建物

| （減 価 償 却 費）※ | 900,000 | （建　　　　　物） | 900,000 |

※　$40,000,000 \times 0.9 \times \dfrac{1年}{40年} = 900,000$

② 構築物

| （減 価 償 却 費）※ | 1,000,000 | （構　　築　　物） | 1,000,000 |

※　$10,000,000 \times \dfrac{1年}{10年} = 1,000,000$

③ 車両運搬具

| （減 価 償 却 費）※ | 1,150,360 | （車 両 運 搬 具） | 1,150,360 |

※　(a) 既存分：$(4,538,400 - 2,850,000) \times 0.400 = 675,360$

　　(b) $2,850,000 \times 0.400 \times \dfrac{5月}{12月} = 475,000$

　　(c) (a) + (b) = 1,150,360

④ リース資産

(a) 期首再振替

| （未 払 費 用） | 32,220 | （支 払 利 息） | 32,220 |

(b) 当期リース料支払時の修正（当座預金で支払ったと仮定する。）

イ　適正な仕訳

| （支 払 利 息） | 32,220 | （当 座 預 金） | 300,000 |
| （リ ー ス 債 務）※ | 267,780 | | |

※　差額

ロ　当社が行った仕訳

| （営　　業　　費） | 300,000 | （当 座 預 金） | 300,000 |

ハ　修正仕訳（イ－ロ）

| （支 払 利 息） | 32,220 | （営　　業　　費） | 300,000 |
| （リ ー ス 債 務） | 267,780 | | |

(c) 支払利息の見越計上

| （支 払 利 息） | 24,186 | （未 払 費 用） | 24,186 |

(d) 減価償却費

| （減 価 償 却 費）※ | 274,800 | （リ ー ス 資 産） | 274,800 |

※　前T/B $1,099,200 \times \dfrac{1年}{5年 - 1年} = 274,800$

⑤　土地

　(a)　減損損失の計上

（減　　損　　損　　失）※　　3,637,000　　　　　（土　　　　　　　　　地）　　3,637,000

　　※　イ　減損損失の認識の判定

　　　　　割引前将来キャッシュ・フロー1,500,000×5年＋11,000,000

　　　　　＝18,500,000＜簿価20,000,000

　　　　　∴　減損損失を認識する。

　　　　ロ　回収可能価額

　　　　　使用価値1,500,000×4.580＋11,000,000×(4.580－3.717)

　　　　　＝16,363,000＞正味売却価額15,000,000

　　　　　∴　回収可能価額16,363,000

　　　　ハ　減損損失の測定

　　　　　簿価20,000,000－回収可能価額16,363,000＝3,637,000

　(b)　税効果会計

（繰　延　税　金　資　産）※　　1,091,100　　　　　（法　人　税　等　調　整　額）　　1,091,100

　　※　　3,637,000×30％＝1,091,100

(6)　有価証券

①　A社社債

（投　資　有　価　証　券）　　50,000　　　　　（有　価　証　券　利　息）※　　50,000

　　※　(a)　期首簿価：前T/B 19,780,000－B株3,500,000－C株4,280,000－D株2,200,000

　　　　　　　　　　　＝9,800,000

　　(b)　$(10,000,000-9,800,000) \times \dfrac{12月}{48月} = 50,000$

②　B社株式

（投　資　有　価　証　券）※1　　150,000　　　　　（繰　延　税　金　負　債）※2　　45,000

　　　　　　　　　　　　　　　　　　　　　　　　　（その他有価証券評価差額金）※3　　105,000

　　※1　当期末時価3,650,000－取得原価3,500,000＝150,000

　　※2　150,000×30％＝45,000

　　※3　差額

③　C社株式

（投資有価証券評価損）　　2,180,000　　　　　（投　資　有　価　証　券）※　　2,180,000

　　※　当期末時価2,100,000－取得原価4,280,000＝△2,180,000

④　D社株式

（繰 延 税 金 資 産）※2　　24,000　　　　　（投 資 有 価 証 券）※1　　80,000

（その他有価証券評価差額金）※3　　56,000

　※1　当期末時価2,120,000－取得原価2,200,000＝△80,000

　※2　80,000×30％＝24,000

　※3　差額

(7) 賞与引当金

① 当期支給分の修正

（賞 与 引 当 金）※　27,390,000　　　　　（人　　件　　費）　　27,390,000

　※　前T/Bより

② 当期分

（人　　件　　費）　28,875,000　　　　　（賞 与 引 当 金）※　28,875,000

　※　(a) 支給見込額31,500,000×$\dfrac{5月}{6月}$＝26,250,000

　　　(b) 法定福利費（社会保険料）の見越計上額：26,250,000×10％＝2,625,000

　　　(c) (a)＋(b)＝28,875,000

③ 税効果会計

（繰 延 税 金 資 産）※　445,500　　　　　（法 人 税 等 調 整 額）　　445,500

　※　当期末28,875,000×30％－前期末27,390,000×30％＝445,500

(8) 退職給付引当金

① ×18年度数理計算上の差異発生額

期　　首

年金資産　　90,700,000	
退職給付引当金　　60,000,000	退職給付債務　　153,200,000
×17年度分　※2　1,000,000	
×18年度分　※3　2,400,000	
	×16年度分　※1　900,000

　※1　発生額2,700,000×$\dfrac{3年－2年}{3年}$＝900,000

　※2　発生額1,500,000×$\dfrac{3年－1年}{3年}$＝1,000,000

　※3　差額

② 退職給付費用の計上

| （人　件　費） | 49,587,200 | （退職給付引当金）※ | 49,587,200 |

　※　(a) 勤務費用：48,300,000

　　　(b) 利息費用：153,200,000×2％＝3,064,000

　　　(c) 期待運用収益：90,700,000×2.4％＝2,176,800

　　　(d) x16年度分費用処理：900,000

　　　(e) x17年度分費用処理：$1,000,000×\dfrac{1年}{2年}=500,000$

　　　(f) x18年度分費用処理：$2,400,000×\dfrac{1年}{3年}=800,000$

　　　(g) (a)＋(b)−(c)−(d)＋(e)＋(f)＝49,587,200

③ 掛金拠出額及び一時金支給額

| （退職給付引当金）※ | 52,000,000 | （人　件　費） | 52,000,000 |

　※　掛金24,000,000＋一時金28,000,000＝52,000,000

④ 税効果会計

| （法 人 税 等 調 整 額） | 723,840 | （繰 延 税 金 資 産）※ | 723,840 |

　※　当期末(60,000,000＋49,587,200−52,000,000)×30％−前期末60,000,000×30％

　　　＝△723,840

(9) 法定福利費の見越計上

| （人　件　費） | 1,275,000 | （未　払　費　用） | 1,275,000 |

(10) 社債

① 買入消却の修正（支払は当座預金と仮定する。）

　(a) 適正な仕訳

| （社　　　　　債）※1 | 8,766,000 | （当 座 預 金） | 8,770,500 |
| （社 債 利 息）※2 | 96,000 | （社 債 買 入 消 却 益）※3 | 91,500 |

　　※1　期首簿価（前T/B 2,917,500＋8,770,500）×$\dfrac{9,000,000}{12,000,000}=8,766,000$

　　※2　イ　償却額：(9,000,000−8,766,000)×$\dfrac{7月}{39月}=42,000$

　　　　　ロ　経過利息：9,000,000×1.8％×$\dfrac{4月}{12月}=54,000$

　　　　　ハ　イ＋ロ＝96,000

　　※3　差額

　(b) 当社が行った仕訳

| （社　　　　　債） | 8,770,500 | （当 座 預 金） | 8,770,500 |

(c) 修正仕訳

(社　債　利　息)	96,000	(社　　　　　債)	4,500
		(社 債 買 入 消 却 益)	91,500

② 償却原価法

(社　債　利　息)	24,000	(社　　　　　債)	24,000

※ $\{(12,000,000-9,000,000)-(2,917,500+8,770,500-8,766,000)\}\times\dfrac{12\text{月}}{39\text{月}}=24,000$

③ クーポン利息の見越計上

(社　債　利　息)※	40,500	(未　払　費　用)	40,500

※ $(12,000,000-9,000,000)\times1.8\%\times\dfrac{9\text{月}}{12\text{月}}=40,500$

(11) 貸倒引当金

① 破産更生債権等

(a) 振替

(破 産 更 生 債 権 等)※	2,200,000	(受　取　手　形)	1,000,000
		(売　　掛　　金)	1,200,000

※ 貸方合計

(b) 貸倒引当金の設定

(貸 倒 引 当 金 繰 入)	1,900,000	(貸　倒　引　当　金)※	1,900,000

※ $(2,200,000-300,000)\times100\%=1,900,000$

(c) 税効果会計

(繰 延 税 金 資 産)※	285,000	(法 人 税 等 調 整 額)	285,000

※ $(1,900,000-1,900,000\times50\%)\times30\%=285,000$

② 貸倒懸念債権

(a) 貸倒引当金の設定

(貸 倒 引 当 金 繰 入)	1,250,000	(貸　倒　引　当　金)※	1,250,000

※ (受手2,000,000＋売掛1,000,000－保証500,000)×50％＝1,250,000

(b) 税効果会計

(繰 延 税 金 資 産)※	366,000	(法 人 税 等 調 整 額)	366,000

※ $\{1,250,000-(\text{受手}2,000,000+\text{売掛}1,000,000)\times1\%\}\times30\%=366,000$

③ 一般債権

(貸 倒 引 当 金 繰 入) 1,152,040 (貸 倒 引 当 金)※ 1,152,040

※ (a) 受取手形：前T/B 82,720,000－破産1,000,000＝81,720,000

(b) 売掛金：前T/B 81,180,000－破産1,200,000＝79,980,000

(c) 貸引設定額：((a)＋(b)－懸念3,000,000)×1％＝1,587,000

(d) 繰入額：(c)－前T/B 434,960＝1,152,040

(12) 法人税等

(法 人 税 等)※1 6,000,000 (仮 払 金)※2 2,800,000

(未 払 法 人 税 等)※3 3,200,000

※1 ① 税引前当期純利益：収益933,800,970－費用918,680,170＝15,120,800

② 税引前15,120,800×30％＋法調1,463,760＝6,000,000

※2 2月末T/Bより

※3 差額

(13) 消費税等

(仮 受 消 費 税 等)※1 93,161,875 (仮 払 消 費 税 等)※2 74,295,875

(未 払 消 費 税 等)※3 18,866,000

※1 前T/Bより

※2 前T/B 74,337,825＋9,300－12,000－39,250＝74,295,875

※3 差額

4 決算整理後残高試算表

借	方		貸	方	
科　　目		金　額	科　　目		金　額
現　　　　　金	1	536,300	支　払　手　形	26	37,412,500
当　座　預　金	2	46,589,024	買　　掛　　金	27	52,512,300
普　通　預　金		13,151,349	預　　　り　　金	28	2,417,000
受　取　手　形	3	81,720,000	前　　受　　金	29	137,500
売　　掛　　金	4	79,980,000	未　払　費　用	30	1,339,686
商　　　　　品	5	4,649,440	未　払　消　費　税　等	31	18,866,000
建　　　　　物	6	22,900,000	未　払　法　人　税　等		3,200,000
構　　築　　物	7	5,000,000	賞　与　引　当　金	32	28,875,000
車　両　運　搬　具	8	3,388,040	貸　倒　引　当　金		4,737,000
リ　ー　ス　資　産	9	824,400	長　期　借　入　金		50,000,000
土　　　　　地	10	84,363,000	社　　　　　債	33	2,946,000
投　資　有　価　証　券	11	17,720,000	リ　ー　ス　債　務	34	806,220
破　産　更　生　債　権　等	12	2,200,000	退　職　給　付　引　当　金	35	57,587,200
繰　延　税　金　資　産	13	27,704,760	繰　延　税　金　負　債	36	45,000
売　上　原　価	14	578,333,460	資　　本　　金		80,000,000
人　　件　　費	15	311,979,200	資　本　準　備　金		10,000,000
営　　業　　費	16	13,110,534	利　益　準　備　金		10,000,000
貸　倒　引　当　金　繰　入	17	4,302,040	別　途　積　立　金		10,000,000
減　価　償　却　費	18	3,325,160	繰　越　利　益　剰　余　金		9,211,347
棚　卸　減　耗　費	19	79,100	その他有価証券評価差額金	37	49,000
支　払　利　息	20	1,224,186	売　　　　　上	38	933,281,250
社　債　利　息	21	214,500	受　取　利　息　配　当　金	39	128,000
手　形　売　却　損	22	262,990	有　価　証　券　利　息	40	290,000
雑　　損　　失	23	32,000	社　債　買　入　消　却　益	41	91,500
投　資　有　価　証　券　評　価　損	24	2,180,000	雑　　収　　入		10,220
減　損　損　失	25	3,637,000	法　人　税　等　調　整　額		1,463,760
法　人　税　等		6,000,000			
合　　　計		1,315,406,483	合　　　計		1,315,406,483

問 題 12 商的工業簿記

解 答

※ □で囲まれた数字は配点を示す。

（単位：円）

①	2	1,085,500	②	2	23,598,066	③	1	67,056,000
④	1	1,089,000	⑤	1	596,000	⑥	1	1,352,000
⑦	1	1,634,000	⑧	1	162,675	⑨	1	103,300,000
⑩	1	10,500,000	⑪	1	7,624,000	⑫	1	3,350,000
⑬	1	105,000,000	⑭	1	9,510,000	⑮	1	11,600,000
⑯	1	11,316,000	⑰	1	154,890,000	⑱	1	328,982,200
⑲	1	342,800	⑳	1	146,569,500	㉑	1	51,222,500
㉒	1	4,361,000	㉓	1	1,389,450	㉔	1	683,000
㉕	1	750,000	㉖	1	10,350	㉗	1	480,000
㉘	1	82,543,500	㉙	1	26,250,000	㉚	1	4,950,000
㉛	1	5,315,000	㉜	1	25,000	㉝	1	8,912,000
㉞	1	58,543,500	㉟	1	10,000,000	㊱	1	26,540,000
㊲	1	363,000	㊳	1	12,930,091	㊴	1	259,000
㊵	1	560,000	㊶	1	284,500,000	㊷	1	681,380,000
㊸	1	229,675	㊹	1	150,000	㊺	1	227,500
㊻	1	110,000	㊼	1	2,000,000	㊽	1	3,124,500

【配　点】 2×2カ所　1×46カ所　合計50点

I 本問のポイント

本問は商品売買業及び製造業の問題である。難易度の高いものは少ないが、ボリュームの多い問題であったため、時間配分や取捨選択がきちんとできたかがポイントとなる。また、論点についてのポイントは以下のとおりである。

1 現金及び当座預金に関する処理

2 為替予約（事後予約、事前予約）の処理

3 商品の評価

4 仕掛品及び製品の評価

5 引当金の処理

6 固定資産の処理

7 有価証券の評価

8 税効果会計及び消費税等の処理

II 具体的解説（単位：円）

1 現金

(1) 得意先振出小切手

(現　　　　　金)	880,000	(売　　掛　　金)	880,000

(2) 収入印紙

(租　税　公　課)	6,000	(貯　　蔵　　品)	6,000
(貯　　蔵　　品)	8,000	(租　税　公　課)	8,000

(3) 営業費の誤記帳

① 適正な仕訳

(営　　業　　費)※1	5,000	(現　　　　　金)	5,500
(仮 払 消 費 税 等)※2	500		

$$※1 \quad 5,500 \times \frac{1}{1.1} = 5,000$$

$$※2 \quad 5,500 \times \frac{0.1}{1.1} = 500$$

② 甲社が行った仕訳

(営　　業　　費)※1	500	(現　　　　　金)	550
(仮 払 消 費 税 等)※2	50		

$$※1 \quad 550 \times \frac{1}{1.1} = 500$$

※2　$550 \times \dfrac{0.1}{1.1} = 50$

③　修正仕訳（①－②）

（営　　業　　費）	4,500	（現　　　　金）	4,950
（仮 払 消 費 税 等）	450		

(4)　通貨（ドル）の期末換算替

（現　　　　金）※	2,500	（為 替 差 損 益）	2,500

　　※　500ドル×（ＣＲ145－ＨＲ140）＝2,500

(5)　原因不明分

（雑　　損　　失）	1,550	（現　　　　金）※	1,550

　　※　①　実際有高：133,000＋500ドル×ＣＲ145＋880,000＝1,085,500

　　　　②　帳簿残高：209,500＋880,000－4,950＋2,500＝1,087,050

　　　　③　①－②＝△1,550

2　当座預金

(1)　時間外預入　⇨　仕訳不要（Ｙ銀行側加算）

(2)　未渡小切手（Ｙ銀行）

（当　座　預　金）	2,200,000	（買　　掛　　金）	2,200,000

(3)　売掛金回収の誤処理（Ｚ銀行）

（売　　掛　　金）	1,650,000	（当　座　預　金）	1,650,000

(4)　引落未記帳（Ｚ銀行）

（電 子 記 録 債 務）	770,000	（当　座　預　金）	770,000

(5)　資金移動

（当　座　預　金）	300,000	（当　座　預　金）	300,000
（Ｚ　　銀　　行）		（Ｙ　　銀　　行）	

(6)　借入金利息及び金利スワップの純支払額（Ｙ銀行）

（支　払　利　息）※1	480,000	（当　座　預　金）	480,000
（支　払　利　息）※2	180,000	（当　座　預　金）	180,000

　　※1　30,000,000×変動金利1.6％＝480,000

　　※2　30,000,000×（固定金利2.2％－変動金利1.6％）＝180,000

(7)　当座借越（Ｚ銀行）

（当　座　預　金）	315,000	（短 期 借 入 金）※	315,000

　　※　前T/B 1,805,000－1,650,000－770,000＋300,000＝△315,000

3 外貨定期預金

(1) 期末換算替

(外 貨 定 期 預 金) ※	100,000	(為 替 差 損 益)	100,000

※ (50,000ドル＋30,000ドル)×ＣＲ145－帳簿価額11,500,000＝100,000

(2) 受取利息の見越計上

(未 収 収 益) ※	132,675	(受 取 利 息 配 当 金)	132,675

※ ① $50,000 \text{ドル} \times 1.8\% \times \dfrac{9 \text{月}}{12 \text{月}} \times \text{ＣＲ}145 = 97,875$

② $30,000 \text{ドル} \times 2.4\% \times \dfrac{4 \text{月}}{12 \text{月}} \times \text{ＣＲ}145 = 34,800$

③ ①＋②＝132,675

4 為替予約

(1) 買掛金（事後予約）

① 直々差額

(買 掛 金) ※	100,000	(為 替 差 損 益)	100,000

※ 50,000ドル×予約日ＳＲ141－帳簿価額7,150,000＝△100,000

② 直先差額

(買 掛 金) ※1	50,000	(為 替 差 損 益) ※2	25,000
		(前 受 収 益) ※2	25,000

※1 50,000ドル×予約日ＦＲ140－帳簿価額(7,150,000－100,000)＝△50,000

※2 $50,000 \times \dfrac{1 \text{月}}{2 \text{月}} = 25,000$

(2) 事前予約

(為 替 予 約) ※1	600,000	(繰 延 税 金 負 債) ※2	180,000
		(繰 延 ヘ ッ ジ 損 益) ※3	420,000

※1 120,000ドル×(決算日ＦＲ144－予約日ＦＲ139)＝600,000

※2 600,000×30％＝180,000

※3 差額

5 クレジット売掛金

(営 業 費) ※2	10,000	(クレジット売掛金) ※1	11,000
(仮 払 消 費 税 等) ※3	1,000		

※1 1,100,000×1％＝11,000

※2 $11,000 \times \dfrac{1}{1.1} = 10,000$

$$※3 \quad 11,000 \times \frac{0.1}{1.1} = 1,000$$

6 商品

(1) 返品

（商 品 売 上）※2	500,000		（売 掛 金）※1	550,000
（仮 受 消 費 税 等）※3	50,000			

$※1$ @5,500×100個＝550,000

$$※2 \quad 550,000 \times \frac{1}{1.1} = 500,000$$

$$※3 \quad 550,000 \times \frac{0.1}{1.1} = 50,000$$

(2) 見本品の提供（商品）

（見 本 品 費）※	140,000	（商 品 仕 入）	140,000

$※$ @2,800×50個＝140,000

(3) 売上原価の算定等

（商 品 売 上 原 価）	1,920,000	（繰 越 商 品）	1,920,000
（商 品 売 上 原 価）	154,660,000	（商 品 仕 入）※1	154,660,000
（繰 越 商 品）※2	1,820,000	（商 品 売 上 原 価）	1,820,000
（棚 卸 減 耗 損）	56,000	（繰 越 商 品）※3	56,000
（商 品 売 上 原 価）	130,000	（繰 越 商 品）※4	130,000

$※1$　154,800,000－見本品140,000＝154,660,000

$※2$　① 期末帳簿数量：500個＋2,000個＋3,000個－(2,200個＋2,700個－返品100個 ＋見本品50個)＝650個

　　② 期末帳簿棚卸高：@2,800×650個＝1,820,000

$※3$　@2,800×(実地630個－帳簿650個)＝△56,000

$※4$　(@1,500－@2,800)×100個＝△130,000

7 材料

（材 料 仕 入）	390,000	（材 料）	390,000
（材 料）	250,000	（材 料 仕 入）	250,000
（仕 掛 品）	167,962,000	（材 料 仕 入）※1	167,962,000
（仕 掛 品）	10,000	（材 料）※2	10,000

$※1$　期首390,000＋仕入167,822,000－期末250,000＝167,962,000

$※2$　実地240,000－帳簿250,000＝△10,000

8　見本品提供（製品）の誤処理（見本品費への振替処理は下記17参照）

（製　品　売　上）※1　　420,000　　　　（売　　掛　　金）　　　462,000

（仮　受　消　費　税　等）※2　　42,000

※1　$462,000 \times \dfrac{1}{1.1} = 420,000$

※2　$462,000 \times \dfrac{0.1}{1.1} = 42,000$

9　貸倒引当金

(1)　貸倒処理

（仮　受　消　費　税　等）※1　　150,000　　　　（破　産　更　生　債　権　等）　　1,650,000

（貸　倒　引　当　金）※2　　1,500,000

※1　$1,650,000 \times \dfrac{0.1}{1.1} = 150,000$

※2　差額

(2)　破産更生債権等への振替処理

（破　産　更　生　債　権　等）　　1,320,000　　　　（売　　掛　　金）　　1,320,000

(3)　貸倒引当金の計上

（貸倒引当金繰入額）　　1,389,450　　　　（貸　倒　引　当　金）※　　1,389,450

※　①　破産更生債権等：1,320,000×100％＝1,320,000

②　一般債権

(a)　売掛金：68,618,000－880,000＋1,650,000－550,000－462,000－1,320,000

＝67,056,000

(b)　電子記録債権：8,800,000

(c)　クレジット売掛金：1,100,000－11,000＝1,089,000

(d)　((a)＋(b)＋(c))×1％＝769,450

③　(①＋②)－(2,200,000－1,500,000)＝1,389,450

(4)　税効果会計

（法　人　税　等　調　整　額）　　49,500　　　　（繰　延　税　金　資　産）※　　49,500

※　1,320,000×50％×30％－1,650,000×50％×30％＝△49,500

10　賞与引当金

(1)　当期支給時の修正

（賞　与　引　当　金）　　9,500,000　　　　（人　　件　　費）　　9,500,000

(2) 賞与引当金の計上

(賞 与 引 当 金 繰 入 額)※3　6,000,000　　　　　　（賞　与　引　当　金）※1　10,000,000

(仕　　　　掛　　　　品)※2　4,000,000

　　※1　$15,000,000 \times \dfrac{4月}{6月} = 10,000,000$

　　※2　$10,000,000 \times 40\% = 4,000,000$

　　※3　差額

(3) 税効果会計

(繰 延 税 金 資 産)※　　　150,000　　　　　　（法 人 税 等 調 整 額）　　　150,000

　　※　$10,000,000 \times 30\% - 9,500,000 \times 30\% = 150,000$

11　退職給付引当金

(1) 前T/B退職給付引当金：$120,000,000 - 95,000,000 + 40,000（※1）- 100,000（※2）$

　　　　　　　　　　　　$= 24,940,000$

　　※1　X9年3月期発生額：$120,000 - 120,000 \times \dfrac{2年}{3年} = 40,000$（有利差異）

　　※2　X10年3月期発生額：$150,000 - 150,000 \times \dfrac{1年}{3年} = 100,000$（不利差異）

(2) 退職給付費用の計上

(退 職 給 付 費 用)※3　8,121,000　　　　　　（退 職 給 付 引 当 金）※1　13,535,000

(仕　　　　掛　　　　品)※2　5,414,000

　　※1　① 勤務費用：13,500,000

　　　　② 利息費用：$120,000,000 \times 2\% = 2,400,000$

　　　　③ 期待運用収益：$95,000,000 \times 2.5\% = 2,375,000$

　　　　④ 数理計算上の差異償却額

　　　　　(a) X9年3月期発生額：$120,000 \times \dfrac{1年}{3年} = 40,000$

　　　　　(b) X10年3月期発生額：$150,000 \times \dfrac{1年}{3年} = 50,000$

　　　　　(c) $(b) - (a) = 10,000$（不利差異）

　　　　⑤ $① + ② - ③ + ④ = 13,535,000$

　　※2　$15,535,000 \times 40\% = 5,414,000$

　　※3　差額

(3) 当期支出額の修正

(退 職 給 付 引 当 金)　　　12,000,000　　　　　　（人　　　件　　　費）　　　12,000,000

(4) 当期発生数理計算上の差異の償却

（退 職 給 付 費 用）※3　　39,000　　　　　（退 職 給 付 引 当 金）※1　　65,000

（仕　　　　掛　　　　品）※2　　26,000

　※1　①　退職給付債務

　　　　　(a) 期末見込：120,000,000＋13,500,000＋2,400,000－7,200,000＝128,700,000

　　　　　(b) 期末実際：128,800,000

　　　　　(c) (b)－(a)＝100,000（不利差異）

　　　　②　年金資産

　　　　　(a) 期末見込：95,000,000＋2,375,000＋12,000,000－7,200,000＝102,175,000

　　　　　(b) 期末実際：102,080,000

　　　　　(c) (a)－(b)＝95,000（不利差異）

　　　　③　①＋②＝195,000（不利差異）

　　　　④　当期償却額：$195,000 \times \dfrac{1年}{3年} = 65,000$

　※2　65,000×40%＝26,000

　※3　差額

(5) 税効果会計

（繰 延 税 金 資 産）※　　480,000　　　　　（法 人 税 等 調 整 額）　　480,000

　※　(24,940,000＋13,535,000－12,000,000＋65,000)×30%－24,940,000×30%

　　　＝480,000

12　有形固定資産

(1) 建物

　①　事務所

（減 価 償 却 費）※　　2,000,000　　　　　（建　　　　　　物）　　2,000,000

　※　$80,000,000 \times \dfrac{1年}{40年} = 2,000,000$

　②　店舗

（減 価 償 却 費）※　　1,000,000　　　　　（建　　　　　　物）　　1,000,000

　※　$30,000,000 \times \dfrac{1年}{30年} = 1,000,000$

　③　工場

（仕　　　　掛　　　　品）※　　800,000　　　　　（建　　　　　　物）　　800,000

　※　$24,000,000 \times \dfrac{1年}{30年} = 800,000$

(2) 機械装置

| （仕　　掛　　品）※ | 1,500,000 | （機　械　装　置） | 1,500,000 |

※　$15,000,000 \times \dfrac{1\,年}{10\,年} = 1,500,000$

(3) 車両

① 営業用

(a) 買換の修正

イ　適正な仕訳

（減 価 償 却 費）※2	720,000	（車　　　　　　両）※1	1,350,000
（車　　　　　　両）※5	6,240,000	（仮 受 消 費 税 等）※3	80,000
（仮 払 消 費 税 等）※6	630,000	（車 両 売 却 益）※4	110,000
		（当 座 預 金）※7	6,050,000

※1　$5,400,000 - 5,400,000 \times \dfrac{45\,月}{60\,月} = 1,350,000$

※2　$5,400,000 \times \dfrac{1\,年}{5\,年} \times \dfrac{8\,月}{12\,月} = 720,000$

※3　$880,000 \times \dfrac{0.1}{1.1} = 80,000$

※4　$814,000 \times \dfrac{1}{1.1} - (1,350,000 - 720,000) = 110,000$

※5　$6,300,000 - (880,000 - 814,000) \times \dfrac{1}{1.1} = 6,240,000$

※6　$6,300,000 \times 10\% = 630,000$

※7　$6,300,000 \times 1.1 - 880,000 = 6,050,000$

ロ　甲社が行った仕訳

（車 両 売 却 損）※	550,000	（車　　　　　　両）	1,350,000
（車　　　　　　両）	6,300,000	（仮 受 消 費 税 等）	80,000
（仮 払 消 費 税 等）	630,000	（当 座 預 金）	6,050,000

※　$880,000 \times \dfrac{1}{1.1} - 1,350,000 = \triangle 550,000$（前T/B車両売却損）

ハ　修正仕訳（イ－ロ）

（減 価 償 却 費）	720,000	（車　　　　　　両）	60,000
		（車 両 売 却 損）	550,000
		（車 両 売 却 益）	110,000

(b) 減価償却費の計上

| （減 価 償 却 費）※ | 416,000 | （車　　　　　　両） | 416,000 |

$$※ \quad 6,240,000 \times \frac{1\,年}{5\,年} \times \frac{4\,月}{12\,月} = 416,000$$

② 製造用

(仕 掛 品)※	900,000		(車 両)	900,000

$$※ \quad 3,600,000 \times \frac{1\,年}{4\,年} = 900,000$$

(4) 備品

① 営業用

(減 価 償 却 費)※	225,000		(備 品)	225,000

$$※ \quad 1,800,000 \times \frac{1\,年}{8\,年} = 225,000$$

② 製造用

(仕 掛 品)※	350,000		(備 品)	350,000

$$※ \quad 2,800,000 \times \frac{1\,年}{8\,年} = 350,000$$

(5) 土地

① 売却の修正

(仮 受 金)	30,000,000		(土 地)	28,000,000
			(土 地 売 却 益)※	2,000,000

※ 差額

② 税効果会計及び土地再評価差額金の振替処理

(繰 延 税 金 負 債)※1	2,400,000		(法 人 税 等 調 整 額)	2,400,000
(土 地 再 評 価 差 額 金)※2	5,600,000		(繰 越 利 益 剰 余 金)	5,600,000

※1　(28,000,000−20,000,000)×30%＝2,400,000 （【資料1】繰延税金負債）

※2　(28,000,000−20,000,000)×(1−30%)＝5,600,000 （【資料1】土地再評価差額金）

13　投資有価証券

(1) 株式1

(繰 延 税 金 資 産)※2	12,000		(投 資 有 価 証 券)※1	40,000
(その他有価証券評価差額金)※3	28,000			

※1　当期末時価@180×2,000株−取得価額@200×2,000株＝△40,000

※2　40,000×30%＝12,000

※3　差額

(2) 株式2

（投資有価証券評価損）	480,000	（投資有価証券）※1	480,000
（繰延税金資産）※2	144,000	（法人税等調整額）	144,000

　※1　当期末時価@140×3,000株－取得価額@300×3,000株＝△480,000

　　　　50%以上下落しているため減損処理を行う。

　※2　480,000×30%＝144,000

(3) 株式3

（投資有価証券）※1	400,000	（繰延税金負債）※2	120,000
		（その他有価証券評価差額金）※3	280,000

　※1　当期末時価@190×10,000株－取得価額@150×10,000株＝400,000

　※2　400,000×30%＝120,000

　※3　差額

(4) 債券1

①　償却原価法

（投資有価証券）※	40,000	（有価証券利息）	40,000

　※　$（@10,000×500口－@9,600×500口）×\dfrac{12月}{60月}＝40,000$

②　クーポン利息の見越計上

（未収収益）※	30,000	（有価証券利息）	30,000

　※　$@10,000×500口×1.2\%×\dfrac{6月}{12月}＝30,000$

(5) 債券2

①　償却原価法

（投資有価証券）※	20,000	（有価証券利息）	20,000

　※　$（@10,000×200口－@9,400×200口）×\dfrac{12月}{72月}＝20,000$

②　時価評価

（投資有価証券）※1	10,000	（繰延税金負債）※2	3,000
		（その他有価証券評価差額金）※3	7,000

　※1　当期末時価@9,650×200口－{@9,400×200口＋（@10,000×200口－@9,400

　　　　$×200口）×\dfrac{24月}{72月}\}＝10,000$

　※2　10,000×30%＝3,000

　※3　差額

14 借入金（金利スワップの時価評価）

（金利スワップ）	200,000	（繰延税金負債）※1	60,000
		（その他有価証券評価差額金）※2	140,000

※1　200,000×30％＝60,000

※2　差額

15 労務費及び製造経費の振替処理

（仕　掛　品）	97,713,000	（人　件　費）※1	97,713,000
（仕　掛　品）	51,222,500	（営　業　費）※2	51,222,500

※1　(265,782,500－9,500,000－12,000,000)×40％＝97,713,000

※2　(102,430,500＋4,500＋10,000)×50％＝51,222,500

16 期末仕掛品の評価（当期製品製造原価の振替処理）

（製　品）※	329,550,000	（仕　掛　品）	329,550,000

※　(1) 材料費

材　料　費

168,000	期首	200個	完成	195,000個	
167,962,000	投入	(195,300個)			
			期末	500個	430,000＊
168,130,000	計	195,500個	計	195,500個	

$$＊　168,130,000×\frac{500 個}{195,500 個}＝430,000$$

(2) 加工費

加　工　費

80,500	期首	100個	完成	195,000個	
161,935,500	投入	(195,100個)			
			期末	200個	166,000＊
162,016,000	計	195,200個	計	195,200個	

$$＊　162,016,000×\frac{200 個}{195,200 個}＝166,000$$

(3) 当期製品製造原価：期首248,500＋総製造費用329,897,500－期末596,000

＝329,550,000

17 期末製品の評価（売上原価の振替処理及び見本品費への振替処理）

| （見　本　品　費）※ | 202,800 | （製　　　　　品） | 202,800 |
| （売　上　原　価）※ | 328,982,200 | （製　　　　　品） | 328,982,200 |

※　(1) 期末製品の評価

製　　品

期首	600個	見本品	120個	202,800＊1
		売上	（194,680個）	
987,000				
完成	195,000個			
329,550,000		期末	800個	1,352,000＊2
330,537,000	計　195,600個	計　195,600個		

＊1　$329,550,000 \times \dfrac{120 \text{個}}{195,000 \text{個}} = 202,800$

＊2　$329,550,000 \times \dfrac{800 \text{個}}{195,000 \text{個}} = 1,352,000$

(2) 売上原価：期首987,000＋完成329,550,000－見本202,800－期末1,352,000

　　　　　　＝328,982,200

18　消費税等及び法人税等

(1) 消費税等

（仮 受 消 費 税 等）※1	96,518,000	（仮 払 消 費 税 等）※2	54,606,000
		（仮　　払　　金）	33,000,000
		（未 払 消 費 税 等）※3	8,912,000

※1　前T/B 96,760,000－50,000－42,000－150,000＝96,518,000

※2　前T/B 54,604,550＋450＋1,000＝54,606,000

※3　差額

(2) 法人税等

| （法　人　税　等）※1 | 82,543,500 | （仮　　払　　金） | 24,000,000 |
| | | （未 払 法 人 税 等）※2 | 58,543,500 |

※1　① 税引前当期純利益：収益968,626,800－費用703,896,800＝264,730,000

　　② 年税額：264,730,000×30％＋法調3,124,500＝82,543,500

※2　差額

19 決算整理後残高試算表

借	方		貸	方	
科 目	金 額		科 目	金 額	
現 金	①	1,085,500	買 掛 金	㉙	26,250,000
当 座 預 金	②	23,598,066	電 子 記 録 債 務	㉚	4,950,000
普 通 預 金		63,606,800	短 期 借 入 金	㉛	5,315,000
売 掛 金	③	67,056,000	前 受 収 益	㉜	25,000
電 子 記 録 債 権		8,800,000	未 払 消 費 税 等	㉝	8,912,000
ク レ ジ ッ ト 売 掛 金	④	1,089,000	未 払 法 人 税 等	㉞	58,543,500
材 料		240,000	賞 与 引 当 金	㉟	10,000,000
仕 掛 品	⑤	596,000	貸 倒 引 当 金		2,089,450
製 品	⑥	1,352,000	長 期 借 入 金		30,000,000
繰 越 商 品	⑦	1,634,000	退 職 給 付 引 当 金	㊱	26,540,000
貯 蔵 品		8,000	繰 延 税 金 負 債	㊲	363,000
未 収 収 益	⑧	162,675	資 本 金		60,000,000
為 替 予 約		600,000	資 本 準 備 金		1,500,000
金 利 ス ワ ッ プ		200,000	繰 越 利 益 剰 余 金	㊳	12,930,091
建 物	⑨	103,300,000	その他有価証券評価差額金	㊴	259,000
機 械 装 置	⑩	10,500,000	繰 延 ヘ ッ ジ 損 益	㊵	560,000
車 両	⑪	7,624,000	商 品 売 上 高	㊶	284,500,000
備 品	⑫	3,350,000	製 品 売 上 高	㊷	681,380,000
土 地	⑬	105,000,000	受 取 利 息 配 当 金	㊸	229,675
投 資 有 価 証 券	⑭	9,510,000	有 価 証 券 利 息	㊹	150,000
外 貨 定 期 預 金	⑮	11,600,000	為 替 差 益	㊺	227,500
破 産 更 生 債 権 等		1,320,000	雑 収 入		29,625
繰 延 税 金 資 産	⑯	11,316,000	車 両 売 却 益	㊻	110,000
商 品 売 上 原 価	⑰	154,890,000	土 地 売 却 益	㊼	2,000,000
製 品 売 上 原 価	⑱	328,982,200	法 人 税 等 調 整 額	㊽	3,124,500
見 本 品 費	⑲	342,800			
人 件 費	⑳	146,569,500			
営 業 費	㉑	51,222,500			
賞 与 引 当 金 繰 入 額		6,000,000			
退 職 給 付 費 用		8,160,000			
減 価 償 却 費	㉒	4,361,000			
貸 倒 引 当 金 繰 入 額	㉓	1,389,450			
租 税 公 課	㉔	683,000			
商 品 棚 卸 減 耗 損		56,000			
支 払 利 息	㉕	750,000			
雑 損 失	㉖	10,350			
投 資 有 価 証 券 評 価 損	㉗	480,000			
法 人 税 等	㉘	82,543,500			
合 計		1,219,988,341	合 計		1,219,988,341

※　□で囲まれた数字は配点を示す。

（1）	1	42,485,740	円
（2）	1	40,750,000	円
（3）	1	40,500,000	円
（4）	1	4,593,100	円
（5）	1	22,461,100	円
（6）	1	55,800,000	円
（7）	1	6,600,000	円
（8）	1	20,000,000	円
（9）	1	11,804,871	円
（10）	1	259,903,300	円
（11）	1	63,788,460	円
（12）	1	145,728,000	円
（13）	1	3,975,620	円
（14）	1	4,746,463	円
（15）	1	41,835	円
（16）	1	3,500,000	円
（17）	1	6,202,408	円
（18）	1	5,000,000	円
（19）	1	1,363,600	円
（20）	1	263,000	円
（21）	1	655,001	円
（22）	1	680,000	円
（23）	1	200,000	円
（24）	1	9,302,900	円
（25）	1	7,842,850	円

（26）	1	22,130,000	円
（27）	1	13,039,000	円
（28）	1	129,600	円
（29）	1	6,392,900	円
（30）	1	6,545,000	円
（31）	1	28,412,500	円
（32）	1	4,410,150	円
（33）	1	1,200,000	円
（34）	1	155,555	円
（35）	2	224,000	円
（36）	2	2,543,950	円
（37）	2	50,240,000	円
（38）	2	748,485	円
（39）	2	22,885,620	円
（40）	2	100,800	円
（41）	2	554,120,000	円
（42）	2	165,000	円

問題 13 解答

【配　点】　2×8カ所　1×34カ所　　合計50点

解答への道

Ⅰ　本問のポイント

　問題のボリュームが多く、難易度の高い論点も含まれていたため、時間配分や取捨選択がきちんとできたかがポイントとなる。各論点についてのポイントは以下のとおりである。

1　商品が3種類あったため、各商品ごとの期末評価ができたか

2　資産除去債務について、見積額の変更及びそれに関する税効果会計の処理ができたか

3　退職給付引当金について、数理計算上の差異の当期発生額の算定及び処理ができたか

Ⅱ　具体的解説（単位：円）

1　現金預金

(1)　金庫の内容物に係る修正

①　先日付小切手

（受　取　手　形）	750,000	（現　金　預　金）	750,000

②　収入印紙及び切手

（貯　　蔵　　品）	12,000	（販売費・一般管理費）	12,000

(2)　銀行勘定調整

①　時間外預入 ⇨ 銀行側加算

②　通信費引落未記帳 ⇨ 当社側減算

（販売費・一般管理費）	221,760	（現　金　預　金）	221,760

③　未取付小切手 ⇨ 銀行側減算

④　未渡小切手 ⇨ 当社側加算

（現　金　預　金）	500,000	（買　　掛　　金）	500,000

⑤　誤記帳 ⇨ 当社側減算

（販売費・一般管理費）	1,100	（現　金　預　金）	1,100

⑥　支払手形未決済 ⇨ 当社側加算

（現　金　預　金）	800,000	（支　払　手　形）	800,000

2　商品売買

(1)　売上高の算定

①　A商品：@550×（190,000個＋150,000個）＋@600×（190,000個＋180,000個）

　　　　　＝409,000,000

②　B商品：@2,200×58,600個＝128,920,000

③　C商品：@3,000×5,400個＝16,200,000

③　①＋②＋③＝554,120,000

(2) A商品

① 期末帳簿棚卸高（修正前）の算定

日 付	摘 要	受 入			払 出			残 高		
		数量	単価	金額	数量	単価	金額	数量	単価	金額
4／1	期 首	15,000個	240	3,600,000				15,000個	240	3,600,000
4／1	仕 入	200,000個	240	48,000,000				215,000個	240	51,600,000
4～6月	売 上				190,000個	240	45,600,000	25,000個	240	6,000,000
7／1	仕 入	200,000個	258	51,600,000				225,000個	256	57,600,000
7～9月	売 上				190,000個	256	48,640,000	35,000個	256	8,960,000
10／1	仕 入	175,000個	262	45,850,000				210,000個	261	54,810,000
10～12月	売 上				180,000個	261	46,980,000	30,000個	261	7,830,000
1／1	仕 入	130,000個	245	31,850,000				160,000個	248	39,680,000
1～3月	売 上				150,000個	248	37,200,000	10,000個	248	2,480,000

② 見本品費

（販売費・一般管理費）※　　49,600　　　（仕　　　　　　入）　　49,600

　※　@248（上記①より）×200個＝49,600

③ 売上原価の算定

（仕　　　　　　入）　　3,600,000　　（繰　越　商　品）　　3,600,000

（繰　越　商　品）※　2,430,400　　（仕　　　　　　入）　　2,430,400

　※　@248×（10,000個－見本200個）＝2,430,400

④ 棚卸減耗費及び商品評価損

（仕　　　　　　入）※　　39,600　　（繰　越　商　品）　　39,600

　※　(a) 減耗：@248×（10,000個－200個－実地9,700個）＝24,800

　　　(b) 評価損：（@248－@100）×100個＝14,800

　　　(c) (a)＋(b)＝39,600

(3) B商品

① 売上原価の算定

（仕　　　　　　入）　　2,400,000　　（繰　越　商　品）※1　2,400,000

（繰　越　商　品）※2　1,750,000　　（仕　　　　　　入）　　1,750,000

　※1　@1,200×2,000個＝2,400,000

　※2　(a) 平均単価：$\dfrac{期首2,400,000＋仕入72,600,000（*）}{2,000個＋58,000個}＝@1,250$

　　　　*　前T/B仕入258,290,000－A商品177,300,000－C商品8,390,000＝72,600,000

　　　(b) @1,250×帳簿数量（期首2,000個＋仕入58,000個－売上58,600個）＝1,750,000

② 棚卸減耗費

（仕　　　　　　入）　　62,500　　（繰　越　商　品）※　　62,500

　※　(a) 帳簿数量：期首2,000個＋仕入58,000個－売上58,600個＝1,400個

  (b) @1,250×(帳簿1,400個－実地1,350個)＝62,500

(3) C商品

 ① 売上原価の算定

 （仕   入） 256,000   （繰 越 商 品）※1 256,000

 （繰 越 商 品）※2 514,800   （仕   入） 514,800

  ※1 前T/B繰越商品6,256,000－A商品3,600,000－B商品2,400,000＝256,000

  ※2 (a) 帳簿数量：期首200個＋仕入(1,000個＋2,000個＋1,500個＋1,000個)

       －売上5,400個＝300個

    (b) @13ドル×300個×ＳＲ132＝514,800

 ② 買掛金の期末換算替

 （為 替 差 損 益） 39,000   （買   掛   金）※ 39,000

  ※ 買掛金の決済日が仕入月の翌々月末日であるため、２月10日仕入分について換算替を行う。

  (a) ＣＲ換算額：@13ドル×1,000個×ＣＲ135＝1,755,000

  (b) 帳簿数残高：@13ドル×1,000個×ＨＲ132＝1,716,000

  (c) (a)－(b)＝39,000

3 貸倒引当金

(1) 破産更生債権等

 ① 破産更生債権等への振替処理

 （破産更生債権等）※ 7,000,000   （受 取 手 形） 5,000,000

                  （売   掛   金） 2,000,000

  ※ 貸方合計

 ② 貸倒引当金の計上

 （貸倒引当金繰入額） 4,000,000   （貸 倒 引 当 金）※ 4,000,000

  ※ (7,000,000－担保3,000,000)×100%＝4,000,000

 ③ 税効果会計

 （繰 延 税 金 資 産）※ 600,000   （法 人 税 等 調 整 額） 600,000

  ※ (会計4,000,000－税務4,000,000×50%)×30%＝600,000

(2) 貸倒懸念債権

 ① 貸倒引当金の計上

 （貸倒引当金繰入額） 1,000,000   （貸 倒 引 当 金）※ 1,000,000

  ※ {(3,000,000＋1,000,000)－担保2,000,000}×50%＝1,000,000

 ② 税効果会計

 （繰 延 税 金 資 産）※ 276,000   （法 人 税 等 調 整 額） 276,000

※　{会計1,000,000−税務(3,000,000＋1,000,000)×2％(＊)}×30％＝276,000

　＊　下記(3)①より

(3) 一般債権

① 貸倒実績率：$\dfrac{1,438,000+1,338,000+1,250,000}{57,692,000+66,358,000+77,250,000(＊)}=0.02$ （2％）

　＊　受取手形(45,000,000＋750,000−5,000,000)＋売掛金(42,500,000−2,000,000)

　　　−懸念4,000,000＝77,250,000

② 貸倒引当金の計上

（貸倒引当金繰入額）※　　　1,202,408　　　（貸　倒　引　当　金）　　　1,202,408

※　77,250,000×2％−前T/B 342,592＝1,202,408

4　固定資産

(1) 建物

① 改修費の修正

（建　　　　　　物）※1　2,500,000　　　（仮　　　払　　　金）　　　7,500,000

（修　　繕　　費）※2　5,000,000

※1　$7,500,000×\dfrac{10\,年}{30\,年(＊)}=2,500,000$

　＊　改修後の残存耐用年数：当初耐用年数40年−経過年数20年＋延長年数10年＝30年

※2　差額

② 減価償却

（減　価　償　却　費）※　　　1,412,500　　　（建物減価償却累計額）　　　1,412,500

※　(a) 既存分：$60,000,000×0.9×\dfrac{1\,年}{40\,年}=1,350,000$

　　(b) 資本的支出分：$2,500,000×\dfrac{1\,年}{40\,年}=62,500$

　　(c) (a)＋(b)＝1,412,500

(2) 建物付属設備

① 取得時（前期首）

（建 物 付 属 設 備）※1　22,050,750　　　（現　金　預　金）※3　20,000,000

　　　　　　　　　　　　　　　　　　　　　（資 産 除 去 債 務）※2　2,050,750

※1　期首簿価$19,845,675×\dfrac{10\,年}{9\,年}=22,050,750$（前T/B建物付属設備）

※2　2,500,000×0.8203＝2,050,750

※3　差額

問題13

解答

② 前期末

(a) 利息費用の計上

（利　息　費　用）※	41,015	（資産除去債務）　41,015

※　$2,050,750 \times 2.0\% = 41,015$

∴　前T/B資産除去債務：$2,050,750 + 41,015 = 2,091,765$

(b) 減価償却

（減　価　償　却　費）※	2,205,075	（建物付属設備減価償却累計額）　2,205,075

※　$22,050,750 \times \dfrac{1 \text{年}}{10 \text{年}} = 2,205,075$（前T/B建物付属設備減価償却累計額）

(c) 税効果会計

（繰　延　税　金　資　産）※1	836,706	（法　人　税　等　調　整　額）　836,706
（法　人　税　等　調　整　額）	738,270	（繰　延　税　金　負　債）※2　738,270

※1　資産除去債務 $2,091,765 \times 40\% = 836,706$

※2　$\left(2,050,750 - 2,050,750 \times \dfrac{1 \text{年}}{10 \text{年}}\right) \times 40\% = 738,270$（前T/B繰延税金負債）

② 当期末

(a) 利息費用の計上

（利　息　費　用）※	41,835	（資　産　除　去　債　務）　41,835

※　$2,091,765 \times 2.0\% = 41,835$（円未満切捨）

(b) 減価償却

（減　価　償　却　費）※	2,205,075	（建物付属設備減価償却累計額）　2,205,075

※　$22,050,750 \times \dfrac{1 \text{年}}{10 \text{年}} = 2,205,075$

(c) 除去費用見積額の変更

（建　物　付　属　設　備）	410,350	（資　産　除　去　債　務）※　410,350

※　$(3,000,000 - 2,500,000) \times 0.8207 = 410,350$

(d) 税効果会計

（法　人　税　等　調　整　額）	73,521	（繰　延　税　金　資　産）※1　73,521
（繰　延　税　金　負　債）※2	122,985	（法　人　税　等　調　整　額）　122,985

※1　$(2,091,765 + 41,835 + 410,350) \times 30\% - 836,706 = \triangle 73,521$

※2　$\left(2,050,750 - 2,050,750 \times \dfrac{2 \text{年}}{10 \text{年}} + 410,350\right) \times 30\% - 738,270 = \triangle 122,985$

(3) 備品

① 備品1（除却の修正）

（備品減価償却累計額）※1	4,080,000			（備 品）		4,800,000
（減 価 償 却 費）※2	240,000			（仮 払 金）		200,000
（備 品 除 却 損）※3	680,000					

※1　取得価額4,800,000－期首簿価720,000＝4,080,000

※2　$4,800,000 \times \dfrac{1年}{5年} \times \dfrac{3月}{12月} = 240,000$

※3　差額

② 備品2

（減 価 償 却 費）※	400,000	（備品減価償却累計額）	400,000

※　$2,000,000 \times \dfrac{1年}{5年} = 400,000$

(4) 車両

① 買換の修正

（a）適正な仕訳

（車両減価償却累計額）※1	1,791,666	（車 両）	3,000,000
（減 価 償 却 費）※2	333,333	（現 金 預 金）	2,580,000
（車 両 売 却 損）※3	655,001		
（車 両）	2,800,000		

※1　取得価額3,000,000－期首簿価1,208,334＝1,791,666

※2　$3,000,000 \times \dfrac{1年}{6年} \times \dfrac{8月}{12月} = 333,333$（円未満切捨）

※3　差額

（b）当社の行った仕訳

（車 両）	2,580,000	（現 金 預 金）	2,580,000

（c）修正仕訳（(a)－(b)）

（車両減価償却累計額）	1,791,666	（車 両）	2,780,000
（減 価 償 却 費）	333,333		
（車 両 売 却 損）	655,001		

② 減価償却

（減 価 償 却 費）※	155,555	（車両減価償却累計額）	155,555

※　$2,800,000 \times \dfrac{1年}{6年} \times \dfrac{4月}{12月} = 155,555$（円未満切捨）

(5) 土地

① 売却の修正

(仮　受　金)	7,000,000	(土　　地)※1	7,200,000
(土 地 売 却 損)※2	200,000		

※1　帳簿価額18,000,000×40%＝7,200,000

※2　差額

② 税効果会計

(法 人 税 等 調 整 額)	2,640,000	(繰 延 税 金 資 産)※	2,640,000

※　(a) 前期末減損損失計上額：取得価額30,000,000－18,000,000＝12,000,000

(b) 前期末繰延税金資産：12,000,000×40%＝4,800,000

(c) 当期末繰延税金資産：12,000,000×（1－40%）×30%＝2,160,000

(d) (c)－(b)＝△2,640,000

5　投資有価証券

(1) 甲社株式

① 期首帳簿価額：@1,200×1,000株＋4,000＝1,204,000

② 期中取引

(a) 取得

(投 資 有 価 証 券)※	1,404,000	(現 金 預 金)	1,404,000

※　@1,400×1,000株＋4,000＝1,404,000

∴　1株当たりの帳簿価額：$\dfrac{1,204,000+1,404,000}{1,000\ 株+1,000\ 株}=@1,304$

(b) 株式分割

仕　　訳　　不　　要

∴　1株当たりの帳簿価額：$\dfrac{1,204,000+1,404,000}{1,000\ 株+1,000\ 株+2,000\ 株}=@652$

(c) 売却

(現 金 預 金)※1	817,000	(投 資 有 価 証 券)※2	652,000
		(投資有価証券売却損益)※3	165,000

※1　@820×1,000株－手数料3,000＝817,000

※2　@652×1,000株＝652,000

※3　差額（前T/B投資有価証券売却損益）

③ 期末評価

(投 資 有 価 証 券)※1	444,000	(繰 延 税 金 負 債)※2	133,200
		(その他有価証券評価差額金)※3	310,800

※1 (a) 当期末時価：@800×(1,000株＋1,000株＋2,000株－1,000株)＝2,400,000

  (b) 帳簿価額：1,204,000＋1,404,000－652,000＝1,956,000

  (c) (a)－(b)＝444,000

※2 444,000×30％＝133,200

※3 差額

(2) 乙社株式

① 期首帳簿価額：@600×10,000株＝6,000,000

② 期中取引（追加取得）

(投 資 有 価 証 券)※ 14,000,000　　(現 金 預 金) 14,000,000

※ @700×20,000株＝14,000,000

③ 保有目的区分の変更

(関 係 会 社 株 式)※ 20,000,000　　(投 資 有 価 証 券) 20,000,000

※ 6,000,000＋14,000,000＝20,000,000

(3) 丙社株式

(繰 延 税 金 資 産)※2 90,000　　(投 資 有 価 証 券)※1 300,000

(その他有価証券評価差額金)※3 210,000

※1 (a) 当期末時価：@280×15,000株＝4,200,000

  (b) 帳簿価額：@300×15,000株＝4,500,000

  (c) (a)－(b)＝△300,000

※2 300,000×30％＝90,000

※3 差額

(4) 前T/B投資有価証券の金額

① 甲社株式：1,204,000＋1,404,000－652,000＝1,956,000

② 乙社株式：6,000,000＋14,000,000＝20,000,000

③ 丙社株式：4,500,000

④ ①＋②＋③＝26,456,000

7 退職給付会計

(1) 退職給付費用の計上（期首分）

(退 職 給 付 費 用)※ 3,895,500　　(退 職 給 付 引 当 金) 3,895,500

※ ① 勤務費用：2,958,000

  ② 利息費用：67,500,000×2.0％＝1,350,000

  ③ 期待運用収益：35,500,000×1.5％＝532,500

  ④ 数理計算上の差異の費用処理：(450,000－90,000)÷3年＝120,000（損失）

  ⑤ ①＋②－③＋④＝3,895,500

(2) 当期発生数理計算上の差異の費用処理

（退職給付費用）※	80,120	（退職給付引当金）	80,120

※ ① 債務55,958,360＋未認識30,000（＊）－資産32,942,500－退引（18,910,000
＋3,895,500)＝240,360（損失）

＊ 前期分：$90,000-90,000\times\dfrac{2年}{3年}=30,000$（利得）

② 240,360÷3年＝80,120

(2) 税効果会計

（法人税等調整額）	5,898,314	（繰延税金資産）※	5,898,314

※ ① 退職給付引当金前期末残高：債務67,500,000－資産35,500,000
－未認識90,000（＊）＝31,910,000

＊ (a) 前々期分：$450,000-450,000\times\dfrac{2年}{3年}=150,000$（損失）

(b) 前期分：$90,000-90,000\times\dfrac{1年}{3年}=60,000$（利得）

(c) (a)－(b)＝90,000（損失）

② 前期末繰延税金資産：31,910,000×40％＝12,764,000

③ 当期末繰延税金資産：(18,910,000＋3,895,500＋80,120)×30％＝6,865,686

④ ③－②＝△5,898,314

7 賞与引当金

(1) 賞与支給時の修正

（賞与引当金）	3,200,000	（人件費）	3,200,000

(2) 賞与引当金繰入

（賞与引当金繰入額）	3,500,000	（賞与引当金）※	3,500,000

※ $5,250,000\times\dfrac{4月}{6月}=3,500,000$

(3) 税効果会計

（法人税等調整額）	230,000	（繰延税金資産）※	230,000

※ ① 前期末繰延税金資産：3,200,000×40％＝1,280,000

② 当期末繰延税金資産：3,500,000×30％＝1,050,000

③ ②－①＝△230,000

8 借入金

(1) 直々差額

（為替差損益）	80,000	（借入金）※	80,000

※　80,000ドル×(予約日ＳＲ131－借入日ＳＲ130)＝80,000

(2) 直先差額

(借　　入　　金)※　　240,000　　　　(長 期 前 受 収 益)　　　240,000

※　80,000ドル×(予約日ＦＲ128－予約日ＳＲ131)＝△240,000

(3) 直先差額の振替

(長 期 前 受 収 益)※　　16,000　　　　(支　払　利　息)　　　16,000

※　$240,000 \times \dfrac{2月}{30月} = 16,000$

(4) 支払利息の見越計上

(支　払　利　息)※　　129,600　　　　(未　払　費　用)　　　129,600

※　$80,000ドル \times 1.8\% \times \dfrac{8月}{12月} \times ＣＲ135 = 129,600$

9　法人税等

(法 　人 　税 　等)※1　9,302,900　　　　(仮　　払　　金)　　　2,910,000

　　　　　　　　　　　　　　　　　　　　　　(未 払 法 人 税 等)※2　6,392,900

※1　(1) 税引前当期純利益:収益554,805,000－費用497,652,500＝57,152,500

　　　(2) 57,152,500×30%－法調7,842,850＝9,302,900

※2　差額

問題13　解答

10 決算整理後残高試算表

借　　方			貸　　方		
科　　　目		金　　額	科　　　目		金　　額
現　金　預　金	(1)	42,485,740	支　払　手　形	(26)	22,130,000
受　取　手　形	(2)	40,750,000	買　　掛　　金	(27)	13,039,000
売　　掛　　金	(3)	40,500,000	未　払　費　用	(28)	129,600
繰　越　商　品	(4)	4,593,100	未払法人税等	(29)	6,392,900
貯　　蔵　　品		12,000	賞　与　引　当　金		3,500,000
建　　　　　物		62,500,000	貸　倒　引　当　金	(30)	6,545,000
建物付属設備	(5)	22,461,100	建物減価償却累計額	(31)	28,412,500
備　　　　　品		2,000,000	建物付属設備減価償却累計額	(32)	4,410,150
車　　　　　両		2,800,000	備品減価償却累計額	(33)	1,200,000
土　　　　　地	(6)	55,800,000	車両減価償却累計額	(34)	155,555
投　資　有　価　証　券	(7)	6,600,000	長　期　前　受　収　益	(35)	224,000
関　係　会　社　株　式	(8)	20,000,000	資　産　除　去　債　務	(36)	2,543,950
破　産　更　生　債　権　等		7,000,000	借　　入　　金	(37)	50,240,000
繰　延　税　金　資　産	(9)	11,804,871	繰　延　税　金　負　債	(38)	748,485
仕　　　　　入	(10)	259,903,300	退　職　給　付　引　当　金	(39)	22,885,620
販売費・一般管理費	(11)	63,788,460	資　　本　　金		90,000,000
人　　件　　費	(12)	145,728,000	資　本　準　備　金		22,500,000
退　職　給　付　費　用	(13)	3,975,620	繰　越　利　益　剰　余　金		4,142,501
減　価　償　却　費	(14)	4,746,463	その他有価証券評価差額金	(40)	100,800
利　　息　　費　　用	(15)	41,835	売　　　　　上	(41)	554,120,000
賞与引当金繰入額	(16)	3,500,000	受　取　利　息　配　当　金		520,000
貸倒引当金繰入額	(17)	6,202,408	投資有価証券売却損益	(42)	165,000
修　　繕　　費	(18)	5,000,000			
支　払　利　息	(19)	1,363,600			
為　替　差　損　益	(20)	263,000			
そ　の　他　費　用		1,604,813			
車　両　売　却　損	(21)	655,001			
備　品　除　却　損	(22)	680,000			
土　地　売　却　損	(23)	200,000			
法　　人　　税　　等	(24)	9,302,900			
法　人　税　等　調　整　額	(25)	7,842,850			
合　　　計		834,105,061	合　　　計		834,105,061

問 題 14	本支店会計	解 答

※ □で囲まれた数字は配点を示す。

本店の決算整理後残高試算表　　　　　　　　　　　　　　　（単位：円）

1	1	29,701,882	2	1	8,000,000	3	1	10,659,000
4	1	8,963,000	5	1	8,200,000	6	1	30,000,000
7	1	29,150,000	8	1	4,000,000	9	1	28,695,000
10	1	60,000	11	1	14,200,000	12	1	11,011,000
13	1	3,706,500	14	1	120,000	15	1	128,000
16	1	7,600,000	17	1	546,000	18	1	72,250,000
19	1	21,600,000	20	1	4,672,000	21	1	1,312,500
22	1	390,000	23	1	70,000	24	1	700,000
25	1	600,000	26	1	8,000,000			

支店の決算整理後残高試算表　　　　　　　　　　　　　　　（単位：円）

27	1	2,922,505	28	1	51,200,000	29	1	36,335,220
30	1	2,486,325	31	1	40,080	32	1	1,673,575
33	1	4,200,000	34	1	6,780,000	35	1	2,611,200
36	1	871,875						

本支店合併損益計算書　　　　　　　　　　　　　　　　　　（単位：円）

37	1	17,010,000	38	1	180,670,000	39	1	58,773,720
40	1	15,768,335	41	1	21,200,000	42	1	15,730,000
43	1	5,380,075	44	1	2,500	45	1	309,950,000
46	1	17,750,000						

本支店合併貸借対照表　　　　　　　　　　　　　　　　　　（単位：円）

47	1	13,000,000	48	1	23,267,000	49	1	17,635,000
50	1	15,860,000						

【配　点】　1×50カ所　　合計50点

問題 14 解答

-277-

解答への道

I 本問のポイント

本問は、本支店会計の総合問題である。未達取引は実際到着日に処理することとなっているため、本店及び支店の決算整理後残高試算表の作成については未達取引を考慮する必要はないが、合併財務諸表の作成において未達取引を考慮することになる。この構造を理解できているかがポイントとなる。また、解答にあたっては商品の流れを把握し、売上高や内部利益の算定ができたかもポイントとなる。

II 具体的解説（単位：円）

1 前T/B売上高の算定

(1) 本店

① A商品（売上返品及び見本品修正前で算定する。）

(a) 原価

期首商品	8,250,000	外部売上原価　※2	79,095,000
当期仕入	110,820,000	支店売上原価　※1	33,813,000
		期末帳簿	6,162,000

※1　支店売上37,194,300÷1.1＝33,813,000

※2　差額

(b) 外部売上高：79,095,000÷60％＝131,825,000

② B商品

(a) 原価

期首商品	2,530,000	外部売上原価　※	29,790,750
支店仕入	30,043,750	期末帳簿	2,783,000

※　差額

(b) 外部売上高　29,790,750÷1.15÷55％＝47,100,000

③　前T/B売上：①(b)＋②(b)＝178,925,000

(2) 支店

① A商品

(a) 原価

期首商品	2,376,000	外部売上原価 ※		36,468,300
本店仕入	36,798,300	期末帳簿		2,706,000

※ 差額

(b) 外部売上高：36,468,300÷1.1÷60％＝55,255,000

② B商品

(a) 原価

期首商品	4,400,000	外部売上原価 ※2		41,250,000
当期仕入	69,850,000	本店売上原価 ※1		27,500,000
		期末帳簿		5,500,000

※1　本店売上　31,625,000÷1.15＝27,500,000

※2　差額

(b) 外部売上高：41,250,000÷55％＝75,000,000

③　前T/B売上：①(b)＋②(b)＝130,255,000

2　現金預金

(1) 本店

①　営業費の引落未記帳

（営　業　費）　　200,000　　（現　金　預　金）　　200,000

②　売掛金の振込未記帳

（現　金　預　金）　1,200,000　　（売　掛　金）　1,200,000

③　未取付小切手　⇒　仕訳不要

④　支払手形期日決済

（支　払　手　形）　900,000　　（現　金　預　金）　900,000

(2) 支店

①　営業費の引落未記帳

（営　業　費）　　123,000　　（現　金　預　金）　　123,000

② 売掛金の回収誤処理

(a) 適正な仕訳

| (現 金 預 金) | 880,000 | (売 掛 金) | 880,000 |

(b) 支店が行った仕訳

| (現 金 預 金) | 88,000 | (売 掛 金) | 88,000 |

(c) 修正仕訳（(a)−(b)）

| (現 金 預 金) | 792,000 | (売 掛 金) | 792,000 |

③ 現金の原因不明分

| (雑 損 失) | 2,500 | (現 金 預 金) | 2,500 |

3 商品売買

(1) 本店

① 売上返品の未処理

| (売 上) | 330,000 | (売 掛 金)※ | 330,000 |

※ 2,880,000−2,550,000＝330,000

② 見本品の提供

| (見 本 品 費) | 120,000 | (仕 入) | 120,000 |

③ 売上原価の算定等

(売 上 原 価)	10,780,000	(繰 越 商 品)	10,780,000
(売 上 原 価)	110,700,000	(仕 入) ※1	110,700,000
(売 上 原 価)	30,043,750	(支 店 仕 入)	30,043,750
(繰 越 商 品) ※2	9,023,000	(売 上 原 価)	9,023,000
(棚 卸 減 耗 費)	60,000	(繰 越 商 品) ※3	60,000

※1 前T/B 110,820,000−見本品120,000＝110,700,000

※2 商品A（6,162,000＋返品330,000×60％−見本品120,000）＋商品B 2,783,000
＝9,023,000

※3 帳簿9,023,000−実地(商品A 5,982,000＋返品330,000×60％＋商品B 2,783,000)
＝60,000

(2) 支店

(売 上 原 価)	6,776,000	(繰 越 商 品)	6,776,000
(売 上 原 価)	69,850,000	(仕 入)	69,850,000
(売 上 原 価)	36,798,300	(本 店 仕 入)	36,798,300
(繰 越 商 品) ※1	8,206,000	(売 上 原 価)	8,206,000
(棚 卸 減 耗 費)	55,000	(繰 越 商 品) ※2	55,000

※1 商品A 2,706,000＋商品B 5,500,000＝8,206,000

※2 帳簿8,206,000－実地(商品A2,706,000＋商品B5,445,000)＝55,000

4 固定資産

(1) 本店

① 建物

(減 価 償 却 費)※ 1,800,000 (建物減価償却累計額) 1,800,000

※ 80,000,000×0.9×0.025＝1,800,000

② 車両

(a) 買換えの修正

イ 適正な仕訳

(車両減価償却累計額)	1,280,000	(車　　　　　両)	2,000,000
(減 価 償 却 費)※1	192,000	(現 金 預 金)	2,300,000
(車 両 売 却 損)※2	128,000		
(車　　　　　両)※3	2,700,000		

※1 $(2,000,000-1,280,000)\times 0.400\times \dfrac{8月}{12月}=192,000$

※2 適正評価額400,000－簿価(2,000,000－1,280,000－192,000)＝△128,000 (売却損)

※3 定価

ロ 本店が行った仕訳

(車　　　　　両)	2,300,000	(現 金 預 金)	2,300,000

ハ 修正仕訳 (イ－ロ)

(車両減価償却累計額)	1,280,000	(車　　　　　両)	1,600,000
(減 価 償 却 費)	192,000		
(車 両 売 却 損)	128,000		

(b) 減価償却

(減 価 償 却 費)※	1,152,000	(車両減価償却累計額)	1,152,000

※ イ 既存分：{(9,800,000－2,300,000－2,000,000)－(4,800,000－1,280,000)}

　　　　　　×0.400＝792,000

ロ 当期取得分：$2,700,000\times 0.400\times \dfrac{4月}{12月}=360,000$

ハ イ＋ロ＝1,152,000

③ 備品

(減 価 償 却 費)※	562,500	(備品減価償却累計額)	562,500

※ (3,000,000－750,000)×0.250＝562,500

④ 土地

(a) 適正な仕訳

```
（現　金　預　金）　18,000,000　　　　（土　　　　　　　地）　10,000,000
　　　　　　　　　　　　　　　　　　　（土　地　売　却　益）※　8,000,000
```

※　差額

(b) 本店が行った仕訳

```
（現　金　預　金）　18,000,000　　　　（土　　　　　　　地）　18,000,000
```

(c) 修正仕訳（(a)−(b)）

```
（土　　　　　　　地）　8,000,000　　　（土　地　売　却　益）　8,000,000
```

(2) 支店

① 建物

(a) 改修の修正

イ　適正な仕訳

```
（建　　　　　　　物）※1　1,200,000　　（現　金　預　金）　5,400,000
（修　　繕　　費）※2　4,200,000
```

※1　改修費$5,400,000 \times \dfrac{延長10年}{当初40年-経過5年+延長10年}=1,200,000$

※2　差額

ロ　支店が行った仕訳

```
（建　　　　　　　物）　5,400,000　　　（現　金　預　金）　5,400,000
```

ハ　修正仕訳（イ−ロ）

```
（修　　繕　　費）　4,200,000　　　　（建　　　　　　　物）　4,200,000
```

(b) 減価償却

```
（減　価　償　却　費）※　1,155,000　　（建物減価償却累計額）　1,155,000
```

※　イ　既存分：$(55,400,000-5,400,000) \times 0.9 \times 0.025=1,125,000$

　　ロ　資本的支出分：$1,200,000 \times 0.025=30,000$

　　ハ　イ＋ロ＝1,155,000

② 車両

```
（減　価　償　却　費）※　259,200　　（車両減価償却累計額）　259,200
```

※　(a) 期首減累：$3,000,000-3,000,000 \times (1-0.400)^{3年}=2,352,000$

　　(b) 減価償却費：$(3,000,000-2,352,000) \times 0.400=259,200$

③ 備品

| （減 価 償 却 費）※ | 259,375 | （備品減価償却累計額） | 259,375 |

※ （a）既存分：｛(2,400,000−1,000,000)−612,500｝×0.250＝196,875

（b）当期取得分：$1,000,000 \times 0.250 \times \dfrac{3月}{12月} = 62,500$

（c）（a）＋（b）＝ 259,375

5 有価証券（本店）

（1）甲社債（償却原価法）

| （投 資 有 価 証 券）※ | 150,000 | （有 価 証 券 利 息） | 150,000 |

※ $(15,000,000−14,250,000) \times \dfrac{12月}{60月} = 150,000$

（2）乙株式

| （繰 延 税 金 資 産）※2 | 60,000 | （投 資 有 価 証 券）※1 | 200,000 |
| （その他有価証券評価差額金）※3 | 140,000 | | |

※1 当期末7,800,000−取得原価8,000,000＝△200,000

※2 200,000×30％＝60,000

※3 差額

（3）丙株式

| （投 資 有 価 証 券）※1 | 300,000 | （繰 延 税 金 負 債）※2 | 90,000 |
| | | （その他有価証券評価差額金）※3 | 210,000 |

※1 当期末6,800,000−取得原価6,500,000＝300,000

※2 300,000×30％＝90,000

※3 差額

6 退職給付引当金

（1）前T/B残高（期首残高）

期首債務150,335,000−期首資産72,500,000−期首未認識2,115,000(損失)＝75,720,000

（2）退職給付費用の計上（期首分）

| （退 職 給 付 費 用）※ | 14,634,200 | （退 職 給 付 引 当 金） | 14,634,200 |

※ ① 勤務費用：12,000,000

② 利息費用：150,335,000×2.0％＝3,006,700

③ 期待運用収益：72,500,000×1.5％＝1,087,500

④ 数理差異の費用処理額

（a）前々期分：685,000（当期が3年目となるため、全額当期に費用処理する。）

（b）前期分：2,800,000÷（3年−1年）＝1,400,000

⑤　①＋②－③－④(a)＋④(b)＝14,634,200

(3) 掛金の拠出

（退 職 給 付 引 当 金）　　8,400,000　　　　（仮　　　払　　　金）　　8,400,000

(4) 退職一時金

（退 職 給 付 引 当 金）※　10,800,000　　　　（仮　　　払　　　金）　　10,800,000

　　※　退職給付額18,000,000－年金給付額7,200,000＝10,800,000

(5) 当期発生数理差異の費用処理

（退 職 給 付 費 用）※　　1,095,800　　　　（退 職 給 付 引 当 金）　　1,095,800

　　※　①　当期発生数理差異

　　　　　(a)　退職給付債務：予測147,341,700－実際149,691,600＝△2,349,900（損失）

　　　　　(b)　年金資産：時価73,850,000－予測74,787,500＝△937,500（損失）

　　　　　(c)　当期発生額：(a)＋(b)＝△3,287,400（損失）

　　　　②　当期費用処理額：3,287,400÷３年＝1,095,800

(6) 税効果会計

（法 人 税 等 調 整 額）※　　1,041,000　　　　（繰 延 税 金 資 産）　　1,041,000

　　※　①　前T/B残高：75,720,000×30％＝22,716,000

　　　　②　当期末残高：(75,720,000＋14,634,200－8,400,000－10,800,000＋1,095,800)

　　　　　　　　　　　　×30％＝21,675,000

　　　　③　②－①＝△1,041,000

(7) 支店帰属分の振替

　　①　本店

（支　　　　　　　店）　　4,719,000　　　　（退 職 給 付 費 用）※　　4,719,000

　　※　(14,634,200＋1,095,800)×30％＝4,719,000

　　②　支店

（退 職 給 付 費 用）※　　4,719,000　　　　（本　　　　　　　店）　　4,719,000

　　※　上記(7)①より

7　賞与引当金

(1) 当期支給分の修正

（賞 与 引 当 金）　　19,250,000　　　　（人　　　件　　　費）　　19,250,000

(2) 賞与引当金の繰入処理

（賞 与 引 当 金 繰 入 額）　　21,200,000　　　　（賞 与 引 当 金）※　　21,200,000

　　※　$31,800,000 \times \dfrac{4月}{6月} = 21,200,000$

(3) 税効果会計

(繰 延 税 金 資 産) ※　　585,000　　　　　　（法人税等調整額）　　　585,000

　※　①　前T/B残高：19,250,000×30%＝5,775,000

　　　②　当期末残高：21,200,000×30%＝6,360,000

　　　③　②－①＝585,000

(4) 支店帰属分の振替

　①　賞与引当金繰入額

　　(a) 本店

　(支　　　　　　　店)　　7,000,000　　　　　（賞与引当金繰入額）※　7,000,000

　　※　$10,500,000 \times \dfrac{4月}{6月} = 7,000,000$

　　(b) 支店

　（賞与引当金繰入額）※　7,000,000　　　　　（本　　　　　　店)　　7,000,000

　　※　上記(4)①(a)より

　②　人件費（賞与手当分）

　　(a) 本店

　(支　　　　　　　店)　　13,200,000　　　　（人　　件　　費）※　13,200,000

　　※　19,800,000－賞引6,600,000＝13,200,000

　　(b) 支店

　(人　　件　　費)※　13,200,000　　　　（本　　　　　　店)　　13,200,000

　　※　上記(4)②(a)より

8　貸倒引当金

(1) 本店

　①　破産更生債権等への振替処理

　（破産更生債権等）※　4,000,000　　　　（受　取　手　形)　　2,500,000

　　　　　　　　　　　　　　　　　　　　（売　　掛　　金)　　1,500,000

　　※　貸方合計

　②　貸倒引当金の繰入処理

　（貸倒引当金繰入額）※　4,071,290　　　　（貸　倒　引　当　金)　　4,071,290

　　※　(a) 一般債権

　　　　　受取手形：前T/B 10,500,000－2,500,000＝8,000,000

　　　　　　売掛金：前T/B 13,689,000－1,200,000－330,000－1,500,000＝10,659,000

　　　　　　設定額：(8,000,000＋10,659,000)×1％＝186,590

　　　　(b) 破産更生債権等：4,000,000×100％＝4,000,000

(c) 繰入額：(a)＋(b)－前T/B 115,300＝4,071,290

③ 税効果会計

（繰 延 税 金 資 産）※   600,000   （法 人 税 等 調 整 額）   600,000

※ 4,000,000×50％×30％＝600,000

(2) 支店

（貸倒引当金繰入額）※   40,080   （貸 倒 引 当 金）   40,080

※ ｛受手5,000,000＋売掛(前T/B 12,300,000－792,000)｝×1％－前T/B 125,000

  ＝40,080

9 為替予約（本店）

（為   替   予   約）※1 1,000,000   （繰 延 税 金 負 債）※2   300,000

                                                  （繰 延 ヘ ッ ジ 損 益）※3   700,000

※1 500,000ドル×(決算日ＦＲ112－予約日ＦＲ110)＝1,000,000

※2 1,000,000×30％＝300,000

※3 差額

10 法人税等（本店）

（法   人   税   等）   3,744,000   （仮   払   金）※1 2,500,000

                                                  （未 払 法 人 税 等）※2 1,244,000

※1 前T/B 21,700,000－退職給付(8,400,000＋10,800,000)＝2,500,000

※2 差額

11 決算整理後残高試算表

(1) 本店

決算整理後残高試算表

科 目		金 額	科 目		金 額
現 金 預 金	1	29,701,882	支 払 手 形	16	7,600,000
受 取 手 形	2	8,000,000	買 掛 金		10,110,000
売 掛 金	3	10,659,000	繰 延 内 部 利 益	17	※ 546,000
繰 越 商 品	4	8,963,000	未 払 法 人 税 等		1,244,000
為 替 予 約		1,000,000	貸 倒 引 当 金		4,186,590
建 物		80,000,000	賞 与 引 当 金		21,200,000
車 両	5	8,200,000	借 入 金		30,000,000
備 品		3,000,000	退 職 給 付 引 当 金	18	72,250,000
土 地	6	30,000,000	建物減価償却累計額	19	21,600,000
投 資 有 価 証 券	7	29,150,000	車両減価償却累計額	20	4,672,000
破 産 更 生 債 権 等	8	4,000,000	備品減価償却累計額	21	1,312,500
繰 延 税 金 資 産	9	28,695,000	繰 延 税 金 負 債	22	390,000
支 店		73,430,600	資 本 金		95,000,000
売 上 原 価		142,500,750	資 本 準 備 金		12,000,000
棚 卸 減 耗 費	10	60,000	利 益 準 備 金		8,750,000
人 件 費		22,438,500	繰 越 利 益 剰 余 金		15,097,142
営 業 費		13,282,010	その他有価証券評価差額金	23	70,000
貸倒引当金繰入額		4,071,290	繰 延 ヘ ッ ジ 損 益	24	700,000
賞与引当金繰入額	11	14,200,000	売 上		178,595,000
退 職 給 付 費 用	12	11,011,000	支 店 売 上		37,194,300
減 価 償 却 費	13	3,706,500	有 価 証 券 利 息	25	600,000
見 本 品 費	14	120,000	土 地 売 却 益	26	8,000,000
支 払 利 息		1,200,000	法 人 税 等 調 整 額		144,000
車 両 売 却 損	15	128,000			
法 人 税 等		3,744,000			
合 計		531,261,532	合 計		531,261,532

※ 下記12(3)※1参照

—287—

(2) 支店

決算整理後残高試算表

科 目		金 額	科 目		金 額
現 金 預 金	27	2,922,505	支 払 手 形		5,400,000
受 取 手 形		5,000,000	買 掛 金		8,250,000
売 掛 金		11,508,000	貸 倒 引 当 金		165,080
繰 越 商 品		8,151,000	建物減価償却累計額	34	6,780,000
建 物	28	51,200,000	車両減価償却累計額	35	2,611,200
車 両		3,000,000	備品減価償却累計額	36	871,875
備 品		2,400,000	本 店		68,953,350
土 地		9,000,000	売 上		130,255,000
売 上 原 価		105,218,300	本 店 売 上		31,625,000
棚 卸 減 耗 費		55,000			
人 件 費	29	36,335,220			
営 業 費	30	2,486,325			
貸 倒 引 当 金 繰 入 額	31	40,080			
賞 与 引 当 金 繰 入 額		7,000,000			
退 職 給 付 費 用		4,719,000			
減 価 償 却 費	32	1,673,575			
修 繕 費	33	4,200,000			
雑 損 失		2,500			
合 計		254,911,505	合 計		254,911,505

12 合併整理

(1) 未達取引

① 本店から支店への商品の送付（支店）

（本 店 仕 入）※ 396,000 （本 店） 396,000

（商 品） 396,000 （商品期末たな卸高） 396,000

※ 360,000×1.1＝396,000

② 支店の買掛金支払（支店）

（買 掛 金） 2,500,000 （本 店） 2,500,000

③ 支店から本店への商品の送付（本店）

| （支　店　仕　入）※ | 885,500 | （支　　　　店） | 885,500 |
| （商　　　品） | 885,500 | （商品期末たな卸高） | 885,500 |

　※　770,000×1.15＝885,500

④ 本店得意先への直接売上（本店）

（支　店　仕　入）※1	695,750	（支　　　　店）	695,750
（売　　掛　　金）※2	1,100,000	（売　　　　上）	1,100,000
（貸倒引当金繰入額）※3	11,000	（貸　倒　引　当　金）	11,000

　※1　605,000×1.15＝695,750

　※2　605,000÷55％＝1,100,000

　※3　1,100,000×1％＝11,000

(2) 照合勘定の相殺消去

（本　　　　店）※	71,849,350	（支　　　　店）	71,849,350
（支　店　売　上）※	37,194,300	（本　店　仕　入）	37,194,300
（本　店　売　上）※	31,625,000	（支　店　仕　入）	31,625,000

　※　照合勘定

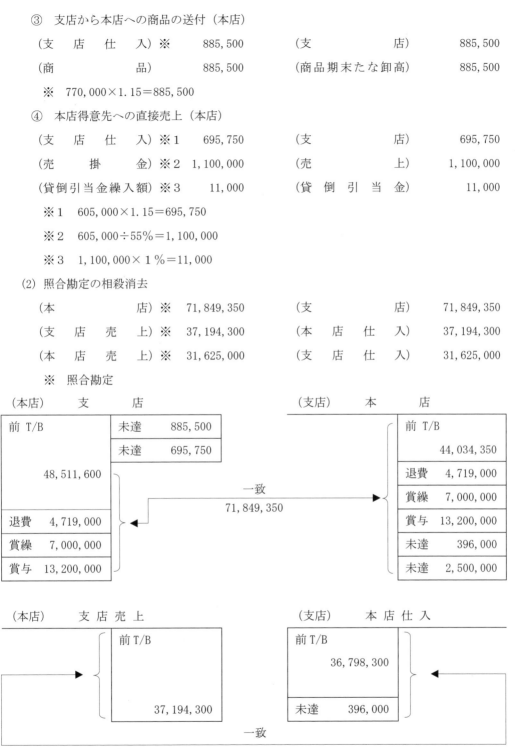

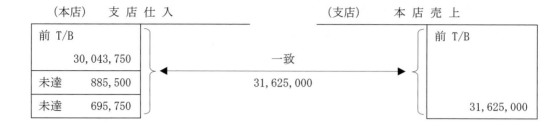

(本店)　支店仕入

前 T/B		
	30,043,750	
未達	885,500	
未達	695,750	

一致

31,625,000

(支店)　本店売上

前 T/B	
	31,625,000

(3) 内部利益の整理

(繰延内部利益) ※1	546,000	(商品期首たな卸高)	546,000
(商品期末たな卸高)	760,500	(商　　品) ※2	760,500

※1　期首内部利益（前T/B及び後T/B繰延内部利益）

① 本店：商品B　$2,530,000 \times \dfrac{0.15}{1.15} = 330,000$

② 支店：商品A　$2,376,000 \times \dfrac{0.1}{1.1} = 216,000$

③ ①＋②＝546,000

※2　期末内部利益

① 本店：商品B　$(2,783,000 + 未達885,500) \times \dfrac{0.15}{1.15} = 478,500$

② 支店：商品A　$(2,706,000 + 未達396,000) \times \dfrac{0.1}{1.1} = 282,000$

③ ①＋②＝760,500

13 本支店合併財務諸表

(1) 本支店合併損益計算書

本支店合併損益計算書

科　　　　目		金　　額	科　　　　目		金　　額
商品期首たな卸高	37 ※1	17,010,000	売　　　　　　上	45	309,950,000
当期商品仕入高	38 ※2	180,670,000	見本品費振替高		120,000
棚卸減耗費		115,000	商品期末たな卸高	46 ※3	17,750,000
人件費	39	58,773,720	有価証券利息		600,000
営業費	40	15,768,335	土地売却益		8,000,000
貸倒引当金繰入額		4,122,370	法人税等調整額		144,000
賞与引当金繰入額	41	21,200,000			
退職給付費用	42	15,730,000			
減価償却費	43	5,380,075			
見本品費		120,000			
修繕費		4,200,000			
支払利息		1,200,000			
雑損失	44	2,500			
車両売却損		128,000			
法人税等		3,744,000			
当期純利益		8,400,000			
合　　　計		336,564,000	合　　　計		336,564,000

※1　本店10,780,000＋支店6,776,000－内部利益546,000＝17,010,000

※2　本店110,820,000＋支店69,850,000＝180,670,000　（注）見本品費振替前の金額で計上する。

※3　本店(9,023,000＋885,500)＋支店(8,206,000＋396,000)－内部利益760,500＝17,750,000
（注）帳簿棚卸高で計上する。

問題14

解答

(2) 本支店合併貸借対照表

本支店合併貸借対照表

科　　　目		金　　額	科　　　目		金　　額
現　金　預　金		32,624,387	支　払　手　形		13,000,000
受　取　手　形	47	**13,000,000**	買　　掛　　金	50	**15,860,000**
売　　掛　　金	48	**23,267,000**	未　払　法　人　税　等		1,244,000
商　　　　　品	49	**17,635,000**	貸　倒　引　当　金		4,362,670
為　替　予　約		1,000,000	賞　与　引　当　金		21,200,000
建　　　　　物		131,200,000	借　　入　　金		30,000,000
車　　　　　両		11,200,000	退　職　給　付　引　当　金		72,250,000
備　　　　　品		5,400,000	建物減価償却累計額		28,380,000
土　　　　　地		39,000,000	車両減価償却累計額		7,283,200
投　資　有　価　証　券		29,150,000	備品減価償却累計額		2,184,375
破　産　更　生　債　権　等		4,000,000	繰　延　税　金　負　債		390,000
繰　延　税　金　資　産		28,695,000	資　　本　　金		95,000,000
			資　本　準　備　金		12,000,000
			利　益　準　備　金		8,750,000
			繰　越　利　益　剰　余　金		23,497,142
			その他有価証券評価差額金		70,000
			繰　延　ヘ　ッ　ジ　損　益		700,000
合　　　　　計		336,171,387	合　　　　　計		336,171,387

問題 15 組織再編

解 答

※ □で囲まれた数字は配点を示す。

問1 甲社の決算整理後残高試算表

(単位：円)

1	預　　　　　金	2	63,377,060	10	買　　掛　　金	1	74,460,000
2	受　取　手　形	2	88,000,000	11	未　　払　　金	1	74,000
3	仕　　　　　入	2	949,716,000	12	未払法人税等	1	13,000,000
4	営　　業　　費	2	300,986,660	13	退職給付引当金	1	83,796,000
5	賞与引当金繰入	2	12,240,000	14	その他有価証券評価差額金	1	770,000
6	減　価　償　却　費	2	13,240,000	15	売　　上　　高	1	1,396,146,000
7	貸倒引当金繰入	2	253,000	16	固定資産売却益	1	300,000
8	手　形　売　却　損	1	190,340	17	法人税等調整額	1	910,800
9	雑　　　損　　　失	1	80,000				

問2 乙社の決算整理後残高試算表

(単位：円)

1	受　取　手　形	2	34,345,200	9	買　　掛　　金	1	34,471,300
2	売　　掛　　金	2	54,218,800	10	短　期　借　入　金	1	68,000
3	繰　越　商　品	2	7,280,000	11	未　払　消　費　税　等	1	4,076,000
4	構　　築　　物	2	6,370,000	12	賞　与　引　当　金	1	4,584,000
5	仕　　　　　入	2	64,600,000				
6	営　　業　　費	2	30,389,520				
7	減　価　償　却　費	1	1,752,500				
8	雑　　　損　　　失	1	12,160				

問3

1	甲社の企業評価額	2	740,000,000	円
2	交　付　株　式　数	2	14,000	株

問4

1	の　　れ　　ん	2	5,200,000	円
2	その他資本剰余金	2	60,000,000	円

【配 点】 2×17カ所 1×16カ所 合計50点

問題15 解答

解答への道

I 本問のポイント

　本問は、一般総合問題の後に企業結合（吸収合併）を行うといった、総合問題では比較的珍しいタイプの問題構造である。企業結合というと大企業が対象となるイメージを持っている方が多いかも知れないが、実際はわが国における企業結合の半分以上は中小企業を対象にしたものと言われている。今後は税理士として、企業結合に関わる機会も決して少なくないことが予想される。また、近年における第三問の出題傾向を見ると、総合問題に関連した個別問題として企業結合・事業分離が出題されており、本問はこうした点を踏まえて出題している。

II 具体的な解説（単位：円）

1 甲社の処理

1 現金及び預金

(1) 現金

① B社振出の小切手（先日付小切手）

（受 取 手 形）	444,000	（現　　　　　金）	444,000

② 配当金領収証

(a) 適正な仕訳

（仮　　払　　金）	48,000	（受 取 利 息 配 当 金）※	240,000
（現　　　　　金）	192,000		

※　借方合計

(b) 甲社の仕訳

（現　　　　　金）	192,000	（受 取 利 息 配 当 金）	192,000

(c) 修正仕訳（(a)−(b)）

（仮　　払　　金）	48,000	（受 取 利 息 配 当 金）	48,000

③ 仮払のメモ

（仮　　払　　金）	300,000	（現　　　　　金）	300,000

④ 出張旅費の精算

（営　　業　　費）※1	340,000	（仮　　払　　金）	300,000
（仮 払 消 費 税 等）※2	34,000	（未　　払　　金）※3	74,000

※1　$374{,}000 \times \dfrac{1}{1.1} = 340{,}000$

※2　$374{,}000 \times \dfrac{0.1}{1.1} = 34{,}000$

※3　差額

(注) 支払日が翌期の4月1日であるため未払金として計上する。

⑤　現金過不足

（雑　　損　　失）※　　80,000　　（現　　　　　　金）　　80,000

　※(a)　実際有高：3,049,800＋192,000＝3,241,800

　　(b)　帳簿残高：4,065,800－444,000－300,000＝3,321,800

　　(c)　(a)－(b)＝△80,000

(2)　当座預金

①　未取付小切手　⇒　銀行側減算

②　誤記帳

　(a)　適正な仕訳　⇒　仕訳不要

　(b)　甲社の仕訳

（預　　　　　　金）　　4,920,000　　（受　取　手　形）　　4,920,000

　(c)　修正仕訳（(a)－(b)）

（受　取　手　形）　　4,920,000　　（預　　　　　　金）　　4,920,000

③　時間外預入　⇒　銀行側加算

④　振込未記帳

（預　　　　　　金）　　736,000　　（売　　掛　　金）　　736,000

⑤　引落未記帳

（退 職 給 付 引 当 金）　　400,000　　（預　　　　　　金）　　400,000

⑥　誤記帳

　(a)　適正な仕訳

（預　　　　　　金）※　　8,904,460　　（受　取　手　形）　　8,920,000
（手 形 売 却 損）　　15,540

　※　差額

　(b)　甲社の仕訳

（預　　　　　　金）　　8,920,000　　（受　取　手　形）　　8,920,000

　(c)　修正仕訳（(a)－(b)）

（手 形 売 却 損）　　15,540　　（預　　　　　　金）　　15,540

⑦　未渡小切手

（預　　　　　　金）　　940,000　　（買　　掛　　金）　　940,000

問題15　解答

2 売上取引

(1) D社（振込未記帳）⇒ 上記1(2)④参照

(2) F社（誤記帳）

（売 上 高）※2	534,000	（売 掛 金）※1	587,400
（仮 受 消 費 税 等）※3	53,400		

※1 甲社帳簿残高18,450,680－F社回答金額17,863,280＝587,400

※2 $587,400 \times \dfrac{1}{1.1} = 534,000$

※3 $587,400 \times \dfrac{0.1}{1.1} = 53,400$

(3) J社（誤記帳）

（売 上 高）※2	1,320,000	（売 掛 金）※1	1,452,000
（仮 受 消 費 税 等）※3	132,000		

※1 甲社帳簿残高11,346,400－J社回答金額9,894,400＝1,452,000

※2 $1,452,000 \times \dfrac{1}{1.1} = 1,320,000$

※3 $1,452,000 \times \dfrac{0.1}{1.1} = 132,000$

∴ 数量：1,452,000÷@66,000＝22個

3 商品

(1) 他勘定振替

（見 本 品 費）※	1,260,000	（仕 入）	1,260,000

※ @42,000×30個＝1,260,000

(2) 売上原価の算定

（仕 入）	105,260,000	（繰 越 商 品）	105,260,000
（繰 越 商 品）※	152,964,000	（仕 入）	152,964,000

※ @42,000×3,642個（＊）＝152,964,000

＊ 3,650個＋誤記帳22個－見本品30個＝3,642個

(3) 棚卸減耗

（棚 卸 減 耗 費）※	756,000	（繰 越 商 品）	756,000

※ @42,000×（3,642個－3,624個）＝756,000

(4) 商品評価損

① 陳腐化品

(収益性低下評価損)※　　　44,000　　　　（繰　越　商　品）　　　　44,000

　　※　（@42,000－@41,120)×50個＝44,000

② 良品

　　売価@60,000－見積販売直接経費@2,100＝@57,900　＞　原価@42,000

∴　評価損の計上なし

4　有価証券

(1) M社株式

（繰　延　税　金　資　産）※2　　150,000　　　（投　資　有　価　証　券）※1　　500,000
(その他有価証券評価差額金)※3　　350,000

　　※1①　期末時価：@5,800×2,500株＝14,500,000

　　　　②　帳簿価額：15,000,000

　　　　③　①－②＝△500,000

　　※2　500,000×30%＝150,000

　　※3　差額

(2) N社株式

（繰　延　税　金　資　産）※2　　96,000　　　（投　資　有　価　証　券）※1　　320,000
(その他有価証券評価差額金)※3　　224,000

　　※1①　期末時価：@17,000×800株＝13,600,000

　　　　②　帳簿価額：@17,400×800株＝13,920,000

　　　　③　①－②＝△320,000

　　※2　320,000×30%＝96,000

　　※3　差額

(3) O社株式

（投　資　有　価　証　券）※1　1,920,000　　　（繰　延　税　金　負　債）※2　　576,000
　　　　　　　　　　　　　　　　　　　　　(その他有価証券評価差額金)※3　1,344,000

　　※1①　期末時価：@1,720×12,000株＝20,640,000

　　　　②　帳簿価額：18,720,000

　　　　③　①－②＝1,920,000

　　※2　1,920,000×30%＝576,000

　　※3　差額

5　有形固定資産

(1)　建物

（減 価 償 却 費）※	9,180,000	（建　　　　　　物）	9,180,000

　　※　300,000,000×0.9×0.034＝9,180,000

(2)　車両

　①　買換の修正

　　(a)　適正な仕訳

（減 価 償 却 費）※2	2,100,000	（車　　　　　　両）※1	3,600,000
（車　　　　　　両）※5	19,600,000	（固 定 資 産 売 却 益）※3	300,000
（仮 払 消 費 税 等）※6	1,960,000	（仮 受 消 費 税 等）※4	180,000
		（預　　　　　　金）※7	19,580,000

　　※1　18,000,000－18,000,000×0.200×4年＝3,600,000

　　※2　$18,000,000×0.200×\dfrac{7月}{12月}＝2,100,000$

　　※3　$1,980,000×\dfrac{1}{1.1}－簿価(3,600,000－減費2,100,000)＝300,000$

　　※4　$1,980,000×\dfrac{0.1}{1.1}＝180,000$

　　※5　$21,560,000×\dfrac{1}{1.1}＝19,600,000$

　　※6　$21,560,000×\dfrac{0.1}{1.1}＝1,960,000$

　　※7　21,560,000－1,980,000＝19,580,000

　　(b)　甲社の仕訳

（車　　　　　　両）	19,580,000	（預　　　　　　金）	19,580,000

　　(c)　修正仕訳（(a)－(b)）

（減 価 償 却 費）	2,100,000	（車　　　　　　両）	3,580,000
（仮 払 消 費 税 等）	1,960,000	（固 定 資 産 売 却 益）	300,000
		（仮 受 消 費 税 等）	180,000

　②　減価償却

（減 価 償 却 費）※	1,960,000	（車　　　　　　両）	1,960,000

　　※　$19,600,000×0.200×\dfrac{6月}{12月}＝1,960,000$

6　貸倒引当金

（貸 倒 引 当 金 繰 入）※　　253,000　　　　（貸 倒 引 当 金）　　253,000

　※(1)　受取手形：前T/B 82,636,000＋444,000＋4,920,000＝88,000,000

　　(2)　売掛金：前T/B 132,575,400－736,000－587,400－1,452,000＝129,800,000

　　(3)　設定額：（88,000,000＋129,800,000）×1％＝2,178,000

　　(4)　繰入額：2,178,000－前T/B 1,925,000＝253,000

7　賞与引当金

(1)　当期賞与支給額の修正

（賞 与 引 当 金）　　11,000,000　　　　（営　　業　　費）　　11,000,000

(2)　賞与引当金の繰入

（賞 与 引 当 金 繰 入）※　　12,240,000　　　　（賞 与 引 当 金）　　12,240,000

　※　$18,360,000 \times \dfrac{4月}{6月} = 12,240,000$

(3)　税効果会計

（繰 延 税 金 資 産）※　　372,000　　　　（法 人 税 等 調 整 額）　　372,000

　※　12,240,000×30％－11,000,000×30％＝372,000

8　退職給付引当金

(1)　期首退職給付引当金

退職給付債務214,000,000－年金資産128,000,000－未認識数理計算上の差異4,000,000

＝82,000,000

(2)　会計処理

①　退職給付費用の計上

（退 職 給 付 費 用）※　　12,116,000　　　　（退 職 給 付 引 当 金）　　12,116,000

　※(a)　勤務費用：9,000,000

　　(b)　利息費用：214,000,000×1.8％＝3,852,000

　　(c)　期待運用収益：128,000,000×1.2％＝1,536,000

　　(d)　数理差異の費用処理額：4,000,000×0.2＝800,000

　　(e)　(a)＋(b)－(c)＋(d)＝12,116,000

②　年金掛金の拠出（x22年3月分）⇒上記1(2)⑤参照

③　退職一時金の支給

（退 職 給 付 引 当 金）　　5,520,000　　　　（仮　　払　　金）　　5,520,000

④　税効果会計

（繰 延 税 金 資 産）※　　538,800　　　　（法 人 税 等 調 整 額）　　538,800

　※　83,796,000×30％－82,000,000×30％＝538,800

9 税金

(1) 消費税等

(仮 受 消 費 税 等) ※1 139,794,600   (仮 払 消 費 税 等) ※2 120,589,600

                                     (仮   払   金)   9,570,000

                                     (未 払 消 費 税 等) ※3   9,635,000

　　※1　前T/B 139,800,000−53,400−132,000+180,000＝139,794,600

　　※2　前T/B 118,595,600+34,000+1,960,000＝120,589,600

　　※3　差額

(2) 法人税等

(法　人　税　等) ※1 33,000,000   (仮   払   金) ※2 20,000,000

                                     (未 払 法 人 税 等) ※3 13,000,000

　　※1　①　税引前当期純利益：収益1,397,846,000−費用1,290,882,000＝106,964,000

　　　　②　法人税等：106,964,000×30％＋法人税等調整額910,800＝33,000,000

　　※2　19,952,000+48,000＝20,000,000

　　※3　差額

10　決算整理後残高試算表

決算整理後残高試算表

借	方		貸	方	
科　　　　　目	金　　　　額		科　　　　　目	金　　　　額	
現　　　　　　金	3,241,800		支　払　手　形	34,200,000	
預　　　　　　金	1	63,377,060	買　　掛　　金	10	74,460,000
受　取　手　形	2	88,000,000	未　　払　　金	11	74,000
売　　掛　　金	129,800,000		未　払　消　費　税　等	9,635,000	
繰　越　商　品	152,164,000		未　払　法　人　税　等	12	13,000,000
建　　　　　　物	107,220,000		貸　倒　引　当　金	2,178,000	
車　　　　　　両	17,640,000		賞　与　引　当　金	12,240,000	
土　　　　　　地	90,000,000		退　職　給　付　引　当　金	13	83,796,000
投　資　有　価　証　券	48,740,000		繰　延　税　金　負　債	576,000	
繰　延　税　金　資　産	29,056,800		資　　本　　金	160,000,000	
仕　　　　　　入	3	949,716,000	利　益　準　備　金	40,000,000	
収　益　性　低　下　評　価　損	44,000		別　途　積　立　金	80,000,000	
営　　業　　費	4	300,986,660	繰　越　利　益　剰　余　金	143,435,860	
見　　本　　品　　費	1,260,000		その他有価証券評価差額金	14	770,000
賞　与　引　当　金　繰　入	5	12,240,000	売　　上　　高	15	1,396,146,000
退　職　給　付　費　用	12,116,000		受　取　利　息　配　当　金	1,400,000	
減　価　償　却　費	6	13,240,000	固　定　資　産　売　却　益	16	300,000
貸　倒　引　当　金　繰　入	7	253,000	法　人　税　等　調　整　額	17	910,800
棚　卸　減　耗　費	756,000				
手　形　売　却　損	8	190,340			
雑　　損　　失	9	80,000			
法　　人　　税　　等	33,000,000				
合　　　　　計	2,053,121,660		合　　　　　計	2,053,121,660	

乙社の処理

1　x 22年1月1日から x 22年3月31日までの取引

（1）退職給付引当金

① 退職給付費用の計上

| （退職給付費用） | 1,942,000 | （退職給付引当金） | 1,942,000 |

② 企業年金掛金拠出

| （退職給付引当金）※ | 450,000 | （預　金） | 450,000 |

　※　150,000×3月＝450,000

（2）売上取引

① 現金売上及び掛売上

| （現　金） | 3,025,000 | （売上高）※1 | 108,900,000 |
| （売掛金） | 116,765,000 | （仮受消費税等）※2 | 10,890,000 |

　※1　$119,790,000 \times \dfrac{1}{1.1} = 108,900,000$

　※2　$119,790,000 \times \dfrac{0.1}{1.1} = 10,890,000$

② 売掛金の回収

（現　金）	9,361,500	（売掛金）※	97,727,300
（預　金）	57,015,800		
（受取手形）	31,350,000		

　※　借方合計

③ 受取手形の決済

| （預　金） | 28,600,000 | （受取手形） | 28,600,000 |

④ 貸倒れ

| （貸倒引当金）※1 | 104,000 | （売掛金） | 114,400 |
| （仮受消費税等）※2 | 10,400 | | |

　※1　$114,400 \times \dfrac{1}{1.1} = 104,000$

　※2　$114,400 \times \dfrac{0.1}{1.1} = 10,400$

(3) 仕入取引

① 仕入

(仕 入) ※1	62,640,000	(買 掛 金)	68,904,000
(仮 払 消 費 税 等) ※2	6,264,000		

$$※1 \quad 68,904,000 \times \frac{1}{1.1} = 62,640,000$$

$$※2 \quad 68,904,000 \times \frac{0.1}{1.1} = 6,264,000$$

② 買掛金の決済

(買 掛 金) ※	51,306,000	(現 金)	5,496,000
		(預 金)	30,030,000
		(支 払 手 形)	15,780,000

※ 貸方合計

③ 支払手形の決済

(支 払 手 形)	9,600,000	(預 金)	9,600,000

(4) 営業費

① 現金による支払い

(営 業 費) ※1	4,798,000	(現 金)	5,277,800
(仮 払 消 費 税 等) ※2	479,800		

$$※1 \quad 5,277,800 \times \frac{1}{1.1} = 4,798,000$$

$$※2 \quad 5,277,800 \times \frac{0.1}{1.1} = 479,800$$

② 当座預金からの引き落し

(営 業 費)	24,993,520	(預 金)	24,993,520

③ 小口現金

(a) 小口現金の設定

(仮 払 金) ※	598,400	(現 金)	6,800
		(預 金)	591,600

※ 貸方合計

(b) 少額経費の支払い

(営　業　費)※2　　534,000　　　　　　(仮　　払　　金)※1　　587,400

(仮 払 消 費 税 等)※3　　53,400

　※1　前期末残高6,800＋小切手振出額591,600－当期末残高11,000＝587,400

　※2　$587,400 \times \dfrac{1}{1.1} = 534,000$

　※3　$587,400 \times \dfrac{0.1}{1.1} = 53,400$

(5) 税金

　① 消費税等の確定納付額の支払い

　(未 払 消 費 税 等)　　3,612,500　　　　　(預　　　　　　金)　　3,612,500

　② 法人税等の確定納付額の支払い

　(未 払 法 人 税 等)　　5,000,000　　　　　(預　　　　　　金)　　5,000,000

(6) 決算整理前残高試算表

決算整理前残高試算表

借	方	貸	方
科　　　　　目	金　　　　額	科　　　　　目	金　　　　額
現　　　　　金	4,271,260	支　払　手　形	18,990,000
預　　　　　金	30,145,480	買　　掛　　金	35,641,300
受　取　手　形	34,345,200	仮 受 消 費 税 等	10,879,600
売　　掛　　金	54,411,300	貸 倒 引 当 金	619,820
繰　越　商　品	9,370,000	賞 与 引 当 金	1,146,000
仮　　払　　金	11,000	退 職 給 付 引 当 金	12,800,000
仮 払 消 費 税 等	6,797,200	資　　本　　金	80,000,000
建　　　　　物	22,842,500	利 益 準 備 金	14,000,000
構　　築　　物	7,280,000	繰 越 利 益 剰 余 金	33,120,940
車　　　　　両	5,100,000	売　　上　　高	108,900,000
土　　　　　地	40,000,000		
ソ フ ト ウ ェ ア	2,880,000		
繰 延 税 金 資 産	3,736,200		
仕　　　　　入	62,640,000		
営　　業　　費	30,325,520		
退 職 給 付 費 用	1,942,000		
合　　　　　計	316,097,660	合　　　　　計	316,097,660

2 決算整理

(1) 現金

① 小口現金の振替

(現 金) 11,000 (仮 払 金) 11,000

② 未記帳

(営 業 費)※1 64,000 (現 金) 70,400

(仮 払 消 費 税 等)※2 6,400

※1 $70,400 \times \dfrac{1}{1.1} = 64,000$

※2 $70,400 \times \dfrac{0.1}{1.1} = 6,400$

③ 現金過不足

(雑 損 失) 12,160 (現 金)※ 12,160

※ (a) 実際有高:4,199,700

(b) 帳簿残高:前T/B 4,271,260+11,000−70,400=4,211,860

(c) (a)−(b)=△12,160

(2) 当座預金

① 振込未記帳

(預 金) 192,500 (売 掛 金) 192,500

② 誤記帳

(a) 適正な仕訳

(買 掛 金) 1,300,000 (預 金) 1,300,000

(b) 乙社の仕訳

(買 掛 金) 130,000 (預 金) 130,000

(c) 修正仕訳（(a)−(b)）

(買 掛 金) 1,170,000 (預 金) 1,170,000

③ 短期借入金への振替

(預 金)※ 68,000 (短 期 借 入 金) 68,000

※ 909,500+192,500−1,170,000=△68,000

(3) 商品

① 売上原価の算定

| （仕　　　　　　入） | 9,370,000 | （繰　越　商　品） | 9,370,000 |
| （繰　越　商　品）※ | 7,410,000 | （仕　　　　　　入） | 7,410,000 |

※　@26,000×285個＝7,410,000

② 棚卸減耗

| （棚　卸　減　耗　費）※ | 130,000 | （繰　越　商　品） | 130,000 |

※　@26,000×(285個－280個)＝130,000

③ 商品評価損

売価@37,000－見積販売直接経費@1,890＝@35,110　＞　原価@26,000

∴　評価損の計上なし

(4) 固定資産

① 建物

| （減　価　償　却　費）※ | 382,500 | （建　　　　　　物） | 382,500 |

※　$50,000,000×0.9×0.034×\dfrac{3月}{12月}＝382,500$

② 構築物

| （減　価　償　却　費）※ | 910,000 | （構　　築　　物） | 910,000 |

※　$36,400,000×0.100×\dfrac{3月}{12月}＝910,000$

③ 車両

| （減　価　償　却　費）※ | 300,000 | （車　　　　　　両） | 300,000 |

※　$6,000,000×0.200×\dfrac{3月}{12月}＝300,000$

④ ソフトウェア

| （減　価　償　却　費）※ | 160,000 | （ソ　フ　ト　ウ　ェ　ア） | 160,000 |

※　$3,200,000×0.200×\dfrac{3月}{12月}＝160,000$

(5) 貸倒引当金

| （貸　倒　引　当　金　繰　入）※ | 265,820 | （貸　倒　引　当　金） | 265,820 |

※① 受取手形：前T/B 34,345,200

② 売掛金：前T/B 54,411,300－192,500＝54,218,800

③ 設定額：(34,345,200＋54,218,800)×1％＝885,640

④ 繰入額：885,640－前T/B 619,820＝265,820

(6) 賞与引当金

① 賞与引当金の繰入

（賞 与 引 当 金 繰 入）※　3,438,000　　　　（賞　与　引　当　金）　3,438,000

※　$6,876,000 \times \dfrac{3月}{6月} = 3,438,000$

② 税効果会計

（繰 延 税 金 資 産）※　1,031,400　　　　（法 人 税 等 調 整 額）　1,031,400

※　（前T/B 1,146,000＋3,438,000）×30％－1,146,000×30％＝1,031,400

(7) 退職給付引当金（税効果会計）

（繰 延 税 金 資 産）※　447,600　　　　（法 人 税 等 調 整 額）　447,600

※　前T/B 12,800,000×30％－11,308,000×30％＝447,600

(8) 税金

① 消費税等

（仮 受 消 費 税 等）※1 10,879,600　　　　（仮 払 消 費 税 等）※2　6,803,600

　　　　　　　　　　　　　　　　　　　　　　（未 払 消 費 税 等）※3　4,076,000

※1　前T/Bより

※2　前T/B 6,797,200＋6,400＝6,803,600

※3　差額

② 法人税等

（法　人　税　等）※　3,390,000　　　　（未 払 法 人 税 等）　3,390,000

※(a)　税引前当期純利益：収益108,900,000－費用102,530,000＝6,370,000

　　(b)　法人税等：6,370,000×30％＋法人税等調整額1,479,000＝3,390,000

(9) 決算整理後残高試算表

決算整理後残高試算表

借		方	貸		方
科　　　　　目	金　　　額		科　　　　　目	金　　　額	
現　　　　　金		4,199,700	支　払　手　形		18,990,000
預　　　　　金		29,235,980	買　　掛　　金	9	34,471,300
受　取　手　形	1	34,345,200	短　期　借　入　金	10	68,000
売　　掛　　金	2	54,218,800	未　払　消　費　税　等	11	4,076,000
繰　越　商　品	3	7,280,000	未　払　法　人　税　等		3,390,000
建　　　　　物		22,460,000	貸　倒　引　当　金		885,640
構　　築　　物	4	6,370,000	賞　与　引　当　金	12	4,584,000
車　　　　　両		4,800,000	退　職　給　付　引　当　金		12,800,000
土　　　　　地		40,000,000	資　　本　　金		80,000,000
ソ フ ト ウ ェ ア		2,720,000	利　益　準　備　金		14,000,000
繰　延　税　金　資　産		5,215,200	繰　越　利　益　剰　余　金		33,120,940
仕　　　　　入	5	64,600,000	売　　上　　高		108,900,000
営　　業　　費	6	30,389,520	法　人　税　等　調　整　額		1,479,000
賞　与　引　当　金　繰　入		3,438,000			
退　職　給　付　費　用		1,942,000			
減　価　償　却　費	7	1,752,500			
貸　倒　引　当　金　繰　入		265,820			
棚　卸　減　耗　費		130,000			
雑　　損　　失	8	12,160			
法　人　税　等		3,390,000			
合　　　　　計		316,764,880	合　　　　　計		316,764,880

③ 吸収合併

1 企業評価額の算定・交換比率

(1) 企業評価額（甲社）

① 収益還元価値法による評価額

47,120,000÷資本還元率6.2％＝760,000,000

② 株価基準法による評価額

@9,000×80,000株＝720,000,000

③ 企業評価額

（①＋②）÷2＝ 740,000,000 （問3の1）

(2) 企業評価額（乙社）

① 収益還元価値法による評価額

8,246,000÷資本還元率6.2％＝133,000,000

② 株価基準法による評価額

@3,600×35,000株＝126,000,000

③ 企業評価額

（①＋②）÷2＝129,500,000

(3) 交換比率

$$\frac{乙社評価額\,129,500,000÷乙社発行済株式数\,35,000株}{甲社評価額\,740,000,000÷甲社発行済株式数\,80,000株}=\frac{@3,700}{@9,250}=0.4$$

2 交付株式数

35,000株×0.4＝ 14,000株 （問3の2）

3 取得原価

@10,000×14,000株＝140,000,000

4 合併仕訳

（諸　資　産）※1 211,018,000	（諸　負　債）※1 76,218,000
（の　れ　ん）※2 5,200,000	（資　本　金） 40,000,000
	（資　本　準　備　金） 40,000,000
	（その他資本剰余金）※3 60,000,000

※1 企業結合日時点の時価

※2 取得原価 140,000,000 －（資産 211,018,000 － 負債 76,218,000）

＝ 5,200,000 （問4の1）

※3 取得原価 140,000,000 －（資本金 40,000,000 ＋ 資本準備金 40,000,000）

＝ 60,000,000 （問4の2）

税理士受験シリーズ

2025年度版　3　簿記論　総合計算問題集　応用編
（平成20年度版　2007年12月25日　初版　第1刷発行）

2024年11月20日　初　版　第1刷発行

編　著　者　　Ｔ　Ａ　Ｃ　株　式　会　社
　　　　　　　　　　　　　（税理士講座）
発　行　者　　多　　田　　敏　　男
発　行　所　　ＴＡＣ株式会社　出版事業部
　　　　　　　　　　　　　（ＴＡＣ出版）

〒101-8383
東京都千代田区神田三崎町3-2-18
電話 03 (5276) 9492（営業）
ＦＡＸ 03 (5276) 9674
https://shuppan.tac-school.co.jp

印　　刷　　株式会社　ワ　コ　ー
製　　本　　株式会社　常　川　製　本

© TAC 2024　　Printed in Japan　　ISBN 978-4-300-11303-5
N.D.C. 336

税理士講座のご案内

「税理士」の扉を開くカギ

それは、合格できる教育機関を決めること!

あなたが教育機関を決める最大の決め手は何ですか?

通いやすさ、受講料、評判、規模、いろいろと検討事項はありますが、一番の決め手となること、それは「合格できるか」です。

TACは、税理士講座開講以来今日までの40年以上、「受講生を合格に導く」ことを常に考え続けてきました。そして、「最小の努力で最大の効果を発揮する、良質なコンテンツの提供」をもって多数の合格者を輩出し、今も厚い信頼と支持をいただいております。

令和5年度 税理士試験
TAC 合格祝賀パーティー

東京会場　ホテルニューオータニ

合格者から「喜びの声」を多数お寄せいただいています。

https://www.tac-school.co.jp/kouza_zeiri/zeiri_jisseki.html

2025年合格目標コース

反復学習でインプット強化! & 豊富な演習量で実践力強化!

対象者：初学者／次の科目の学習に進む方

2024年				2025年							
9月	10月	11月	12月	1月	2月	3月	4月	5月	6月	7月	8月

9月入学 基礎マスター＋上級コース（簿記・財表・相続・消費・酒税・固定・事業・国徴）
3回転学習！年内はインプットを強化、年明けは演習機会を増やして実践力を鍛える！
※簿記・財表は5月・7月・8月・10月入学コースもご用意しています。

9月入学 ベーシックコース（法人・所得）
2回転学習！週2ペース、8ヵ月かけてインプットを鍛える！

9月入学 年内完結＋上級コース（法人・所得）
3回転学習！年内はインプットを強化、年明けは演習機会を増やして実践力を鍛える！

12月・1月入学　速修コース（全11科目）
7ヵ月〜8ヵ月間で合格レベルまで仕上げる！

3月入学　速修コース（消費・酒税・固定・国徴）
短期集中で税法合格を目指す！

税理士試験

対象者：受験経験者（受験した科目を再度学習する場合）

2024年				2025年							
9月	10月	11月	12月	1月	2月	3月	4月	5月	6月	7月	8月

9月入学　年内上級講義＋上級コース（簿記・財表）
年内に基礎・応用項目の再確認を行い、実力を引き上げる！

9月入学　年内上級演習＋上級コース（法人・所得・相続・消費）
年内から問題演習に取り組み、本試験時の実力維持・向上を図る！

12月入学　上級コース（全10科目）
※住民税の開講はございません
講義と演習を交互に実施し、答案作成力を養成！

税理士試験

※2024年7月12日時点の情報です。最新の情報は、TAC税理士講座ホームページをご確認ください。

"入学前サポート"を活用しよう!

無料セミナー&個別受講相談

無料セミナーでは、税理士の魅力、試験制度、科目選択の方法や合格のポイントをお伝えしていきます。セミナー終了後は、個別受講相談でみなさんの疑問や不安を解消します。

TAC 税理士 セミナー 検索

https://www.tac-school.co.jp/kouza_zeiri/zeiri_gd_gd.htm

無料Webセミナー

TAC動画チャンネルでは、校舎で開催しているセミナーのほか、Web限定のセミナーも多数配信しています。受講前にご活用ください。

TAC 税理士 動画 検索

https://www.tac-school.co.jp/kouza_zeiri/tacchannel.html

体験入学

教室講座開講日(初回講義)は、お申込み前でも無料で講義を体験できます。講師の熱意や校舎の雰囲気を是非体感してください。

TAC 税理士 体験 検索

https://www.tac-school.co.jp/kouza_zeiri/zeiri_gd_gd.htm

税理士11科目Web体験

「税理士11科目Web体験」では、TAC税理士講座で開講する各科目・コースの初回講義をWeb視聴いただけるサービスです。講義の分かりやすさを確認いただき、学習のイメージを膨らませてください。

TAC 税理士 検索

https://www.tac-school.co.jp/kouza_zeiri/taiken_form.html

税理士講座のご案内

チャレンジコース

受験経験者・独学生待望のコース！

4月上旬開講！

開講科目	簿記・財表・法人 所得・相続・消費

基礎知識の底上げ 徹底した本試験対策

チャレンジ講義 ＋ チャレンジ演習 ＋ 直前対策講座 ＋ 全国公開模試

受験経験者・独学生向けカリキュラムが 一つのコースに！

※チャレンジコースには直前対策講座（全国公開模試含む）が含まれています。

直前対策講座

5月上旬開講！

本試験突破の最終仕上げ！

直前期に必要な対策が すべて揃っています！

学習 メディア	教室講座・ビデオブース講座 Web通信講座・DVD通信講座・資料通信講座

＼ 全11科目対応 ／

開講科目	簿記・財表・法人・所得・相続・消費 酒税・固定・事業・住民・国徴

- 徹底分析！「試験委員対策」
- 即時対応！「税制改正」
- 毎年的中！「予想答練」

※直前対策講座には全国公開模試が含まれています。

チャレンジコース・直前対策講座ともに詳しくは2月下旬発刊予定の
「チャレンジコース・直前対策講座パンフレット」をご覧ください。

全国公開模試

6月中旬実施！

全11科目実施

TACの模試はここがスゴイ！

1 信頼の母集団

2023年の受験者数は、会場受験・自宅受験合わせて10,316名！この大きな母集団を分母とした正確な成績（順位）を把握できます。

信頼できる実力判定

10,316名が受験！
※11科目延べ人数

2 本試験を擬似体験

全国の会場で緊迫した雰囲気の中「真の実力」が発揮できるかチャレンジ！

3 個人成績表

現時点での全国順位を確認するとともに「講評」等を通じて本試験までの学習の方向性が定まります。

4 充実のアフターフォロー

解説Web講義を無料配信。また、質問電話による疑問点の解消も可能です。

※TACの受講生はカリキュラム内に全国公開模試の受験料が含まれています（一部期別申込を除く）。

直前オプション講座

最後まで油断しない！ここからのプラス5点！

6月中旬〜8月上旬実施！

【重要理論確認ゼミ】
〜理論問題の解答作成力UP！〜

【ファイナルチェック】
〜確実な5点UPを目指す！〜

【最終アシストゼミ】
〜本試験直前の総仕上げ！〜

全国公開模試および直前オプション講座の詳細は4月中旬発刊予定の
「全国公開模試パンフレット」「直前オプション講座パンフレット」をご覧ください。

会計業界への就職・転職支援サービス

TPB

TACの100%出資子会社であるTACプロフェッションバンク（TPB）は、会計・税務分野に特化した転職エージェントです。勉強された知識とご希望に合ったお仕事を一緒に探しませんか? 相談だけでも大歓迎です! どうぞお気軽にご利用ください。

人材コンサルタントが無料でサポート

Step1 相談受付
完全予約制です。HPからご登録いただくか、各オフィスまでお電話ください。

Step2 面談
ご経験やご希望をお聞かせください。あなたの将来について一緒に考えましょう。

Step3 情報提供
ご希望に適うお仕事があれば、その場でご紹介します。強制はいたしませんのでご安心ください。

正社員で働く

- 安定した収入を得たい
- キャリアプランについて相談したい
- 面接日程や入社時期などの調整をしてほしい
- 今就職すべきか、勉強を優先すべきか迷っている
- 職場の雰囲気など、求人票でわからない情報がほしい

TACキャリアエージェント

https://tacnavi.com/

派遣で働く（関東のみ）

- 勉強を優先して働きたい
- 将来のために実務経験を積んでおきたい
- まずは色々な職場や職種を経験したい
- 家庭との両立を第一に考えたい
- 就業環境を確認してから正社員で働きたい

TACの経理・会計派遣

https://tacnavi.com/haken/

※ご経験やご希望内容によってはご支援が難しい場合がございます。予めご了承ください。　※面談時間は原則お一人様30分とさせていただきます。

自分のペースでじっくりチョイス

正社員・アルバイトで働く

- 自分の好きなタイミングで就職活動をしたい
- どんな求人案件があるのか見たい
- 企業からのスカウトを待ちたい
- WEB上で応募管理をしたい

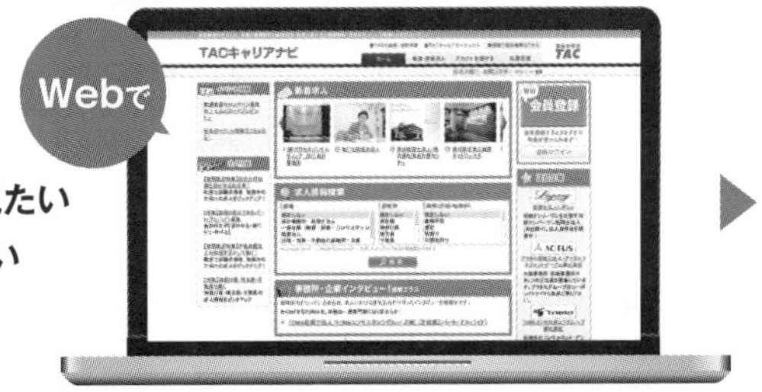

Webで

TACキャリアナビ

https://tacnavi.com/kyujin/

就職・転職・派遣就労の強制は一切いたしません。会計業界への就職・転職を希望される方への無料支援サービスです。どうぞお気軽にお問い合わせください。

 TACプロフェッションバンク

東京オフィス
〒101-0051
東京都千代田区神田神保町 1-103
東京パークタワー 2F
TEL.03-3518-6775

大阪オフィス
〒530-0013
大阪府大阪市北区茶屋町 6-20
吉田茶屋町ビル 5F
TEL.06-6371-5851

名古屋 登録会場
〒453-0014
愛知県名古屋市中村区則武 1-1-7
NEWNO 名古屋駅西 8F
TEL.0120-757-655

■ 有料職業紹介事業 許可番号13-ユ-010678　■ 一般労働者派遣事業 許可番号（派）13-010932
■ 特定募集情報等提供事業 届出受理番号51-募-000541

10860572

TAC出版 書籍のご案内

TAC出版では、資格の学校TAC各講座の定評ある執筆陣による資格試験の参考書をはじめ、資格取得者の開業法や仕事術、実務書、ビジネス書、一般書などを発行しています！

TAC出版の書籍

*一部書籍は、早稲田経営出版のブランドにて刊行しております。

資格・検定試験の受験対策書籍

- ❂日商簿記検定
- ❂建設業経理士
- ❂全経簿記上級
- ❂税 理 士
- ❂公認会計士
- ❂社会保険労務士
- ❂中小企業診断士
- ❂証券アナリスト

- ❂ファイナンシャルプランナー(FP)
- ❂証券外務員
- ❂貸金業務取扱主任者
- ❂不動産鑑定士
- ❂宅地建物取引士
- ❂賃貸不動産経営管理士
- ❂マンション管理士
- ❂管理業務主任者

- ❂司法書士
- ❂行政書士
- ❂司法試験
- ❂弁理士
- ❂公務員試験(大卒程度・高卒者)
- ❂情報処理試験
- ❂介護福祉士
- ❂ケアマネジャー
- ❂電験三種　ほか

実務書・ビジネス書

- ❂会計実務、税法、税務、経理
- ❂総務、労務、人事
- ❂ビジネススキル、マナー、就職、自己啓発
- ❂資格取得者の開業法、仕事術、営業術

一般書・エンタメ書

- ❂ファッション
- ❂エッセイ、レシピ
- ❂スポーツ
- ❂旅行ガイド (おとな旅プレミアム/旅コン)

2025年度版 税理士試験対策書籍のご案内

TAC出版では、独学用、およびスクール学習の副教材として、各種対策書籍を取り揃えています。学習の各段階に対応していますので、あなたのステップに応じて、合格に向けてご活用ください!

（刊行内容、発行月、装丁等は変更することがあります）

●2025年度版 税理士受験シリーズ

税理士試験において長い実績を誇るTAC。このTACが長年培ってきた合格ノウハウを"TAC方式"としてまとめたのがこの「税理士受験シリーズ」です。近年の豊富なデータをもとに傾向を分析、科目ごとに最適な内容としているので、トレーニング演習に欠かせないアイテムです。

簿記論

01	簿 記 論	個別計算問題集	（8月）
02	簿 記 論	総合計算問題集 基礎編	（9月）
03	簿 記 論	総合計算問題集 応用編	（11月）
04	簿 記 論	過去問題集	（12月）
	簿 記 論	完全無欠の総まとめ	（11月）

財務諸表論

05	財務諸表論	個別計算問題集	（8月）
06	財務諸表論	総合計算問題集 基礎編	（9月）
07	財務諸表論	総合計算問題集 応用編	（12月）
08	財務諸表論	理論問題集 基礎編	（9月）
09	財務諸表論	理論問題集 応用編	（12月）
10	財務諸表論	過去問題集	（12月）
33	財務諸表論	重要会計基準	（8月）
※	財務諸表論	重要会計基準 暗記音声	（8月）
	財務諸表論	完全無欠の総まとめ	（11月）

法人税法

11	法 人 税 法	個別計算問題集	（11月）
12	法 人 税 法	総合計算問題集 基礎編	（10月）
13	法 人 税 法	総合計算問題集 応用編	（12月）
14	法 人 税 法	過去問題集	（12月）
34	法 人 税 法	理論マスター	（8月）
※	法 人 税 法	理論マスター 暗記音声	（9月）
35	法 人 税 法	理論ドクター	（12月）
	法 人 税 法	完全無欠の総まとめ	（12月）

所得税法

15	所 得 税 法	個別計算問題集	（9月）
16	所 得 税 法	総合計算問題集 基礎編	（10月）
17	所 得 税 法	総合計算問題集 応用編	（12月）
18	所 得 税 法	過去問題集	（12月）
36	所 得 税 法	理論マスター	（8月）
※	所 得 税 法	理論マスター 暗記音声	（9月）
37	所 得 税 法	理論ドクター	（12月）

相続税法

19	相 続 税 法	個別計算問題集	（9月）
20	相 続 税 法	財産評価問題集	（9月）
21	相 続 税 法	総合計算問題集 基礎編	（9月）
22	相 続 税 法	総合計算問題集 応用編	（12月）
23	相 続 税 法	過去問題集	（12月）
38	相 続 税 法	理論マスター	（8月）
※	相 続 税 法	理論マスター 暗記音声	（9月）
39	相 続 税 法	理論ドクター	（12月）

酒税法

| 24 | 酒 税 法 | 計算問題+過去問題集 | （2月） |
| 40 | 酒 税 法 | 理論マスター | （8月） |

消費税法

25	消費税法	個別計算問題集	（10月）
26	消費税法	総合計算問題集 基礎編	（10月）
27	消費税法	総合計算問題集 応用編	（12月）
28	消費税法	過去問題集	（12月）
41	消費税法	理論マスター	（8月）
※	消費税法	理論マスター 暗記音声	（9月）
42	消費税法	理論ドクター	（12月）
	消費税法	完全無欠の総まとめ	（12月）

固定資産税

29	固定資産税	計算問題＋過去問題集	（12月）
43	固定資産税	理論マスター	（8月）

事業税

30	事 業 税	計算問題＋過去問題集	（12月）
44	事 業 税	理論マスター	（8月）

住民税

31	住 民 税	計算問題＋過去問題集	（12月）
45	住 民 税	理論マスター	（12月）

国税徴収法

32	国税徴収法	総合問題＋過去問題集	（12月）
46	国税徴収法	理論マスター	（8月）

※暗記音声はダウンロード商品です。TAC出版書籍販売サイト「サイバーブックストア」にてご購入いただけます。

●2025年度版 みんなが欲しかった！税理士 教科書＆問題集シリーズ

「効率的に税理士試験対策の学習ができないか？ これを突き詰めてできあがったのが、「みんなが欲しかった！税理士 教科書＆問題集シリーズ」です。必要十分な内容をわかりやすくまとめたテキスト（教科書）と内容確認のためのトレーニング（問題集）が1冊になっているので、効率的な学習に最適です。」

みんなが欲しかった！税理士簿記論の教科書＆問題集 1 損益会計編 （8月）
みんなが欲しかった！税理士簿記論の教科書＆問題集 2 資産会計編 （8月）
みんなが欲しかった！税理士簿記論の教科書＆問題集 3 資産・負債・純資産会計編 （9月）
みんなが欲しかった！税理士簿記論の教科書＆問題集 4 構造論点・その他編 （9月）

みんなが欲しかった！税理士財務諸表論の教科書＆問題集 1 損益会計編 （8月）
みんなが欲しかった！税理士財務諸表論の教科書＆問題集 2 資産会計編 （8月）
みんなが欲しかった！税理士財務諸表論の教科書＆問題集 3 資産・負債・純資産会計編 （9月）
みんなが欲しかった！税理士財務諸表論の教科書＆問題集 4 構造論点・その他編 （9月）
みんなが欲しかった！税理士財務諸表論の教科書＆問題集 5 理論編 （9月）

みんなが欲しかった！税理士消費税法の教科書＆問題集 1 取引分類・課税標準編 （8月）
みんなが欲しかった！税理士消費税法の教科書＆問題集 2 仕入税額控除編 （9月）
みんなが欲しかった！税理士消費税法の教科書＆問題集 3 納税義務編 （10月）
みんなが欲しかった！税理士消費税法の教科書＆問題集 4 申告制度・論点その他編 （11月）

●解き方学習用問題集

現役講師の解答手順、思考過程、実際の書込みなど、㊙テクニックを完全公開した書籍です。

簿 記 論 個別問題の解き方 〔第7版〕
簿 記 論 総合問題の解き方 〔第7版〕
財務諸表論 理論答案の書き方 〔第7版〕
財務諸表論 計算問題の解き方 〔第7版〕

●その他関連書籍

好評発売中！

消費税課否判定要覧 〔第5版〕
法人税別表4、5（一）（二）書き方完全マスター 〔第6版〕
女性のための資格シリーズ 自力本願で税理士
年商倍々の成功する税理士開業法
Q&Aでわかる 税理士事務所・税理士法人勤務 完全マニュアル

TACの書籍はこちらの方法でご購入いただけます

1 全国の書店・大学生協　　**2** TAC各校 書籍コーナー

3 CYBER TAC出版書籍販売サイト **BOOK STORE** アドレス https://bookstore.tac-school.co.jp/

・2024年7月現在　・年度版各巻の価格は、決定しだい上記 **3** のサイバーブックストアに掲載されますのでご参照ください

書籍の正誤に関するご確認とお問合せについて

書籍の記載内容に誤りではないかと思われる箇所がございましたら、以下の手順にてご確認とお問合せをしてくださいますよう、お願い申し上げます。

なお、正誤のお問合せ以外の書籍内容に関する解説および受験指導などは、一切行っておりません。
そのようなお問合せにつきましては、お答えいたしかねますので、あらかじめご了承ください。

1 「Cyber Book Store」にて正誤表を確認する

TAC出版書籍販売サイト「Cyber Book Store」の
トップページ内「正誤表」コーナーにて、正誤表をご確認ください。

CYBER TAC出版書籍販売サイト
BOOK STORE

URL：https://bookstore.tac-school.co.jp/

2 1の正誤表がない、あるいは正誤表に該当箇所の記載がない
⇒ 下記①、②のどちらかの方法で文書にて問合せをする

★ご注意ください★

お電話でのお問合せは、お受けいたしません。
①、②のどちらの方法でも、お問合せの際には、「お名前」とともに、
「対象の書籍名（○級・第○回対策も含む）およびその版数（第○版・○○年度版など）」
「お問合せ該当箇所の頁数と行数」
「誤りと思われる記載」
「正しいとお考えになる記載とその根拠」
を明記してください。
なお、回答までに１週間前後を要する場合もございます。あらかじめご了承ください。

① ウェブページ「Cyber Book Store」内の「お問合せフォーム」より問合せをする

【お問合せフォームアドレス】

https://bookstore.tac-school.co.jp/inquiry/

② メールにより問合せをする

【メール宛先　TAC出版】

syuppan-h@tac-school.co.jp

※土日祝日はお問合せ対応をおこなっておりません。
※正誤のお問合せ対応は、該当書籍の改訂版刊行月末日までといたします。

乱丁・落丁による交換は、該当書籍の改訂版刊行月末日までといたします。なお、書籍の在庫状況等により、お受けできない場合もございます。
また、各種本試験の実施の延期、中止を理由とした本書の返品はお受けいたしません。返金もいたしかねますので、あらかじめご了承くださいますようお願い申し上げます。

（2022年7月現在）

答案用紙の使い方

　この冊子には、答案用紙がとじ込まれています。下記を参照してご利用
ください。

　一番外側の色紙（本紙）を残して、答案用紙の冊子を取り外して
ください。

冊子を取り外す

STEP2

　取り外した冊子の真ん中にあるホチキスの針は取り外さず、冊子
のままご利用ください。

● 作業中のケガには十分お気をつけください。
● 取り外しの際の損傷についてのお取り替えはご遠慮願います。

税理士受験シリーズ❸
簿記論　総合計算問題集　応用編

別冊答案用紙

目　次

TAC出版
TAC PUBLISHING Group

| 問題1 | 一般総合(1) | 解答時間 | ／60分 | 自己採点 | ／50点 |

決算整理後残高試算表 （単位：千円）

借 方 科 目	金 額	貸 方 科 目	金 額
現 金 預 金		支 払 手 形	46,800
受 取 手 形		買 掛 金	
売 掛 金		短 期 借 入 金	
有 価 証 券		未 払 法 人 税 等	
繰 越 商 品		未 払 消 費 税 等	
貯 蔵 品		未 払 費 用	
建 物		賞 与 引 当 金	
器 具 備 品		貸 倒 引 当 金	
リ ー ス 資 産		長 期 借 入 金	30,000
土 地	120,000	社 債	
投 資 有 価 証 券		リ ー ス 債 務	
破 産 更 生 債 権 等		退 職 給 付 引 当 金	
繰 延 税 金 資 産		繰 延 税 金 負 債	
仕 入		資 本 金	90,000
営 業 費		資 本 準 備 金	15,000
見 本 品 費		利 益 準 備 金	5,000
減 価 償 却 費		別 途 積 立 金	5,280
退 職 給 付 費 用		繰 越 利 益 剰 余 金	22,363
賞 与 引 当 金 繰 入 額		その他有価証券評価差額金	
貸 倒 引 当 金 繰 入 額		売 上	
貸 倒 損 失		受 取 利 息 配 当 金	
棚 卸 減 耗 費		為 替 差 損 益	
支 払 利 息		法 人 税 等 調 整 額	
社 債 利 息			
有 価 証 券 運 用 損 益			
雑 損 失			
社 債 償 還 損			
法 人 税 等			
合 計		合 計	

| 問題2 | 一般総合 (2) | 解答時間 | ／60分 | 自己採点 | ／50点 |

（単位：千円）

①		②		③	
④		⑤		⑥	
⑦		⑧		⑨	
⑩		⑪		⑫	
⑬		⑭		⑮	
⑯		⑰		⑱	
⑲		⑳		㉑	
㉒		㉓		㉔	
㉕		㉖		㉗	
㉘		㉙		㉚	
㉛		㉜		㉝	
㉞		㉟		㊱	
㊲					

| 問題３ | 一般総合(3) | 解答時間 | ／60分 | 自己採点 | ／50点 |

決算整理後残高試算表　　　　　　　　　（単位：円）

借　方　科　目	金　額	貸　方　科　目	金　額
現　　　　　金		支　払　手　形	
当　座　預　金		買　　掛　　金	
受　取　手　形		契　約　負　債	
売　　掛　　金		短　期　借　入　金	
繰　越　商　品		未　払　法　人　税　等	
貯　蔵　品		未　払　消　費　税　等	
未　収　収　益		未　払　費　用	
建　　　　　物		前　受　収　益	
車　　　　　両		賞　与　引　当　金	
リ　ー　ス　資　産		貸　倒　引　当　金	
土　　　　　地		長　期　借　入　金	
投　資　有　価　証　券		リ　ー　ス　債　務	
破　産　更　生　債　権　等		退　職　給　付　引　当　金	
長　期　定　期　預　金		繰　延　税　金　負　債	
繰　延　税　金　資　産		資　　本　　金	
仕　　　　　入		資　本　準　備　金	
見　本　品　費		利　益　準　備　金	
人　　件　　費		別　途　積　立　金	
賞　与　引　当　金　繰　入　額		繰　越　利　益　剰　余　金	
退　職　給　付　費　用		その他有価証券評価差額金	
減　価　償　却　費		売　　上　　高	
修　　繕　　費		受　取　利　息　配　当　金	
貸　倒　引　当　金　繰　入　額		有　価　証　券　利　息	
租　税　公　課		雑　　収　　入	
その他営業費			
棚　卸　減　耗　損			
支　払　利　息			
為　替　差　損　益			
雑　　損　　失			
商　品　廃　棄　損			
車　両　売　却　損			
投　資　有　価　証　券　評　価　損			
法　人　税　等			
法　人　税　等　調　整　額			
合　　　計		合　　　計	

問題4	一般総合(4)	解答時間	／60分	自己採点	／50点

決算整理後残高試算表　　　　　　　　（単位：千円）

借　方　科　目	金　　額	貸　方　科　目	金　　額
現　金　預　金		支　払　手　形	
受　取　手　形		買　　掛　　金	149,924
売　　掛　　金		短　期　借　入　金	
有　価　証　券		未　払　法　人　税　等	
繰　越　商　品		未　払　費　用	
未　収　収　益		賞　与　引　当　金	
建　　　　　物	120,000	貸　倒　引　当　金	
器　具　備　品	32,000	長　期　借　入　金	35,000
リ　ー　ス　資　産		社　　　　　債	
土　　　　　地	200,000	リ　ー　ス　債　務	
投　資　有　価　証　券		減　価　償　却　累　計　額	
破　産　更　生　債　権　等		退　職　給　付　引　当　金	
繰　延　税　金　資　産		繰　延　税　金　負　債	
自　己　株　式		資　　本　　金	
仕　　　　　入		資　本　準　備　金	
商　品　評　価　損		その他資本剰余金	
営　　業　　費		利　益　準　備　金	
賞　与　引　当　金　繰　入　額		別　途　積　立　金	
退　職　給　付　費　用		繰　越　利　益　剰　余　金	
減　価　償　却　費		その他有価証券評価差額金	
貸　倒　引　当　金　繰　入　額		売　　　　　上	
貸　倒　損　失		受　取　利　息・配　当　金	
支　払　利　息		有　価　証　券　運　用　損　益	
社　債　利　息		為　替　差　損　益	
棚　卸　減　耗　費		社　債　償　還　損　益	
雑　　損　　失		投　資　有　価　証　券　売　却　損　益	
法　人　税　等		法　人　税　等　調　整　額	
合　　　　　計		合　　　　　計	

| 問題5 | 一般総合(5) | 解答時間 | ／60分 | 自己採点 | ／50点 |

修正後の決算整理後残高試算表　　　　　（単位：千円）

借　　　　方		貸　　　　方	
勘　定　科　目	金　　額	勘　定　科　目	金　　額
現　金　預　金		支　払　手　形	
受　取　手　形		買　　掛　　金	
売　　掛　　金		未　　払　　金	
商　　　　　品		未　払　費　用	
貯　　蔵　　品		未　払　法　人　税　等	
有　価　証　券		貸　倒　引　当　金	
未　収　収　益		賞　与　引　当　金	
建　　　　　物		リ　ー　ス　債　務	
車　　　　両		社　　　　債	
備　　　　品		退　職　給　付　引　当　金	
リ　ー　ス　資　産		繰　延　税　金　負　債	
土　　　　地		資　　本　　金	
ソ　フ　ト　ウ　ェ　ア		資　本　準　備　金	
投　資　有　価　証　券		繰　越　利　益　剰　余　金	
破　産　更　生　債　権　等		その他有価証券評価差額金	
繰　延　税　金　資　産		売　　上　　高	
売　上　原　価		受　取　利　息　配　当　金	
棚　卸　減　耗　損		有　価　証　券　利　息	
営　　業　　費			
減　価　償　却　費			
ソ　フ　ト　ウ　ェ　ア　償　却			
貸　倒　引　当　金　繰　入			
人　　件　　費			
手　形　売　却　損			
支　払　利　息			
社　債　利　息			
為　替　差　損　益			
法　人　税　等			
法　人　税　等　調　整　額			
合　　　　計		合　　　　計	

| 問題6 | 一般総合(6) | 解答時間 | ／60分 | 自己採点 | ／50点 |

決算整理後残高試算表 （単位：円）

借　方　科　目	金　　額	貸　方　科　目	金　　額
現　金　預　金		支　払　手　形	
受　取　手　形		買　　掛　　金	
売　　掛　　金		預　　り　　金	
繰　越　商　品		未　払　消　費　税　等	
未　収　収　益		未　払　法　人　税　等	
建　　　　物		未　払　費　用	
建　物　附　属　設　備		賞　与　引　当　金	
車　　　　両		貸　倒　引　当　金	
リ　ー　ス　資　産		借　　入　　金	
土　　　　地	80,000,000	リ　ー　ス　債　務	
の　　れ　　ん		社　　　　債	
投　資　有　価　証　券		資　産　除　去　債　務	
破　産　更　生　債　権　等		退　職　給　付　引　当　金	
繰　延　税　金　資　産		繰　延　税　金　負　債	
仕　　　　入		資　　本　　金	90,000,000
見　　本　　品　　費		資　本　準　備　金	5,000,000
商　品　評　価　損		利　益　準　備　金	1,280,000
営　　業　　費		別　途　積　立　金	6,000,000
給　　料　　手　　当		繰　越　利　益　剰　余　金	62,501,621
賞　　与　　手　　当		その他有価証券評価差額金	
法　定　福　利　費		売　　　　上	
賞　与　引　当　金　繰　入　額		受　取　利　息・配　当　金	83,000
退　職　給　付　費　用		有　価　証　券　利　息	
減　価　償　却　費			
利　　息　　費　　用			
の　れ　ん　償　却　額			
貸　倒　引　当　金　繰　入　額			
棚　卸　減　耗　費			
支　　払　　利　　息			
社　　債　　利　　息			
手　　形　　売　　却　　損			
社　債　買　入　消　却　損			
投　資　有　価　証　券　評　価　損			
法　　人　　税　　等			
法　人　税　等　調　整　額			
合　　　　　計		合　　　　　計	

| 問題7 | 一般総合(7) | 解答時間 | ／60分 | 自己採点 | ／50点 |

（単位：円）

1		2		3		4	
5		6		7		8	
9		10		11		12	
13		14		15		16	
17		18		19		20	
21		22		23		24	
25		26		27		28	
29		30		31		32	
33		34		35		36	
37		38		39		40	

| 問題8 | 一般総合(8) | 解答時間 | ／60分 | 自己採点 | ／50点 |

（単位：円）

1		26	
2		27	
3		28	
4		29	
5		30	
6		31	
7		32	
8		33	
9		34	
10		35	
11		36	
12		37	
13		38	
14		39	
15		40	
16		41	
17		42	
18		43	
19			
20			
21			
22			
23			
24			
25			

問題9	一般総合 (9)	解答時間	／60分	自己採点	／50点

決算整理後残高試算表　　　　　　　　　　　　（単位：円）

借	方		貸	方	
科　　　　目	金　　額		科　　　　目	金　　額	
現　金　預　金			支　払　手　形		
受　取　手　形			買　　掛　　金		
売　　掛　　金			未　払　費　用		
繰　越　商　品			未　払　法　人　税　等		
貯　　蔵　　品			賞　与　引　当　金		
建　　　　　物			貸　倒　引　当　金		
車　両　運　搬　具			社　　　　　債		
器　具　備　品			退　職　給　付　引　当　金		
土　　　　　地	60,000,000		繰　延　税　金　負　債		
投　資　有　価　証　券			資　　本　　金	95,000,000	
破　産　更　生　債　権　等			利　益　準　備　金	1,500,000	
繰　延　税　金　資　産			繰　越　利　益　剰　余　金	42,844,984	
仕　　　　　入			その他有価証券評価差額金		
棚　卸　減　耗　損			売　　　　　上		
見　本　品　費			受　取　利　息　配　当　金		
人　　件　　費			雑　　収　　入		
賞　与　引　当　金　繰　入　額			社　債　買　入　消　却　益		
退　職　給　付　費　用					
減　価　償　却　費					
貸　倒　引　当　金　繰　入　額					
そ　の　他　の　費　用					
手　形　売　却　損					
社　債　利　息					
雑　　損　　失					
投　資　有　価　証　券　評　価　損					
器　具　備　品　除　却　損					
車　両　運　搬　具　売　却　損					
法　人　税　等					
法　人　税　等　調　整　額					
合　　　　　計			合　　　　　計		

| 問題10 | 一般総合（10） | 解答時間 | ／60分 | 自己採点 | ／50点 |

問1

(単位：円)

商品名	棚卸資産金額	収益性の低下による評価損
A商品		
B商品		

問2

＜貸借対照表＞

(単位：円)

1	現　　　　　　　　　　金	
2	当　座　預　金	
3	受　取　手　形	
4	売　　　掛　　　金	
5	未　収　収　益	
6	建　　　　　　　　物	
7	車　　　　　　　　両	
8	器　具　備　品	
9	投　資　有　価　証　券	
10	破　産　更　生　債　権　等	
11	繰　延　税　金　資　産	
12	買　　　掛　　　金	
13	未　払　消　費　税　等	
14	社　　　　　　　　債	
15	退　職　給　付　引　当　金	
16	そ　の　他　有　価　証　券　評　価　差　額　金	

＜損益計算書＞　　　　　　　　　　　　　　　　　　　　　（単位：円)

17	棚　卸　減　耗　損	
18	見　　本　　品　　費	
19	租　　税　　公　　課	
20	貸　倒　引　当　金　繰　入　額	
21	社　　債　　利　　息	
22	手　形　売　却　損	
23	投　資　有　価　証　券　評　価　損	
24	法　　人　　税　　等	
25	法　人　税　等　調　整　額	
26	小　売　売　上　高	
27	一　般　売　上　高	
28	有　価　証　券　利　息	
29	保　険　差　益	
30	社　債　買　入　消　却　益	

| 問題11 | 一般総合(11) | 解答時間 | ／60分 | 自己採点 | ／50点 |

(単位：円)

1	現　　　金		26	支　払　手　形	
2	当　座　預　金		27	買　　掛　　金	
3	受　取　手　形		28	預　　り　　金	
4	売　　掛　　金		29	前　　受　　金	
5	商　　　品		30	未　払　費　用	
6	建　　　物		31	未　払　消　費　税　等	
7	構　　築　　物		32	賞　与　引　当　金	
8	車　両　運　搬　具		33	社　　　　債	
9	リ　ー　ス　資　産		34	リ　ー　ス　債　務	
10	土　　　地		35	退　職　給　付　引　当　金	
11	投　資　有　価　証　券		36	繰　延　税　金　負　債	
12	破　産　更　生　債　権　等		37	その他有価証券評価差額金	
13	繰　延　税　金　資　産		38	売　　　上	
14	売　上　原　価		39	受　取　利　息　配　当　金	
15	人　　件　　費		40	有　価　証　券　利　息	
16	営　　業　　費		41	社債買入消却益	
17	貸　倒　引　当　金　繰　入				
18	減　価　償　却　費				
19	棚　卸　減　耗　費				
20	支　払　利　息				
21	社　債　利　息				
22	手　形　売　却　損				
23	雑　　損　　失				
24	投資有価証券評価損				
25	減　損　損　失				

| 問題12 | 商的工業簿記 | 解答時間 | ／60分 | 自己採点 | ／50点 |

（単位：円）

①		②		③	
④		⑤		⑥	
⑦		⑧		⑨	
⑩		⑪		⑫	
⑬		⑭		⑮	
⑯		⑰		⑱	
⑲		⑳		㉑	
㉒		㉓		㉔	
㉕		㉖		㉗	
㉘		㉙		㉚	
㉛		㉜		㉝	
㉞		㉟		㊱	
㊲		㊳		㊴	
㊵		㊶		㊷	
㊸		㊹		㊺	
㊻		㊼		㊽	

| 問題13 | 一般総合(12) | 解答時間 | ／60分 | 自己採点 | ／50点 |

(1)	円

| (2) | 円 |

| (3) | 円 |

| (4) | 円 |

| (5) | 円 |

| (6) | 円 |

| (7) | 円 |

| (8) | 円 |

| (9) | 円 |

| (10) | 円 |

| (11) | 円 |

| (12) | 円 |

| (13) | 円 |

| (14) | 円 |

| (15) | 円 |

| (16) | 円 |

| (17) | 円 |

| (18) | 円 |

| (19) | 円 |

| (20) | 円 |

| (21) | 円 |

| (22) | 円 |

| (23) | 円 |

| (24) | 円 |

| (25) | 円 |

(26)	円

| (27) | 円 |

| (28) | 円 |

| (29) | 円 |

| (30) | 円 |

| (31) | 円 |

| (32) | 円 |

| (33) | 円 |

| (34) | 円 |

| (35) | 円 |

| (36) | 円 |

| (37) | 円 |

| (38) | 円 |

| (39) | 円 |

| (40) | 円 |

| (41) | 円 |

| (42) | 円 |

| 問題14 | 本支店会計 | 解答時間 | ／60分 | 自己採点 | ／50点 |

本店の決算整理後残高試算表 (単位：円)

1		2		3	
4		5		6	
7		8		9	
10		11		12	
13		14		15	
16		17		18	
19		20		21	
22		23		24	
25		26			

支店の決算整理後残高試算表 (単位：円)

27		28		29	
30		31		32	
33		34		35	
36					

本支店合併損益計算書 (単位：円)

37		38		39	
40		41		42	
43		44		45	
46					

本支店合併貸借対照表 (単位：円)

47		48		49	
50					

問題15	組織再編	解答時間	／60分	自己採点	／50点

問1　甲社の決算整理後残高試算表

（単位：円）

1	預　　　　金		10	買　　掛　　金	
2	受　取　手　形		11	未　　払　　金	
3	仕　　　　入		12	未 払 法 人 税 等	
4	営　　業　　費		13	退 職 給 付 引 当 金	
5	賞 与 引 当 金 繰 入		14	その他有価証券評価差額金	
6	減 価 償 却 費		15	売　　上　　高	
7	貸 倒 引 当 金 繰 入		16	固 定 資 産 売 却 益	
8	手 形 売 却 損		17	法 人 税 等 調 整 額	
9	雑　　損　　失				

問2　乙社の決算整理後残高試算表

（単位：円）

1	受　取　手　形		9	買　　掛　　金	
2	売　　掛　　金		10	短 期 借 入 金	
3	繰　越　商　品		11	未 払 消 費 税 等	
4	構　　築　　物		12	賞 与 引 当 金	
5	仕　　　　入				
6	営　　業　　費				
7	減 価 償 却 費				
8	雑　　損　　失				

問3

1	甲社の企業評価額		円
2	交 付 株 式 数		株

問4

1	の　　れ　　ん		円
2	その他資本剰余金		円